Николай НЕДОБРОВО

МИЛЫЙ ГОЛОС

Избранные произведения

Издательство «ВОДОЛЕЙ»
ТОМСК — 2001

ББК 84.Р1
Н42

Основатель издательства «Водолей» —
Томская областная научная библиотека
им. А. С. Пушкина

Составление, примечания и послесловие
Михаила Кралина

Н42   **Недоброво Н. В.** Милый голос. Избранные произведения. — Томск: Издательство «Водолей», 2001. —
352 с.

В сборник избранных произведений Николая Владимировича
Недоброво (1882—1919), поэта и критика Серебряного века, ока-
завшего на Анну Ахматову, по ее собственному признанию, огромное влияние, вошли стихотворения, большая часть которых публикуется впервые, трагедия в стихах «Юдифь», а также статьи о
поэзии Фета и Анны Ахматовой.

Главный редактор Е. Кольчужкин
Корректор В. Лихачева

Сдано в набор 22.12.00. Подписано в печать 20.03.01.
Формат 84x108¹/₃₂. Гарнитура Таймс. Печать офсетная.
Печ. л. 11. Условн. печ. л. 18,48. Уч.-изд. л. 20,36.
Тираж 1000. Заказ № 411

Лицензия ЛР № 070405 от 14 августа 1997 г.
Издательство «Водолей», 634000, пер. Батенькова, 1

Отпечатано с оригинал-макета, подготовленного издательством «Водолей»
Сибирское издательско-полиграфическое
и книготорговое предприятие «Наука»
630077, Новосибирск-77, ул. Станиславского, 25

Т

1002490164

Н $\dfrac{4700000000}{M46(03)-01}$ без объявл.

ISBN 5—7137—0179—4

ЮЛИЯ САЗОНОВА-СЛОНИМСКАЯ[1]

НИКОЛАЙ ВЛАДИМИРОВИЧ НЕДОБРОВО

Опыт портрета

Н.В.Недоброво умер молодым. Его биография очень короткая. Он родился в 1882 году в старинной дворянской семье, до десяти лет прожил в родительских имениях Тамбовской и Курской губерний, и после окончания курса гимназии в Харькове приехал в Петербург, в котором провел всю остальную часть своей жизни, став истым петербуржцем. В 1906 году он окончил курс петербургского университета по историко-филологическому факультету, специально занимаясь, под руководством академика Александра Николаевича Веселовского. В университете им было написано исследование о тютчевской поэзии. В университете же началась его дружба с А.А.Блоком, с которым он одновременно кончал курс. Вся дальнейшая деятельность Н.В.Недоброво протекала в Петербурге в тесном кругу знавших его. Из Петербурга он уехал умирающим. После трех лет борьбы с чахоткой он умер в Ялте 3 декабря 1919 г.

Тонкой цепью любви и уважения к Н.В.Недоброво были связаны многие деятели современности, — смерть его заставила мучительно дрогнуть эту цепь.

Николай Владимирович Недоброво был чрезвычайно тонок, с узкими, чуть покатыми плечами и поднятой на высокой крепкой шее узкой головой. В его внешнем облике, прежде всего, запоминались руки с узкой, нежно-розоватой длинной кистью, с тонкими нежными пальцами — руки редкой красоты и выразительности. И запоминался ослепительный фарфоровый блеск его кожи, поразительно сочетавшийся с резкими очертаниями его мужественного лица. Решительный нос с горбинкой, два крыла широких «соболиных» бровей над продолговатой узостью длинных глаз, почти спрятанных в тихое время и вдруг расширявшихся в открытое голубое сияние: редкий чело-

1 Сазонова-Слонимская Юлия Леонидовна (1887-1957) — литературный и театральный критик, литератор.

век мог вынести это голубое сверкание, и часто спорщик отступал не перед логическими доводами Николая Владимировича, а перед внезапно раскрывшимся синим блеском его глаз. В гневе глаза становились большими и синими, с черным огнем в середине, блистали прямо на ослушника, — и всегда в этом гневном блистании чувствовалась правда возмущенного духа.

В лице его бывал и тихий блеск: при изгибе узких ярких губ блистали «жемчужными» переливами ровные белые зубы. Губы были самой резкой и самой изменчивой чертою в лице. Когда они сжимались, опуская углы книзу, общение невольно прекращалось; но те же неприязненные сухие губы, раздвинутые длинной улыбкой, становились детски приветливыми, радостными. Иногда углы приподнимались, и опускалась середина, создавая странный узор — это при стараниях уловить собеседника в петлю своих умозаключений.

Тонкость, узость линий была основным признаком внешнего очерка Николая Владимировича, нежность и блистание были основою его красок. Тонкость линий почти неестественная, в сочетании с прозрачностью красок почти женственной, создавали общее впечатление хрупкости. «Перламутровый мальчик», звали его в интимном кругу в пору его студенчества. «Он фарфоровый», пугались друзья потом, когда видели узкий очерк застенчиво улыбавшегося Николая Владимировича среди реальных «трехмерных» фигур остальных собравшихся. Особенности внешнего облика отличали его сразу: его нельзя было пропустить, не заметить. Люди, видавшие его мельком где-нибудь в людном месте, с полной точностью вспоминали его через много лет.

К этому добавлялось ощущение несовременности: «у него лицо Чаадаева», «он совсем из сороковых годов». Такой тонкий, хрупкий, что кажется, всякий может его обидеть — но вот оказывается он очень силён и узкое тело его напряжено крепкими мускулами. Такой нежный, «фарфоровый», что, кажется, дуновение ветра может его погасить — но вот, оказывается, годы болезни и несчастий не изменили его: всё тем же перламутром блистало его лицо за несколько дней до смерти, и так же безупречны были линии узких рук, когда они уже держали кипарисовый крест с обвивавшей его белой розой.

Внешний облик был отражением внутреннего существа. Тонкость его диалектических построений, узкость —

узкость летящей по одному направлению стрелы — и ослепительный блеск мысли, иногда воспринимавшейся лишь блеском, — были основными чертами его мышления. Казалось, мысль его совсем не реальная; казалось, это только блистание парадокса; — но вот проходит время, каление исчезает, и обнаруживается твёрдая стальная основа мысли, её точное соответствие реальности. Николай Владимирович Недоброво многое предсказал с точностью даже числовой: он не интуицией угадывал, а логикой исчислял.

«Мир будет заключён в 1918 году», — говорил он в 1915 и 1916 гг., когда многие ждали скорого окончания войны — и доказывал это комбинированием фактов. Движение революции, — начало которой он не видел из-за увлекшей его на юг чахотки, но колыхания которой он ощущал в Ялте, — он развивал мысленно с точностью, пока не поколебленной. Теперь, в свете свершившегося, кажутся неудивительными его пророчества: «а как же могло быть иначе?»; — тогда же он многим казался фантазирующим чудаком. В пору первых дней Керенского, он подробно рассказывал о победе большевиков, о разорении крестьянского хозяйства, о голоде, даже о пресловутой «помощи Антанты» Добровольческой Армии; иногда, увлекаясь фантазией, он рассказывал будущие эпизоды антропофагии и живописал «невероятные» события — как жутко было через несколько лет читать эти самые эпизоды в газетах уже в виде заметок реального быта. Выводя логически антропофагию из мыслимого им движения голода, он рассказывал о ней в тоне фантастики, как бы сам стараясь придать своим выводам менее убедительную форму — но с какой точностью был им предвиден путь стихий.

Способность точно видеть вперёд, «перевёртывать страницу», исходила у него из совершенной законченности его внутреннего круга идей, которая делала его вполне независимым от движения вещей. События не могли «захлестнуть» его, не могли ни в чём поколебать его — как будто он стоял на незыблемом островке среди колебаний стихий. События могли быть для него страданием, но не могли влиять на него, не могли «открыть» ему чего-либо: всё как будто дано было ему изначальным опытом.

Духовно он оставался неизменно тем же в 1919 году, каким был в 1912 году, — лишь тело его, под влиянием острого восприятия событий источилось до полного исчезновения. Объяснялась эта свобода его от внешнего — несвободой его от внутреннего. Он весь был вкован в свой духовный мир, по отношению к которому осуществлял проблему свободы воли: он мог, но не хотел нарушить свой внутренний закон. Выводы его исходили из этого внутреннего мира, а не строились на впечатлениях внешнего. Поэтому война и революция могли убить его физически, но духовно не качнули ни разу. За всю жизнь он не сказал ни разу: вот вчера я увидел и сразу понял... Он приводил иногда эти примеры внешних совершений для пояснения своей мысли другим, как показывают для наглядности картинки детям (хоть и предпочитал развивать мысли отвлечённо, без доказательств фактами), но ему самому эти картинки не были нужны в ходе умозаключений. Это составляло причину его кажущейся несовременности. Он казался не связанным со своей эпохой, хоть и был в мысли своей, в духовной сути своей самым современным из современников, ибо современность отложилась в нём не одним только каким-либо случайно его задевшим событием, — а вся её сущность отложилась в нём абстрактными кристаллами, сложив замкнутый и слитный мир точных идей. Как ни был отличен от других и как не казался подчас одиноким Николай Владимирович, он был человеком своей эпохи, быть может наиболее полно и наиболее самоотверженно её воплотившим. Это придаёт особую ценность его образу, уже ускользающему во времени, и обостряет желание описать его во всей его целостности.

Каждая его случайная фраза, мимолётная парадоксальная улыбка были логически сцеплены с внутренним кругом его идей, с неизбежностью вытекая из них. Иногда эти вылетевшие из его замкнутого мира птицы казались странными, совсем для него неожиданными — «ах, уж эти парадоксы Николая Владимировича!»

Отчего вдруг «Хижина дяди Тома» нехорошая книга и не следует давать её детям? Совсем непонятна эта брошенная вскользь фраза. Отчего Андерсен вредный писатель, разрушительно действующий на детскую душу? Андерсен! «друг детей!» — да это совсем нелепо.

Но в ходе идей Николая Владимировича мысли эти были вполне ясны: «Хижина дяди Тома» призывает только к гуманности, к удовлетворению лёгкими достижениями «гуманной» культуры, а Н.В.Недоброво был противником тёплого гуманизма во имя горячего братства, он отвергал культуру гуманизма во имя истинной культуры действенного христианства; и разжижающая доброта Бичер Стоу казалась ему лишь ослаблением духа: отпущу раба на волю, стану добрым и будет мне тихо.

Вцепленный в круг великих идей человечества, Андерсен становится нищим: в каждой почти сказке он доказывает тщету подвига, бесцельность любви — как же дать его детям, которые должны знать необходимость и силу подвига, верить в победу неизменной любви? и как бедна казалась бы история человечества, если бы прав оказался Андерсен, взявший мерилом суждений о мире свою собственную печальную биографию!

Так, связанный с основными идеями, парадокс оказывался у Н.В.Недоброво точно выверенной мыслью, как будто компас носил всегда с собой Николай Владимирович, компас, не давший ему сбиться в направлении. У него было точное знание своего пути, — и потому-то так отчётливо, так веско звучали его слова.

Но знание не свойственно людям, — оно разрывает ткань их жизни. И у Николая Владимировича не было лёгкой жизни. При полном благополучии его биографии, он был по существу — несчастный, не имевший жизни. Ранняя смерть оказалась естественной у него.

Он считал себя не имевшим удачи, ничего не получившим даром от жизни — всё было добыто победою, оружием. И он часто повторял с горечью: «лишь незаслуженное — благо». Он приводил в пример удачи случайную встречу с человеком, который именно нужен в данный момент: как хорошо, что встретил вас сегодня! Он утверждал, что даже такой простой удачи не имел ни разу в своей жизни: никогда он не встретил так, случайно, человека нужного, а всегда должен был разыскивать его. Точно жизнь сердилась на него за знание, за силу, за срывание покрывала — и мстила ему неуслужливостью: добивайся сам, раз ты всё сам знаешь. И он часто говорил с горечью об этой неуступчивости жизни. В его пути не было влияния случаев — как будто он заранее, быть может с детских лет, составил замысел своей жизни и не уступал его противящимся ветрам. Этот замысел, никогда не оставлявший его, это знание, никогда ему не изменявшее, придавали ему устойчивость и упорность.

В каждом почти человеке бывают отдельные мысли и ощущения, вкусы и привычки, не связанные со строем его основной духовной жизни; как бы две комнаты душевного мира: одна для серьезных, «настоящих вещей», другая для мелких, «случайных».

У Н.В.Недоброво не было этих отбившихся независимых ощущений, — каждое из них было вцеплено во всю его духовную систему, являлось неотделимой ее частью. Точно в цепь, одно звено которой неизбежно исходит из другого, вкованы были малейшие проявления его души и, зная звенья этой цепи, легко было соединить с нею каждую его мысль, каждое его чувство.

Немногие знали всю цепь идей Николая Владимировича, и, лукаво улыбаясь, он отпускал иногда «парадоксы», радуясь, когда знавший «цепь» показывал ему все опущенные звенья, соединявшие высказанную мысль с его основными теоретическими положениями.

Такая завершенность, такая неколебимая законченность казалась неестественной в очень пылком, иногда необузданном человеке с быстрой фантазией. Это придавало Н.В.Недоброво загадочность, заставлявшую Вячеслава Иванова и Андрея Белого говорить о его «центростремительности» и спрашивать себя, каков же, собственно, центр его.

Раскрыть до конца цепь идей Н.В.Недоброво трудно, — слишком слито это было со всем его духовным существом, неповторимым и исключительным. Но можно попытаться описать ее.

Основным звеном, смыкавшим цепь идей Николая Владимировича, было понятие России. Россия для него была не только «родиной», не местом, где он «случайно родился», а циклом идей, заключенных в одном чудотворном слове.

Он считал Россию вместилищем Духа, и с нею связаны были для него все вопросы земного существования человечества. Россия должна была открыть человеку его истинную жизнь, — в ней, в верном ее пути разрешение основных духовных вопросов.

В его понятии Россия в данном периоде человеческой истории была осиянна тем венцом, какой сиял попеременно над христианским Римом первых веков, над Византией в лучшую ее пору и который венчает народ, являющийся в данную пору лучшим храмом земной Церкви. Этот венец определяется не только внешним могуществом: Англия и Франция, при всем их величии, никогда не были озарены венцом. Но внешнее величие является одним из сопутствующих ему знаков. Поэтому Россия в своих исторических путях всегда была связана с другими народами, являясь во всех своих начинаниях не замкнутой внутри себя, а выходящей за пределы личных своих нужд. Отсюда и историческая «несообразность» русских войн, внезапное появление Суворовых всюду, где завязывается узел истории. В последнем акте каждой исторической драмы, имевшей значение для человечества, неизбежно являлась Россия, и ею решался исход события.

Все пути человечества сплетались в имени Россия. В самом этом имени звучала нездешняя сила.

Поэтому те русские люди, которые опасались силы, содержащейся в самом имени России, готовы были называть ее родиной, отечеством, страной, но избегали произносить ее имя. Н.В.Недоброво всегда замечал таких людей, и появление целой газеты с бессмысленным названием «Страна» было им отмечено как любопытный призрак.

Духовное содержание России было важнее всего для него, и то, что называли его «империализмом»», — мечта о влиянии на Востоке — было желанием озарить венцом России древнюю Византию.

Война была страшным потрясением для него. Он записался добровольцем, но не был отпущен со своей службы: он оказался необходимым при работе комиссии Государственной Думы. Не имея возможности отдать войне физически своё тело, он отдал ей весь свой дух, наложив на себя по собственному слову «мораторий до окончания войны», т. е. отказавшись от всякой личной жизни, ото всякой личной радости.

Война оказалась центральным звеном всей цепи, и это звено стало для Н.В.Недоброво роковым. Зиму 1914/15 гг. он был нездоров, в пору отступления летом 1915 года его нездоровье перешло в «болезнь без названия», а в 1916 году эта болезнь получила название: она оказалась чахоткой. В 1917 году летом он стал говорить с отчаянием: «венец отошёл от России, дух отлетел от неё». В это же время доктор говорил его жене: «болезнь начинает принимать дурной оборот». Доктора считали решающим для исхода болезни пробуждение воли к жизни и душевное спокойствие. Но Николай Владимирович был поглощён мыслью об исходе борьбы России с восставшими против нее силами и занимался своим здоровьем покорно, но без интереса.

Брестскому миру он не придал значения: «Германия будет побеждена, и договор сам собою отменится», — но его мучила мысль о том, как выйдет Россия из всего ее ожидавшего.

Будет ли она прощена? вернется ли ей животворящая духовная сила? Этот вопрос наравне с вопросом: умру ли я? волновал его до последних часов его жизни. Ему хотелось «перевернуть страницу» и узнать наверное. Он считал, что гнев на Россию, бывший причиной ее почти полной гибели, смягчился и что Россия снова будет осиянной. И все же он мучительно тосковал: он хотел знать это, видеть самому, ожить под лучами ее венца. Искал знамений, просил еще жизни. И умер.

Он умер так, как умирают от несчастий любви. Россию он любил любовью патетической, любовью сознательной и в этом был непримирим. Его любовь была того же пафоса, что пушкинская любовь к России. Его Россия была пушкинской Россией.

Как искренно верующий, он отвергал всякое иное чувство к России. Лермонтовское «люблю отчизну я, но странною любовью» было ему чуждо.

Россия являлась ему более чем родиной, более чем государством.

Государство казалось ему лишь временной формой человеческого общежития и формой несовершенной, часто вступающей в борьбу с требованиями человеческого духа. Проявление государства — политика была для него низшим проявлением человеческого интеллекта: «это дело нечистое». Истинное дело человека — духовное творчество. И величайшее из достижений — творчество поэта. Не полководец и не политик, но поэт

> ... стоит высоко над землёй
> И её заклинает стихами, —
> Сеть событий, петля за петлёй,
> В кряжи гор обращает словами.

Государство является необходимым этапом на пути к совершенной форме человеческого общежития — к объединению людей в Христианской Церкви. Это было основным упованием Н.В.Недоброво, и этому он придавал решающее значение в своём внутреннем мире идей.

Помню, как первые дни нашей начинавшейся дружбы мы шли с Николаем Владимировичем, тогда ещё здоровым и бодрым, по берегу моря в Крыму. Мы говорили, шутя, о случайных знакомых, о каких-то мелочах того дня, взглядывали на красивую линию Судакских гор, — и вдруг, без всякой видимой связи с разговором, Николай Владимирович быстро повернулся ко мне и суровым отчетливым голосом сказал: — «Я принадлежу к святой Равноапостольной Церкви христианской» — и глаза его расширились и посинели, глядя прямо на меня. — «Конечно же», — ответила я как-то неловко, и он быстро проговорил:

— «Вот я хотел это сказать вам, чтобы вы знали».

Потом глаза его снова сузились, и он прежним тоном заговорил о пене моря, взлетавшей выше камней. Казалось, эти торжественные слова и это внезапно блеснувшее мне патетическое лицо ревнителя веры совсем не были связаны с нашим незначащим разговором, как будто сон, на мгновение явившийся мне. Но в нашем тихом разговоре, вне значения слов, Николай Владимирович видел нашу будущую дружбу и прежде чем допустить это сближение, он поднял передо мною меч своей веры. Если бы я в этом его не приняла, дружеское сближение было бы невозможным.

О Церкви, о христианстве он никогда не говорил мимоходом, а говорил лишь в полную силу, взволнованно и всё с той же ясностью, как будто он передавал то, что внушено ему было безусловным внутренним знанием.

Он с точностью знал не только Св. Писание, но творения всех наиболее сильных духовных писателей. Он помнил во всех подробностях историю Церкви, которая не сливалась для него в общие представления, а жила в нём яркими отчётливыми образами. Его творческое воображение и ясная память составляли, из записей и свидетельств разномыслящих современников, — горящую всеми подробностями, живую картину исторического события.

Так, инквизиция не была для него одним слитным событием, а являлась цепью ясно различимых отдельных личностей, развитием индивидуальных деятельностей неравного значения и силы, долгой жизнью по-разному расцветающих идей.

Так, церковные соборы помнились ему не только своими постановлениями, а живым составом сталкивающихся духовных влияний.

Ясная память о прошлом в соединении с твёрдым восприятием настоящего, которое отличало Н. В. Недоброво, придавали особую силу его решительному слову, часто заставлявшему умолкнуть спорщиков и ощутить почти мистическую тишину.

Его любовь к России рождала в нём острую внимательность к русскому языку.

Он знал русский язык с точностью филолога и с
нежностью поэта. Он любил находить в старых книгах
исчезнувшие слова, в которых, точно вода в каменном
углублении, хранилась свежесть былых ощущений. Как
веселился он, повторяя певучим своим голосом слова
старых записей. Звук этих слов точно возрождал перед
ним живую силу тогдашнего быта. Как любил он нежиться
в ласкающих словах старых житий, описаний или рассказов. Оттуда, как радость, внимал он слова для себя.
Иногда его вдруг увлекало какое-нибудь случайное слово,
и он начинал вводить его в свой говор, как «пачпорт» или
московское «перьвый». Но он не был антикваром слова —
он любил слушать хороший русский говор, как любят
слушать хорошее исполнение любимой вещи.

Я и сейчас вижу, как Николай Владимирович, блаженно качаясь, сидит на перилах балкона и с сияющей
улыбкой на ставших совсем детскими губах слушает,
точно песню, рассказы знакомой москвички, которая сохранила без единой погрешности чисто русскую речь. Она
рассказывала случайные сплетни, пересказывала мелочи
своего несложного быта, иногда говорила о погоде, — но
о чём бы ни говорила она, блистающая улыбка не сходила
с губ погружённого в слух Николая Владимировича. Глядя
на него можно было подумать, что он без памяти влюблён
в эту немолодую женщину. Когда она уходила или умол-
кала, он со вздохом вставал и уходил к себе: как чудесно
говорит она по-русски! Какое наслаждение! Сам он мало
говорил с ней, предпочитая роль слушателя, и она, вероятно, никогда не узнала, сколько радости и вдохновения
черпал он в её незначащих словах.

Внимательность к русскому слову помогала Николаю
Владимировичу находить выражение для своих мыслей
насколько верное, что, казалось, его мысль вливалась в
облекавшую её форму, точно сок в растение. Казалось,
она станет мёртвой, если её отделить от её словесного
выражения. Поэтому пересказывать мысли Н.В.Недобро-
во почти так же было трудно, как невозможно пересказать
стихи. Несмотря на частые предложения друзей записы-
вать беседы, которые с таким диалектическим блеском и
богатством умел вести Николай Владимирович до последних почти дней своей жизни, — никто из его собеседников
не записал их. Как горестно должно это вспоминаться

теперь, когда ото всего духовного богатства, так свободно расточавшегося Николаем Владимировичем, осталась небольшая книжка стихов, несколько рассказов, небольшое количество статей, трагедия «Юдифь», долженствовавшая быть первой в задуманной им трилогии, и недоконченная рукопись исследования законов поэтического ритма.

Работа эта «О связи некоторых явлений русского стихотворного ритма с дыханием» возникла из читанного им весной 1911 года в «Обществе ревнителей художественного слова» доклада «Ритм, метр, и их взаимоотношения». Задумана она была в виде свода законов, так, чтобы каждое положение было вполне завершено в самом себе, составляя в то же время звено в общей цепи, таким образом, каждый «закон» мог бы выниматься при случае, и быть вполне понятным для применения. Работа эта была до конца сделана им, составляя основу всех его теоретических выступлений последних годов, но она не была им до конца записана и осталась в ряде разрозненных набросков и подготовленных материалов: ритмических чертежей и подробных ритмических записей ряда поэтических произведений. Пояснительные пометки Н.В. Недоброво к этим чертежам и записям дают возможность вполне понять мысль исследователя, и материалы эти должны составить ценный вклад в науку ритмологии. Н.В.Недоброво посвящал много времени и сил этой науке, был одним из её видных деятелей, участвовал в работе и даже в создании поэтических обществ, как «Общество поэтов» и петербургское «Общество ревнителей художественного слова», — но он всегда признавал эту свою деятельность, как и всю поэтическую науку, лишь вспомогательным средством к основному — к поэтическому творчеству и протестовал всегда против чрезмерного увлечения техникой. Слову придавал он значение реальной творческой силы:

> О, страсти, споря со словами,
> Стремительно кипят клоками,
> Но кольца сильных, гибких слов
> Их гнут и мнут...

Силою слова поэт обретает власть над событиями.

> И в далёкую синь, чудодей,
> Прорезает глубокие ходы.

Силою слова он обретает власть над своею душою, когда

Плывет тоска, растет немая
И дорастает до границы слов.

В слове дух человека живет отдельным бытием, независимым от воли творца этого слова — художественное творение с момента своего завершения обладает собственной жизнью, свободной от воли автора. «Поэтам простительно младенческое отношение к словам — вера в тождество слова с бытием. При вере в такое тождество родство слов равняется родству вещей. И мы с гордостью думаем, что управляя дыханием, мы управляем чем-то очень близким к духу — какие это прекрасные, в самой глубине голоса образуемые звуки — дыхание — душа!» — таковы последние слова, которые успел записать Н.В.Недоброво в своем исследовании о связи ритма с дыханием.

Трудно определить долю влияния Н.В.Недоброво на поэзию его времени — так тесно сплетена была его жизнь с ее развитием в тот период.

Несомненно, многое определилось быстрее и точнее, благодаря ясности его внутреннего знания, которое он вносил и сюда, как и в отвлеченные вопросы духа. Точность его поэтического восприятия и умение ощущать произведение, исходя из того душевного центра, который дал ему жизнь, делали Н.В.Недоброво одним из самых приятных и ценных судей поэзии, — с наслаждением и с любовью показывали ему свои новые вещи многие поэты! Самая личность Н.В.Недоброво, соединявшая внешнюю сдержанность, доходившую почти до холодности, с внутренней способностью любви и дружбы, почти патетической, — не могла не отразиться на его роли среди окружавших его художественных деятелей. Были у него быстрые и пламенные дружбы, как с рано скончавшимся поэтом гр. Комаровским, были даже длительные и верные привязанности, как верная дружба его с Б. Анрепом, как любовь его к Вяч. Иванову, к А. Белому. Н.В.Недоброво был в высочайшей степени способен на дружбу, и многие из лучших его стихов посвящены этому чувству, доходившему у него до силы пламени. Наиболее ценили и любили его Андрей Белый, который при первом выступлении Н.В.Недоброво прочил его на «освободившийся престол

Тютчева», и Вячеслав Иванов; с ним близок был в первую пору своей поэтической работы Александр Блок, был с ним дружен покойный Н.С. Гумилёв, как и Анна Ахматова. Федор Сологуб и Мих. Кузмин знали и ласково ценили молодого поэта, который любил и чтил их творчество, но личного сближения между ними не произошло. Вполне в стороне от всякого общения с ним были К. Бальмонт и В. Брюсов.

Круг любимых им живых поэтов вместе с кругом любимых им поэтов ушедших — из них наиболее пламенным был у него культ пушкинской поэзии, благоговейно восторженным было его отношение к Баратынскому и наиболее входившей в самые истоки его духовного мира была поэзия Тютчева — определяют поэтические стремления Н.В.Недоброво.

О себе, как о поэте, может рассказать сам Н.В.Недоброво.

В его стихах, при ясности и точности формы, основою является ласкающая нежность к земным краскам и напряжение духовной воли. Многие из его стихов описывают движение красок:

> Ты помнишь камни над гладью моря?
> Там вечер розовый лег над нами,
> Мы любовались, тихонько споря,
> Как эти краски сказать словами.

> У камней небо подвижно сине;
> Вдаль — розовей и нет с небом границы,
> И золотятся в одной равнине
> И паруса и туч вереницы.

> Мы и любуясь, слов не сыскали.
> Теперь подавно. Но не равно ли? —
> Когда вся нежность розовой дали
> Теперь воскресла в блаженной боли.

Движению красок в морском прибое, в снежной пелене или быстром ручье, краскам, раскрывающимся на небесном своде, посвящена стихотворная радость поэта:

> Такого дня не видано давно.
> Снег засиял... о, песнью лебединой!

> А в небе бродит синее вино
> И стынет по краям прозрачной льдиной.

В земном упоении красок, в свободе любования ими, в безответственности созерцательной жизни, поэт как бы ищет отдыха от вечного напряжения воли. Эта воля никогда не ослабевает в борьбе с чувством, никогда не поникает перед требованиями страсти. И хотя

> ...Борьба с дерзаньем сердца тяжела!

— борьба эта всегда кончается победою духа.

В любовных стихах Н.В.Недоброво всегда есть напряженная воля к этой духовной победе, есть признание ценности любви и готовность во имя ее терпеть земную боль.

> Подательница муки, будь блаженна!
> Свет на тебе! Как сердца ни изранъ;
> Навеки ты передо мной священна!

Но возможность освобождения остается во власти духа и за земною мукою, за преодоленною пыткою сердца —

> О, кровь из сердца, сжатого тобой,
> Рубиновыми каплями сочится!

— всегда виднеется тишина победного духа:

> ...нашей дружбы рань
> Лазурная!..

Всегда поэт ощущает эту силу и знает, что если, не вытерпев страдания, он призовет ее на помощь, то

> Моя душа утихнет вскоре
> Как под вечер стихает море
> И дремлет, серо-золотое
> И гаснет, розово-стальное.

Но поэт добровольно принимает на себя всю тяготу страдания, не прибегая к освобождающему духовному мечу:

> ... сбросить бремя не хочу
> Тяжелое надежд!

Поэт готов на любовное страдание во имя ценности любви, ибо

> ...свят
> И редок этот вышний дар
> В юдоли наших дней.

В самой любви он находит возможность претворения боли в силу:

> Тоска не отнялась. Сильнее
> Вонзились острые мечи,
> Но стал я выше и бледнее
> И дрогнули в слезах лучи.

Реальный образ «подательницы муки» никогда не проступает сквозь пламя стиха. Ни одного мимолетного указания, ни одной определенной черты, которая помогла бы биографу описать ту, которая внушила стихотворение. В этом полное несходство с любовной фантазией Ал. Блока, у которого даже неуловимая Незнакомка имеет ясно видимый контур.

Стихи Н.В.Недоброво описывают любовь, а не любимую, рассказывают о муке, а не о «подательнице муки». Это придает его любовной поэзии жгучий и острый вкус как бы экстракта.

Так, свободный в духе и замкнутый Н.В.Недоброво даже через поэзию не допускает в свой личный мир интимных чувств. Его любовные стихи могут обвить любой стан, лишь бы он был достоин этого наряда. Отсутствие точного женского образа придает прозрачность и легкость стихотворному пламени. Кажется, как будто образ любимой так ослепляет поэта, что он не видит ее черты сквозь ее блистание:

> Не свожу я очей онемелых
> От звезды мне взошедшей, венчальной.

Под неустанным требованием духа устает земная плоть:

Без роздыха под вспашкой по годам
Иссякло поле...

и припадая к живительному источнику, поэт молит:

Целенья чаю, сердцем рвусь к здоровью.

Но «целитель Феб» не ответил на эту мольбу — здоровье не возвратилось к поэту. Дух не ослабевал в никнущем теле. Блеск духовной силы всё ярче и ослепительнее был виден сквозь отмиравшую оболочку, как бы таявшую под внутренними лучами. Последние дни поэта были незабываемым зрелищем борьбы человеческого духа со смертью, присутствие которой почти реально ощущалось в комнате.

Сан-Ремо, 1923 г.

Русская мысль. 1923. № VI—VIII.

ЮЛИЯ САЗОНОВА-СЛОНИМСКАЯ

Н. В. НЕДОБРОВО

Перед моим отъездом из Петербурга на Кавказ весною 1917 года, Ахматова провела у меня последний вечер. Мы не знали, что нам больше не суждено будет встретиться. На прощанье Ахматова зашила в муаровый зеленый шелк черную клеенчатую тетрадь, — свою копию «Белой стаи», написанную от руки: «Все копии моих сборников обещаны Лозинскому (в Публичной библиотеке), а эту я даю Вам».

Я уезжала на Кавказ, в Сочи, где был тогда Вячеслав Иванов и где лечился от туберкулеза поэт Николай Владимирович Недоброво, ближайший друг Ахматовой и Гумилёва, — получивший на время болезни отпуск из Государственной Думы. Оттуда он с женою перебрался сначала в горную кавказскую деревушку Красная Поляна, а затем в Ялту, где и умер в 1919 г. Похоронен он на Аутском кладбище в Ялте.

Николай Владимирович Недоброво умер 35 лет, не успев встретиться по-настоящему с читателем. Стихи его печатались в журнале «Русская мысль», но отдельного сборника стихов он так и не выпустил. Свою теоретическую работу по ритмологии он начал перед болезнью и закончить не успел. Работа эта после его смерти была передана К. В. Мочульскому, который хотел ее закончить. Напечатана она не была и может находиться среди посмертных бумаг Мочульского. Стихи его, переписанные и просмотренные Недоброво, сохранились у меня. Имя Недоброво, умершего в смутные годы, хранится в памяти поэтов, знавших его, и немногих, оставшихся в живых, друзей. В предисловии к «Неизданному Гумилёву», недавно выпущенному Чеховским издательством, Глеб Струве упоминает о нем со слов его друга, художника Бориса Анрепа.

Николай Владимирович Недоброво был другом и отчасти вдохновителем поэтов начала века. С Ахматовой его связывала тесная дружба. Нам представляется, что в стихах Ахматовой в «Четках» —

> Прекрасных рук счастливый пленник
> На левом берегу Невы,
> Мой знаменитый современник,
> Случилось, как хотели Вы, —

она обращалась к Недоброво, а не к Блоку, как принято считать. Блок не был прекрасных рук и во всяком случае это не могло быть его отличительным признаком. О прекрасных руках жены Недоброво говорилось часто, и это как бы было ее особенностью. Руки же Ахматовой были невероятно гибки, так что она, скрестив их, могла охватить себя всю, соединив ладони за спиной, но это ставилось ей почти в укор, как и другие ее гимнастические возможности. Н.В.Недоброво мог быть назван пленником по своей обычной покорности жене, которую он полушутя называл «императрицей». Блок ничьим пленником в таком смысле не был. Эпитет «знаменитый», неприменимый к мало печатавшемуся Недоброво, мог быть либо дружеским преувеличением, либо просто желанием направить критиков по ложному следу. Тем же может быть объяснено стихотворное утверждение Недоброво, будто Ахматова не писала ему стихов:

> С тобой в разлуке от твоих стихов
> Я не могу душою оторваться.
> Как мочь? В них пеньем не твоих ли слов
> С тобой в разлуке можно упиваться.

Заканчивалось стихотворение признанием:

> И скольких жизней голосом твоим
> Искуплены ничтожество и мука!
> Теперь ты знаешь, чем я так томим,
> Ты, для меня не спевшая ни звука!

Ахматова, как известно, не позволяла публичных восхвалений. Когда на литературном собрании в редакции журнала «Аполлон» после напечатания поэмы «У самого моря», один из ораторов сравнил ее поэму с лермонтовским «Мцыри», Ахматова, сидевшая в первых рядах, бесшумно встала и молча удалилась, оставив всех в растерянности. Недоброво, с подчеркнутой старинностью, выражал восхищение ее стихами в том, что коленопреклоненно надевал ей ботики, но не сравнивал ни с Лермонтовым, ни с Пушкиным: сравнения, хотя бы даже в какой-либо черте, с Пушкиным она в особенности не допускала. У «царско-сельской», как ее называл египтолог Шилейко, второй ее муж, был культ Пушкина, и в этом с ней мог равняться Недоброво. Поэзию он считал возглавляемой единым богом, Пушкиным, хотя и любил других. В Петербурге он мечтал вместе с Борисом Анрепом создать журнал, в котором сотрудники должны были бы следовать пушкинской сдержанности и строгости прозы, избегая того расплывчатого и неточного, что было потом внесено в русскую прозу. Любопытно вспомнить, что мысли Недоброво о восстановлении пушкинской сжатости и строгости языка высказывались в то время, как известный профессор, автор ценных ученых трудов, И. Шляпкин, в лекциях в петербургском университете по древней литературе, в 1913 г., говоря о значении языка, так определил тургеневский стиль: «Когда читаешь Тургенева, кажется, будто букет свежих роз стоит и благоухает перед тобою, вот что делает диалект», — и больше ничего к этому определению не добавил.

Недоброво принадлежал к группе поэтов и прозаиков, искавших путей, исходящих от пушкинского восприятия роли слова. Будь он жив тогда, он несомненно бы согласился с Полем Валери, который в речи во Французской Академии, по случаю столетия со дня смерти Пушкина, сказал, что ему, как иностранцу, трудно полностью оценить Пушкина, так как в числе его произведений был современный русский литературный язык...

О своей близкой смерти Н.В.Недоброво знал. Его предупреждали сны, о которых он рассказывал с поэтической выразительностью, как если бы передавал страшную, но красивую сказку: ему виделись люди, приносившие гроб и потом искавшие крышки, и их разговоры о нем, ему снились могильщики, потерявшие тело, хотя сам он стоял тут же и наблюдал за ними. Он добавлял иронически: «Они его найдут». Сны его были многообразны, и слушая его спокойный рассказ, казалось, что умираешь вместе с ним.

В Царском Селе, где жил Недоброво до своей болезни и отъезда на юг, он постоянно виделся с Ахматовой и Гумилёвым. Ахматова совещалась с ним по всем вопросам, касающимся поэзии. У меня сохранился экземпляр «Четок» с пометками Недоброво ритма всех стихотворений и указаниями иного расположения стихотворений для готовящегося тогда третьего издания.

К Блоку у него было отношение сложное: признавая его, он в то же время отталкивался от него лично, — и тут, быть может, играли некоторую роль те отзывы Блока о поэзии Ахматовой, которые теперь проскальзывают то тут, то там в воспоминаниях. Помню, как Блок на вечере у Сологуба сказал мне полушепотом, когда кого-то из поэтов обвинили в подражании Ахматовой: «Подражать ей? Да у нее самой-то на донышке». Недоброво не мог оставаться безразличным к таким отзывам.

Николай Владимирович Недоброво не принадлежал к определенной школе поэтов. Он был дружен с Вячеславом Ивановым, с Максимилианом Волошиным и с группой акмеистов, с которыми его связывала особая личная близость. Когда Гумилёва спрашивали, в чем сущность акмеизма, Гумилёв отвечал, что это «подарок историкам литературы», которые любят размечать по главам и школам.

Новое русское слово
(Нью-Йорк), 26 мая 1954.

СТИХОТВОРЕНИЯ

* * *

О, как я вами очарован!
Наконец увидя вас,
Снова вас я вспоминаю,
Снова прелестью своей
Очаровали вы меня
И я готов весь мир забыть,
Чтоб в нем одну тебя любить.
Я рыцарь твой, пленила ты меня,
О прелесть ты моя.

1890
Харьков

Б.В.АНРЕПУ

Плоды твоего вдохновенья
читаю с восторгом, мой друг.
прошедшего счастье, мученья
они мне напомнили вдруг.
Как некогда, в годы былые,
я чувствую бурю в груди,
и страсти чудесно простые
проснулись. О прежние дни!

1.XII.1900
Харьков

Б.В.АНРЕПУ

Читаю я твои стихи —
в них нахожу я вдохновенье,
надежды юные твои,
души живой твоей волненье.
Читаю я свои стихи —
в них нахожу я рассужденья
и думы жалкие мои
без жизни и без вдохновенья.

10.I.1901
Харьков

* * *

Или в руки взяв бокал,
вспомнишь ты хоть на мгновенье
свой любимый идеал.
Из земли тебя, благая,
создала земли любовь,
и ликуя, и страдая,
в землю ты вернешься вновь.
Здесь живи, здесь наслаждайся,
прочь печали удали...
Сладкой жизнью упивайся,
о прекрасный червь земли!

Карачевка. VI.1901 — 22.I.1905. Петербург

VIEUX SAXE

Гирляндой алых роз я связан осторожно
    Амуром, баловнем мечты
И взят в истомный плен — и бегство невозможно, —
    Когда на прелесть красоты
Глядел, не чувствуя, как прочными венками
    Меня он ловко овивал,
Как он меня разил звенящими стрелами
    И в сердце пламень зажигал.

8.XII.1901 — 26.VI.1911

СОНЕТ

В твоих объятиях я счастье познавала,
Ты новый, чудный мир открыл передо мной.
Я в нем жила душой и радость в нем черпала,
Забывши, что ничто не вечно под луной.

Ах, если б никогда тебя я не встречала,
Не знала бы тебя, мучитель дорогой!
Хоть счастье дивное я ведала сначала,
Страдаю я теперь изломанной душой.

Не тронуть уж тебя пылающей любовью,
Ты холоден. Служу я пищею злословью,
Покинута тобой, поругана, слаба...

Но ты по-прежнему, изящный и прекрасный,
Живешь в моей душе, разбитой и несчастной.
Пусть ты и разлюбил, но я люблю тебя.

9.VIII.1901

К А.И.БЕЛЕЦКОМУ

Тебя на благо мира постигают
Страданья тяжкие и гнет тоски.
Из них богини дивные свивают
Поэзии роскошные венки.

Пусть когти злой тоски тебя терзают,
Пусть раны будут тяжки, глубоки —
Они твои ведь песни вызывают,
А эти песни чудны, высоки.

Ты мучишься, творя. Твои ж творенья
В печали наслажденье нам дают.
В них скрыт для нас источник наслажденья,

Хоть и про муки нам они поют.
Мы внемлем им, полны благоговенья,
Благословляя твой тяжелый труд.

25.IX.1901

ХРАМ ЛЮБВИ

Посвящается Б.В. фон Анрепу

Среди огромного таинственного храма,
Бросая красный свет на ряд больших колонн,
И наполняя свод дыханьем фимиама,
Горит огонь любви. К нему со всех сторон
Стеклась толпа людей. Они впивают жадно
Благоухающий чудесный аромат,
Их нежит страстный зной, пьянящий и отрадный
Чем ближе, тем сильней. Но всё ж они стоят
Вдали от пламени, где меньше наслажденья.
Подвинуться вперед их не пускает страх.
Там наслаждение доходит до мученья
И страшный, жгучий жар всё обращает в прах.

Вдруг в стороны толпа в смущеньи расступилась,
И в странном ужасе отхлынула назад.
Вот дева чудная среди нее явилась,
Прекрасна, молода... Ее глаза горят...
Она идет к огню... Томима дикой страстью
Бросается в него. Прошел короткий миг.
Она погибла там. Но что за бездну счастья
Исчерпала она, как страшно был велик
Поток прекрасных мук, бездонных наслаждений,
Блаженства и любви, и неги, и огня...
Одно мгновение — но двух таких мгновений
С такими чувствами, душе прожить нельзя.

24.I — 6.II.1902

ОБВАЛ

С высоких гор летел обвал
И всё давил и сокрушал.
Деревья, камни, снег и лёд
С собою увлекал вперёд.
Громада страшная росла,
Стремилась вниз. Тряслась земля,
И гром гудел, и с эхом гор
Вступал в ревущий разговор.
Сорвался с пропасти обвал
И с страшной высоты упал,
Упал на рощи и поля,
Под ним растрескалась земля,
Под страшной грудою камней
Погибли тысячи людей...

Одни лишь черви уцелели
И трупы давленные съели.

18. II — 3. III. 1902

* * *

День тянется за днем так скучно и уныло.
Всё, чем жила душа, в бездействии застыло.
Ни радость, ни печаль не трогают меня,
и в смутном полусне проходит жизнь моя.
Я слышу, как сквозь сон, то звонкий смех веселья,
то жалобы и плач, то болтовню безделья,
и в этих возгласах, мне кажется, порой
я ясно узнаю и сонный голос свой.
Я лишь тогда от сна мгновенно пробуждаюсь
и к жизни чувствами и мыслью обращаюсь,
когда передо мной появится она,
изящна и гибка, спокойна и стройна,
и улыбнется мне приветливо глазами,
и душу оживит любезными речами.
Я с нею говорю и с жадностью ловлю
и взгляд и голос тот, который так люблю,
и слово каждое, и каждое движенье
имеют для меня особое значенье,
и сердцу чуткому так много говорят
и сколько разных чувств в моей душе родят:
то безнадежною тоскою защемляют,
то умилением и счастьем озаряют.
И больше ничего уже не вижу я,
и времени душа не чувствует моя:
то час пройдет как миг, то быстрое мгновенье
несет в себе так много наслажденья,
что часом кажется. Но вот она встает
и руку бледную мне мягко подает.
Чуть замедляются в пожатьи наши руки,
и кажется тогда блаженством миг разлуки
и чувство сладкое волнуется во мне,
и мне она близка, и счастлив я вполне.
Ее уж нет со мной. И всё кругом немеет,
теряет образы, скользит из глаз, темнеет,
и, безразличием тяжелым усыплён,
я погружаюсь вновь в неясный, смутный сон.

19 — 26. II. 1902

* * *

Тебя с улыбкою приветствует весна.
Как глубина небес прозрачна и ясна!
А солнце радостно лучится над землею;
а синева без туч... лишь редкою семьею
в ней бродят облака, сверкая белизной;
и ветки уж пестрят зеленою листвой.
Покинь скорей постель, где ты лежишь больная,
и выйди в тихий сад, где, робко замирая,
я долго жду тебя. Здесь теплый ветерок
обвеется тебе вокруг бесцветных щек,
и солнце, ослепив, лицо тебе осветит,
и греющийся мир тебя, ликуя, встретит.
Пусть ты еще слаба, пусть ты еще бледна,
но ведь и как сильна, живительна весна!
Она прильнет к тебе широкими волнами,
и я начну следить счастливыми глазами,
тих от сердечного и вешнего тепла,
как станешь ты свежа, здорова и мила.

12. IV. 1902 — 7. III. 1905

В АЛЬБОМ

Я чужд уже очарований
И, открывая твой альбом,
Среди девических мечтаний,
Среди наивных пожеланий
Хочу писать тебе о том,
Что наша жизнь лишь ряд мгновений
Однообразных и пустых.
В ней нет высоких наслаждений,
В ней нет возвышенных мучений,
Есть лишь пародия на них.
Под всякой, с виду мощной, страстью
Таятся низость и обман.
Не верь ни радостям, ни счастью,
Не верь любви, не верь участью,
Ни мукам от душевных ран.
Отбрось все ложные стремленья
Пустой толпы, толпы людской;
Одни есть в мире наслажденья —
Искусства вечные творенья
С их дивной, ясной красотой.

15. IV. 1902

ПОЭТУ

Поэт! В тебе живут все люди, все века,
Но ты один в душе бездонной обитаешь
И всё твоё, что ты так чудно изливаешь,
И радость, и печаль, и горькая тоска

Не только ведь твоё. Так дивно широка
Твоя душа, что в ней ты странно совмещаешь
Все души, все сердца и равно выражаешь
И радость юноши, и ропот старика.

Вот почему всегда созданья красоты
Среди людей найдут всеобщее признанье
И всякий в них прочтёт своё страданье

И счастие своё, прочтет свои мечты.
И всякий думает, что чутко слышал ты
Его веселый смех иль горькое рыданье.

19.IV.1902

* * *

Я вновь могу писать. Давно не прикасался
Я к чуткому перу. Когда любви отдался
Мой дух разнеженный и спал в блаженстве ум,
Я, в верном зеркале моей души и дум —
В стихах, описывал случайные свиданья,
Мерцанье тонких чувств, и сладкие страданья,
Забыв все образы, игравшие со мной.
Как ясно было всё! Она, как друг родной,
И не деля любви, к ней нежно относилась,
Так мягко, бережно... Но — вдруг — переменилась...
Я сетовал, болел, укоры слал судьбе;
То злые чувства стал я замечать в себе:
Они то меркнули, подавлены сурово
Влюбленной совестью, то разгорались снова.
В таком смятении я перестал творить,
Боясь поэзию, как бога, оскорбить
Неблагородными и мелкими страстями,
Неправой жалобой и вздорными слезами,
Которые потом противны самому
И хочешь их забыть и скрыть в немую тьму.
И я молчал. Теперь — целитель дивный — время
Уже сняло с души мучительное бремя;
На помощь мне пришла и перемена мест:
Теперь уж я не там, где нёс свой тяжкий крест,
Теперь передо мной шумит, синеет море,
Мечты развеялись на голубом просторе
И образы хотят определенных слов,
Чтоб воплотиться в них из мира чудных снов.

19.VI.1902 — 5. II. 1912

* * *

Не забывай меня, когда враждебной силой
Нас разлучит судьба. Пускай тоской унылой
И сожалением сжимается душа,
Как только вспомнишь ты, как чудно хороша
Была пора, когда, друзья, мы вместе были.
Не забывай меня, хотя б и исцелило
Забвенье много мук — но, исцеляя их,
Оно б прочь унесло и то, что мило в них
Для сердца, и чего оно не променяет
На мертвенный покой, который поселяет
Забвение в душе. И помни, что всегда
Я помню о тебе и жадно жду, когда
Мы снова встретимся давнишними друзьями
Вдали иль снова здесь, меж морем и горами.

23.VIII.1902
Чолмекчи

ОКТАВЫ

I

Когда, душой погружена в мечтанья,
К прошедшему стремишься сердцем ты,
Рисуют ли тебе воспоминанья
Далекие, знакомые черты.
Черты того, которого желанья,
Душа и ум, и нежные мечты
К одной тебе мучительно стремятся
И тягостной разлукою томятся?

II

Ночь долгую мы провели без сна
Над сползшими в долины облаками,
Лежавшими, как пенная волна,
Замёрзшая неровными грядами.
С небес струила ясная луна
Спокойный свет холодными лучами
И он дробился в белых облаках,
Блестя, искрясь, играя, как в снегах.

III

Всех сон окутал; только мы не спали.
Мы берегли мерцающий костер...
То говорить о чем-то начинали,
Но угасал и рвался разговор —
И мы глаза друг к другу обращали
И расширялся твой глубокий взор.
Я в эту ночь почувствовал впервые,
Что близки мы с тобою, как родные.

IV

Ты помнишь ли, как мы пришли в Аян,
Когда луна и звезды уж сияли
По склонам гор сползал сырой туман,
В степи огни далекие мерцали...

Усталые, легли мы в дилижан,
Поехали и утро в нем встречали.
Ты близ меня весь долгий путь была
И головой на грудь ко мне легла.

V

Как близостью твоей я наслаждался!
Я был в мечты о счастье погружен
И милыми чертами любовался,
Когда ж меня сковать пытался сон,
Я гнал его, ему не поддавался,
Чтоб у меня не мог похитить он
И одного короткого мгновенья
Томящего, живого наслажденья.

VI

А Демерджи? Из тяжких глыб обвал,
Красивые, уютные ущелья,
Тяжелые подъемы между скал,
Падения, источники веселья...
Как много их тогда я насчитал
Дни робкого сближенья и безделья.
Зачем они умчались... и куда?
Когда они вернутся вновь... когда?

14.IX.1902 — 5. VIII. 1912

ИЗ ГОРАЦИЯ

Роскошь Персов мне ненавистна, мальчик!
Нет красы в венках, креплённых лыком.
Брось искать в кустах, не висит ли где-то
      Поздняя роза.
К мирту ладить нам ничего не надо.
Он, простой, идет и тебе, прислужник,
Он пристал и мне, под густой лозою
      Поющему скромно.

18.X.1902 — 28.XII.1911

* * *

О как мучительны мгновения свиданий
среди бездействия, забот, трудов, страданий
с тобою, мстящий дух, сияющий, немой!
Живущий человек как жалок пред тобой!
Когда возникнешь ты из моря размышленья
и в глубину души, не зная сожаленья,
горящие глаза недвижно устремишь
и язвы скрытые жестоко обнажишь,
тогда каким щитом я буду защищаться,
куда я убегу, где буду укрываться?
Ты всюду беглеца дрожащего найдешь
и сердце изъязвишь, укорами сожжешь.
Но не забудь, о дух, моей уютной кельи,
не дай забыться мне в покое и бездельи
и угрызеньями, когда доволен я,
жги сердце мне, казни меня!

27. X. 1902
Харьков

ЭКСПРОМТ

Дикий приговор над судьбой боярства,
Нас лишивший всех вотчин и поместий
И отдавший их в руки разночинцев —
      Табель о рангах.
Для чего, Петр, в непонятной злобе
Путь открыв к гербам разным проходимцам,
Ты нанес удар, вряд ли исправимый,
      Славе боярства?
Если меж дворян видим мы мерзавцев,
Если не они лучшие из граждан,
Если это так, то тому вина
      Табель о рангах!

28. X. 1902

К ЮЛИИ ПАВЛОВНЕ ХАНАЙЧЕНКО

Коль милосердия сестрою
Вы для того хотите быть,
Чтоб, нежно жертвуя собою,
Болезни в мире уменьшить, —

Достигнете обратной цели:
Число больных лишь возрастет.
Кто, чтоб вас видеть у постели,
Себе бактерий не привьет?

22.XI. — 5.XII.1902
Харьков

* * *

Болью сердце изнывает,
Силы нету, воли нет.
Впереди уж не сияет
Путеводный, яркий свет.

И на путь свой безымянный,
В каменистую постель,
Горькой скорбью обуянный,
Я упал, утратив цель...

Вкруг меня без просветленья
Тьмы тяжелой пелена...
И в тоске изнеможенья
Я хочу забвенья, сна.

17 — 30.XII.1902
Харьков

* * *

Дух изможденный, дух усталый,
Зачем себя тревожишь ты,
Укор мне шепчешь запоздалый,
Смущая вялые мечты.

Ты мне жестоко сердце гложешь,
Но из паденья моего
Ты приподнять меня не можешь...
Усилья мало твоего...

Во мне одно страданье живо.
Все остальное отмерло,
Все так бесчувственно, лениво,
Неодолимо-тяжело.

И ты с своей ничтожной силой
Груз этот хочешь вверх поднять?
Нет, осужден в тоске унылой
Ты самого себя терзать.

Дух изможденный, дух усталый,
Зачем себя тревожишь ты,
Укор мне шепчешь запоздалый,
Смущая вялые мечты.

26.XII.1902 — 8.I.1903

15 СЕНТЯБРЯ

Не блистал давно над нами
Свод небесный синевой,
Тучи серыми клоками
Низко мчались над землей.
И с завистливой враждою,
Угрожая смертью нам,
Преградили вдруг собою
Путь живительным лучам.
Стужи ранние настали.
Стало мрачно в небесах,
Холодом сырым дышали
Взрывы ветров на полях.
А теперь над головою
Уж не видно низких туч
И наполнил всё собою
Животворный солнца луч.
Всё так ясно и отрадно,
И природа веселей
Теплый свет впивает жадно
Грудью мощною своей.

1902

К КОРСЕТУ

Когда ты Дину облекаешь,
Мертвящий прелести корсет,
Во мне ты злобу возбуждаешь,
В тебе красы ни капли нет.
Свободу ты уничтожаешь
И принуждённостью своей
Фигуры прелесть нарушаешь,
Безжизненность давая ей.
Во мне ты зависть поселяешь,
Когда себе представлю я,
Как близко, тесно прилегаешь
Ты к тайным прелестям ея.
Ты их вмещаешь, обнимаешь,
Ты страстным жаром их согрет,
Ты запах их в себя впиваешь...
За это я б отдал весь свет.

3.I.1903

ДЕМЕРДЖИ

Не бойся; подойди; дай руку; стань у края.
Как сдавливает грудь от чувства высоты.
Как этих острых скал причудливы черты!
Их розоватые уступы облетая,

Вон, глубоко внизу, орлов кружится стая,
Какая мощь и дичь под дымкой красоты!
И тишина кругом; но в ветре слышишь ты
Обрывки смятые то скрипа арб, то лая?

А дальше, складками, долины и леса
Дрожат, подернуты струеньем зыбким зноя,
И море кажется исполненным покоя:

Синеет, ровное, блестит — что небеса...
Но глянь: по берегу белеет полоса;
То пена грозного — неслышного — прибоя.

3.I.1903 — 2.III.1916

ОРИОН

Уж снег всю землю покрывает,
Уж выцветает небосклон,
Уж рано сумрак наступает,
Уж рано всходит Орион.

Еще на западе блистает
Зари багряной полоса —
Он на востоке выплывает,
Где уж померкли небеса.

Я молчаливо наблюдаю
Его спокойный, ровный ход
И с сладкой грустью вспоминаю
Другой, не здесь, его восход.

На Чатыр-Даг мы поднимались
Пред утром. Уж зашла луна...
И мы Венерой любовались.
Как хороша была она,

Как мягко, нежно угасала.
С небес сходили тьма и сон,
И вот, когда заря всплывала,
Взошел из моря Орион.

Взошел, мерцал одно мгновенье
И потонул в дневных лучах.
Но и одно его явленье
Грусть поселило нам в сердцах.

Он, безучастный и прекрасный,
Краса ночных небес зимы,
Напомнил нам тот миг ужасный,
Когда не будем вместе мы.

Как много чувств зашевелилось...
В задумчивых глазах у ней
Сквозь нежную печаль светилась
Любовь с стыдливостью своей.

И скорбь, и вместе восхищенье
Мне в душу этот взгляд пролил

И чувствовал я в то мгновенье
Прилив здоровых, свежих сил.

1.III.1903

* * *

Грязный снег повсюду тает,
Пахоть голая чернеет,
Мгла всё небо облегает
И на землю дождик сеет.

Всё безжизненно застыло.
Тишина... Нет даже стона.
Лишь вдали летит уныло
Одинокая ворона.

Серый лес в дали неясной...
Всё, что вижу пред собою
Дышит осенью ненастной,
А не раннею весною.

2. III.1903

ЛЕТО 1900 ГОДА

Тогда Юпитер был в созвездье Скорпиона,
И, помню, на него с высокого балкона
Любили мы смотреть. Над лоном ясных вод
Он первым виден был, едва небесный свод
Бледнел, покинутый блистательным светилом...
И в полусумраке неверном, легкокрылом,
Один он чуть сиял — знакомый, властный друг.
Темнели небеса, верша извечный круг...
Юпитер всё сильней горел, и в тусклом море
Мерцали отблески, сливались в цепь... Но вскоре
Он, движась по небу, над берегом сверкал
И угасал огонь в глуби морских зеркал.
Юпитер всё сильней лучился. В то же время
Являлся близ него, блестя цветами всеми,
Антарес, и своей игривой красотой
Нам помогал понять Юпитера покой.

25. III.1903 — 23.VI. 1911

ВЕСЕННИЙ СОНЕТ

А.И.Белецкому

Я телу вечной жизни не хочу.
Ребенком за весной нетерпеливо
Я слеживал: то почку различу
На веточке, то за ручьем, гульливо

Вдоль улицы стекающим, лечу,
Чтоб не отстать от блёсток перелива
На спинке круглой волночки, лучу,
Как зеркальце, подставленной шутливо.

Теперь душа — покоем глубока,
Хоть Божий мир весной хмельною бродит.
Так чувствами чувствительность исходит.

А если бы жить целые века,
Сходя по лестнице той бесконечной...
Да это бы и было смертью вечной!

28.III.1903 — 6.IX.1905 и 7.VIII.1914

* * *

В тиши, в покое уединенья,
зарывшись в груду книг,
искал я жадно успокоенья
и вот — пришел желанный миг:

уже тревожно смятенные волны
широкой, ровной рябью сменились,
и складки ее, неги полны,
как бы смирились, утомились.

Моя душа утихнет вскоре,
как к вечеру стихает море,
то будто серо-золотое,
то будто розово-стальное.

2. VI. 1903

* * *

Всё дождь и дождь! Какая скука!
Всё серо, мокро и темно,
ни одного живого звука,
всё только дождь стучит в окно.

Уж хоть гроза б! По крайней мере
тогда бы грозный гром гремел,
и в ветре, в этом злобном звере,
весь ад безумных сил ревел.

И одичавшая стихия
мой дух звала б с собой на бой,
будила б страсти в нем глухие
и наслаждался б я борьбой.

8. VI. 1903

* * *

Мир спит в тиши, во тьме ночной;
А я бессонницей томлюсь,
По смятой простыне мечусь,
В мрак взор уставивши больной.

Спать хочется, а сон нейдёт,
И мысли кружатся гурьбой,
И я один, один с собой,
Я сам свой нестерпимый гнет.

Мне от себя уйти бы прочь!
О если б только отдохнуть...
Нет, не могу, нет сил заснуть...
Ночь тянется... безмолвна ночь...

Спустись, надвинься, сна покров!
Самосознанье тяготит,
И давит душу и томит...
А! Я и умереть готов!

13 – 14.VI.1903 – 22.VII.1910

* * *

Светят солнца лучи золотые,
травы, яркие листья блистают,
птицы криками сад оглашают,
и раскаты гремят громовые.

Пусть гремят! Не смутят они пенья
жизнерадостной, юной природы,
нет, предчувствуя гром непогоды,
лишь жадней она пьет наслажденья.

Вот когда вековые вершины
ураган, налетев, зашатает,
дождь польет, небо всё засверкает,
будет время тогда для кручины.

14.VI.1903

* * *

Здравствуй, здравствуй, синева небесная!
Здравствуй, зелень, весело блестящая!
Здравствуй, здравствуй, солнце яркое!
Здравствуй, зной, истомой наполняющий!

Как вы нежите, как вы глаза ласкаете,
расслабляете так томно и так сладостно,
разливаете тепло в груди остынувшей
от упорного и долгого ненастия...

Синева! О как ты туч прекраснее!
Как прекрасней зелень освещенная!
Солнце! Как ты сумрака живительней!
Зной, как сладостней холодной сырости!

Здравствуй же, о здравствуй, синь глубокая,
здравствуй, здравствуй же, листва зеленая,
здравствуй, солнце, жгучее, лучистое,
здравствуй, зной пьянящий, утомляющий...

22.VII.1903
Раздольное

* * *

В тишине, луной облитый,
чуткий мир заснул прохладно,
и спокойно, и отрадно
на душе, дремой обвитой.
И мечты, сплетясь с луною,
вьются сонно, прихотливо,
мысли, образы лениво
льются трепетной волною.
Тени прошлого несутся
милой, радостной толпою,
но спокоен я душою,
хоть они и не вернутся.
Им не нужно повторенья.
Жизнью лучшей, жизнью вечной
в глубине живут сердечной
все счастливые мгновенья.
Нет, заманчивы извивы
впереди летящей грёзы,
лепестки закрытой розы
и вода сквозь ветви ивы.

25.VII.1903. Раздольное.
26.VI. 1911

Б.В.АНРЕПУ

Как я рад! Призыв твой задушевный
душу мне наполнил теплотой
и, как луч блестящий, золотой,
пронизал собой туман вседневный.
Он залог бессилия разлуки
разобщить нам души и умы,
но уж скоро будем вместе мы,
скоро мы пожмем друг другу руки.

4.VIII.1903.
Раздольное

ДНЕВНОЙ БРИЗ

Море в светло-голубом покое,
Но вдали уже синеют волны.
Значит, скоро струи брызг в прибое
Загудят о берег, камней полны.
Уплываю дальше, дальше в море,
И вот-вот меня волненье встретит
И на мой привет, в весёлом споре,
Мощным всплеском ласково ответит.

7.VIII.1903 и 6 — 28.VII.1912. 17.XI.1913

* * *

Накануне моего отъезда лунным вечером мы сидели высоко на спуске к морю. Широкий пляж, бледно-серый, где-то пропадал и казалось еще выше. Ветер дул от земли. У берега море было ровное, светлое, а дальше порывы ветра, то там, то тут, резко дергали воду, и она, пятнами, то светлела, то тускнела... Вдали волнение — совсем черная полоса. От такого ветра всегда и холодно и жутко.

Мы никогда не разговариваем. Мы сидели, и нам было совсем хорошо... насколько может быть хорошо людям, которым второй год надо что-то преодолевать, чтобы говорить.

— Уеду. А вы?

Мы сидели уже четверть часа.

— Теперь все эти люди живые, говорят, милы. А когда не было вас, как призраки... всё кажется: зачем?

Море то тускнело, то светлело, как будто на дне вертелся маяк.

— Этот ветер... Он всю верхнюю теплую воду угонит... снизу проступит холодная. Осень уж в море.

А ветер прорывался то там, то тут и мелко рябил воду.

— Теперь моё настроение здесь... около берега. А завтра — там. Черная даль прилилась и опять сжалась. Опять ветер... беззвучно... Когда ему не в чем шуметь, так нелюдимо.

2.IX.1903
Петербург

К Е.П.МАГДЕНКО

Нельзя вам видеть, как вижу я,
Что переливчива струя
И мыслей ваших и ощущений;
Что много в них оттенков тонких
И звуков, углубленно звонких,
И милых светлых отражений.
Сознать не может душа людская
Своих движений красу родную,
Но, свет свой бросив в душу другую,
Она в ней будит, нежно лаская,
Воздушной тенью одной черты,
Одним намёком выраженья
Холодный трепет вдохновенья
И проницательность мечты.
Ведь край неровный лепестка,
Мелькнув пред нашими глазами,
Своими зыбкими чертами
Тревожит образ всего цветка —
И в мысли гнется он, махровый,
Своей головкою лиловой
И запах льет, простой, медовый.
Так ваше слово, в котором дышит
Красивой мысли неостывший трепет,
В моей душе всё вдруг всколышет,
И в ней раздастся какой-то лепет,
И непонятно она услышит
Всё, чем вы жили, пред ней предстанет
Во всём изяществе душа далекая,
И красоты волна глубокая
Не скоро биться перестанет.

2.X.1903 — 21. XI.1905

* * *

Зову тебя, приди сюда,
склонись на дружеские руки,
заплачем вместе, и тогда
прочь утекут с слезами муки.

1.XI.1903
Петербург

ПРИ ВИДЕ ЗВЕЗД

Как, едва мерцая, тонут звезды
в общем мраке беспросветной ночи,
так же меркнет знанье человека
пред огромным, темным неизвестным.
Беспредельный мир, неосвещенный
яркой точкой слабого сознанья,
как ты всё собою наполняешь,
как я сам тобою переполнен!
Весь окутан непроглядной бездной,
я в нее глаза свои вперяю.
Кровь стучит в висках от напряженья,
странный ужас заползает в душу.
Что? Там в мраке что-то шевелится,
движется могучими волнами.
Вижу ли я тайны скрытой жизни,
или это только глаз усталость?

2.XI. 1903. Петербург

* * *

Стеснилось сердце болью сладкой;
в крови разлился теплый яд,
и чувства бьются лихорадкой...
Обманчив ум, неверен взгляд.

Опять! Не счастье ж, в самом деле,
придет за этою борьбой,
и эта дрожь в горячем теле
несет ли радости с собой?

Нет. Но тогда зачем напрасно
встревожен мой глубокий сон,
как будто пляска безучастно
смутила важность похорон.

30.XI.1903. Петербург
27. VIII.1912. Бобровка

* * *

Под ребрами коньков похрустывает лед
Быстры пологие, широкие движенья...
Кругообразно я, склонясь, несусь вперед...
Легко! — лишь чуть нога дрожит от напряженья.

Как колет мне лицо щекочущий мороз,
как я волнуюсь весь, о как я свеж и молод!
Как скоро льется кровь, как крепнет от угроз,
которые извне ей расточает холод.

И, сквозь печаль мою, в душе, смеясь, шутя,
навстречу холоду задорно что-то бьется,
как луч, сквозь тучи — вот! — прорвавшийся, блестя,
в снегу, в изрезах льда трепещет и смеется.

3.XII.1903. Петербург.

НАДПИСЬ НА КАРТОЧКЕ АНРЕПУ

В твоем познанье о себе
я равновесья не нарушу —
даю свое лицо тебе,
тебе, кто знает мою душу.

3.XII.1903

К М.Н.ЛИСОВСКОЙ

Я долго, долго ждал с томленьем
с тобой, вперед воспетой встречи,
ее ласкал воображеньем
и всё тебе готовил речи...

И вот мы встретились... и что же?
Во мне ничто не взволновалось.
Как это было непохоже
на то, что мысли рисовалось.

Передо мной была другая,
не та, какой была ты прежде,
какою, нежно изнывая,
я так любил тебя в надежде.

Я не узнал тебя. Смутили
меня порывы удивленья
и скромно место уступили
им в сердце нежные волненья.

Мы говорили равнодушно,
но как-то прошлого коснулись —
и вдруг внезапно и послушно
былые чувства встрепенулись.

О, я узнал тебя мгновенно,
узнал, узнал твой образ милый,
и, вздрогнув, вспыхнула блаженно
любовь с забытой нежной силой.

4.XII.1903
Петербург

* * *

Длинной вереницею
в белых покрывалах
тени вдаль уносятся
от земли к луне.
И, назад повернуты,
грустно, с укоризной
головы безлицые
чуть кивают мне.
И, назад протянуты,
длинные, немые,
руки точно просятся,
тянутся ко мне.
Полное раскаяньем,
сердце тихо ноет.
Цепь теней теряется
далеко в луне.

3.I.1904

* * *

Хочу тебя из сердца вынуть
Без боли и тоски — нежней;
Дай понежней, ровней остынуть,
Дай разлучиться подружней.

Несознанной любви ты скромно
Дала мне первые цветы...
Как думать о тебе мне томно,
Как дорога для сердца ты.

Ты — милая; и будь такою
Воспоминанью навсегда.
Такой в мечтаньях упокою
Тебя, предсветная звезда!

И в глубине воспоминанья,
Тиха, задумчива, бела
Проникни очаги сознанья,
Живи во мне! Ты мне мила.

18.I.1904 — 14.VII.1910

* * *

Не воротить... Так терпеливо
потерю надо перенесть
и, не лукавя прихотливо,
признать то грустное, что есть.

Приходит мне на помощь вялость,
готовая во мне — всегда...
Так, даже слабость и усталость
освобождают иногда.

18.I.1904 — 27.VIII.1912. Петербург

* * *

Ты помнишь камни над гладью моря?
Там вечер розовый лег над нами...
Мы любовались, тихонько споря,
как эти краски сказать словами.
У камней море подвижно, сине,
в даль розовей, и нет с небом границы
и золотятся в одной равнине
и паруса, и туч вереницы.
Мы, и любуясь, слов не сыскали;
теперь подавно... но не равно ли?
Всё так же нежно в розовой дали,
и сердце полно блаженной боли.

22.I.1904 — 24.XII.1904
Петербург

АНРЕПУ

Мы дружбу мерим уж годами.
Так почему, скажи, так ново
Нам это дорогое слово
И так глубоко меж словами?

И никогда для нас не те же
Все наши мысли и волненья
И опьянение сближенья
В нас непрерывно, живо, свеже.

Раз, помнишь, я уж был в постели...
Ты близко сел, гость полуночный.
Помчался разговор непрочный...
Часы бежали, мы — летели.

Мы торопились... Только вехи
Бросая беглыми словами,
Мы промежутки мыслей сами
Воссоздавали без помехи.

Мы волновались... Сердце билось,
Как пробужденное любовью;
Казалось, смело к изголовью
Виденье женское склонилось.

Да, чувства в нас необычайны!
Они питают вдохновенье,
В них нарастает упоенье
Готовой вдруг прорваться тайны.

7.II.1904 — 25.III.1915

К Б.В.АНРЕПУ

Не надобно света... При слабом мерцаньи
Понятливей сердце, душа откровенней,
И в темном сознаньи ясней, совершенней
Забытое тянется в новом созданьи.

Давай говорить. В одиночестве нами
И собственных тайн не расслышится лепет,
Но дружба — до дна взволновавшая трепет,
Нам вынесет их на поверхность словами.

7.II. — 23.XII.1904 и 24.III.1912

* * *

Всё впереди... О, так довольно
будить умом, что в сердце спит,
и мнить то вызвать своевольно,
что вне, за волею лежит.

Нельзя... Полуживые тени...
О пусть они скорей умрут.
Пусть, сбросив их и путы лени,
душа и ум вперед идут.

Зачем тщетой воспоминаний
стремиться время упразднить
и раздувать огонь желаний
и рвать, и путать жизни нить?

Зачем тащить полуживое
по, так уж тяжкому, пути?
Нет, надо бросить, чтоб другое
могло вольней вперед идти.

Всё впереди... О, прочь привычка,
прочь вялость мозга и страстей.
Едва настанет с жизнью стычка,
ты гибнешь — гибни же скорей!

Отбросить прежние оковы,
идти вперед с огнем в груди,
порвать тяжелые покровы!
Всё впереди! Всё впереди!

15.II.1904

* * *

О, страсти, споря со словами,
Неистово кипят клоками,
Но кольца сильных гибких слов
Их мнут и гнут — и из оков,
Укрощены, но в силе рвенья,
Стремятся страсти; и теперь
То не ожесточенный зверь,
Ломавший прутья заключенья,
А многопевное волненье.
Как радостно таить в себе —
Блаженство чистых оргий слова,
Изнемогающих и снова
Растущих в сдержанной борьбе!
Вот — я; и явственное прежде
Спустилось глубоко во тьму...
Не всплыть ни скорби, ни надежде,
Не возродиться ничему —
Всё скрылось и ушло в основу
Очаровательному слову.

16.II.1904 — 12.II.1913

* * *

Когда ты, голая, лежишь передо мной,
выпячивая грудь высокою волной
и мягкие холмы на ней слегка трепещут
и, как атлас светясь, и ластятся, и блещут,
я сладостно томлюсь... Но взгляд мой и мой нос
всё ж любят более те рощицы волос,
которые растут под мышками, потея;
и рощу между ног, где, нежностью лелея,
любовь собрала все, все прелести свои...
Как я люблю лицом скользнуть с твоей груди,
дыша прерывисто, блаженно-опьяненно,
вниз и прильнуть меж ног дрожаще утомленно
на мягких волосах, пахучих волосах.
Их запах остр и свеж, как в хвоистых лесах,
и как смешно лицо щекочется у носа...
всей грудью дышится, как будто бы с откоса
летишь куда-то вниз... спирается в груди
и уж предчувствуешь, что скоро впереди
в нас чувственность опять начнет вновь щекотаться
и похоть станет вновь с дрожаньем подниматься,
что лягу на тебя и что меж наших ног
блаженства спазмами нисстанет рыжий бог,
бог, в волосах твоих устроивший обитель,
бог — милой похоти приятный возбудитель.

5.III.1904

* * *

Я, слава Богу, здесь здоров,
Хотя укусы комаров
Мой нос заставили так вздуться,
Что я не знаю, суждено ль
Ему когда-нибудь вернуться
В свой прежний вид. И что за боль!
И вот, воюя с комарами,
Укрывшись в комнате своей,
Пишу и прозой, и стихами
Историю своих страстей,
Страстей волнующе невнятных,
То раздраженных, то приятных,
То полных горечи и слез,
То наслаждения и грез...
Порой томлюсь желаньем славы —
Но не сомнением в себе.
Мои друзья, я верю, правы,
Когда, наперекор судьбе,
А также моему желанью,
Мой стих держащим в темноте,
Они твердят мне, что мечте,
Ея живому очертанью
И образам, я дал в стихах
Такую силу, что поэты,
Которых скучные сюжеты
На всех валяются столах,
Далёко от меня отстали...
Но слава, чуть припомню я,
Как много связано печали
С ней для покоя бытия,
Меня к себе не привлекает.
Потом какой-то стыд мешает
Открыть свои стихи для всех.
Ведь в них моя душа открыта,
И (образно) в слезах омыта
Их каждая строка. И смех
И одобренье, порицанье
И неудачи, и успех
Мне были б равное страданье.
Всегда бы видел я равно,
Как люди грязными руками
Мне лезут в душу за стихами...

Обдумал это я давно...
Ну бросим... Перейдем к другому,
Хоть к женщинам. Я их люблю,
Люблю блаженную истому,
Которую всегда терплю
Вблизи волнующейся груди
И скрытых юбкой полных ног...
Здесь я в блаженстве изнемог.
Да, счастливы бывают люди,
Как не бывает даже Бог.
(Субстанция, которая в сознаньи
Лишь отрицательно живет).
Нет, остановим свой полет
И пусть спокойно мирозданье,
А также миропониманье,
Потебня, Кант, переживанье —
Всё, не тревожа нас, гниет.
Останемся здесь в мире, низко,
Не поднимаясь никогда,
Тем более, что здесь так близко
«Она» — прекрасна, молода
И замужем — ну все удобства.
И, продолжая без Езопства
(А, право, рифма не плоха?
«Удобство» я в конце стиха
Поставил было, позабывшись,
Но рифма вдруг меня спасла,
Мне неожиданно явившись).
Она красива и тепла,
Страстна, упруга и бела.
Когда, страстями разогрета,
И в сладостной борьбе раздета
Впервые мной она была,
И в красоте своей природной
Стояла предо мной гола,
Во мне погаснули желанья
И грозный холод созерцанья
Такой небесной красоты
Вдруг охладил горячий трепет.
Какой художник в мире слепит
Такие плавные черты,
Такую шею, грудь и ноги?
Её я всю зацеловал,
Исполнен сладостной тревоги.

Как были нежны, мягко строги
Все линии. Путем зеркал,
Поставленных прилежно нами
Вокруг, под разными углами,
Она смотрела на себя.
Вдруг, застыдившись, покраснела —
Я весь впился в нее, любя —
И одеялом захотела
Все прелести нагого тела
Скрыть от моих горевших глаз.
И вновь во мне зашевелилось
Желанье, и на этот раз
Оно блаженно завершилось
На мягкой молодой груди.
И то, что будет впереди,
Неясно мне. Я с ней так много,
Так часто страсти отдаюсь,
Что, право, за себя боюсь.
Теперь, положим, горе носа,
Распухшего от комаров,
Стоит причиною вопроса,
Что делать мне. Я уж готов
К ней не показываться ныне,
Сегодня, то есть. Лучше дам
Я нынче ей — моей святыне —
Ведь тело женщины — есть храм.
Так говорит, по крайней мере,
В своем романе «Девы скал»
Д'Аннунцио, я ж воспитал
Себя в неколебимой вере
В его святой авторитет,
С которым я во всем согласен.
Он любит женщин, он поэт,
И, как соперник, не опасен:
По-итальянски пишет он,
А, расстояньем разделен,
У женщин мне не помешает.
Ну кончу. Я уже извел
Довольно времени, бумаги,
Стихов уж больше ста наплел —
Давно уже такой отваги
За мною не водилось. Что ж!
Тем лучше, если успеваю.
Ну, а теперь перечитаю.

Ну нечего сказать, хорош!
Три раза рифмы пропускаю,
О чем писал, сам забываю,
Как я рассеян. Или раз
Я пятистопною строкою
Вдруг оскорбляю слух и глаз.
Но я хочу себе покою
И, как бы ни было легко,
Не стану исправлять небрежно,
А уж тем более прилежно,
А, бросив это далеко,
Скорей об этом позабуду,
Но не о женщине своей,
И часто посвящать ей буду
В стихах кипенье страстей.

11.III.1904

* * *

Провидеть? — Лживое стремленье!
Не выглядев грядущей тьмы,
Воспоминаний отраженья
Вдаль, наконец, выносим мы.
Чиста последняя страница
У начатого дневника...
Какие памятки и лица
На ней отпечатлит рука?
Загадочно бела бумага,
Накрыты плотно письмена
Наперекор упрямству мага
Прозреть слова сквозь времена.

22.III.1904. — 25.III.1910 и 12.VII.1910

* * *

Как не чужда прогнившему болоту
растущая на кочке незабудка,
так я не чужд дремотному оплоту
земных — страстей, безумства и рассудка.
И как в цветке чуть слышный тонкий запах
из грязи создан силой сочетанья,
так дух и зверь, его сдавивший в лапах,
различны только формою созданья.
Я впитываю сок гнилого ила,
и он, пройдя сквозь душу и сознанье,
струится в мир, как сладостная сила,
как облачных цветов благоуханье.

25.III.1904
Петербург

* * *

Разрушив себя, я познал человека,
познал его цельность и дивную прелесть...
Так верьте ж мне, люди, — я право доверья
купил бесконечным ужасным страданьем...
Так верьте ж мне, люди, — и ты прежде всех!
Поверь, дорогая, что сладость познанья,
горька перед сладостью жизни наивной...
Поверь... Не губя своей жизни проверкой...

27.III.1904

* * *

Сколько у меня воспоминаний,
сколько мыслей связано с тобой!
Я люблю леса, морской прибой,
горы, странность лунных очертаний.

Там, где было всё это со мною,
я, любя, везде видал тебя.
Потому теперь, и разлюбя,
создаю тебя с луной, с волною.

Потому твой взгляд и голос низкий
невозвратно как-то мне милы,
и из творческой, неверной мглы
всё глядит твой образ, бледный, близкий.

29.III.1904

* * *

Постылый путь... ненужное движенье...
Хоть вижу, что по этому пути
меня вело пустое обольщенье,
я не могу, нет сил назад пойти.

Нет мужества. Иду вперед с тоскою,
с тупой надеждой медленно иду:
вернется обольщенье — в нем покою
я с отвращеньем и досадой жду.

4.IV.1904

* * *

Вернулся... Всё в Неве блестело,
Был ярок чистый небосклон.
Устало тело; тянет в сон.

Устало тело... ноют ноги...
Я лег, бессильно, мглисто рад.
Сменил тревоги сонный лад.

5.IV.1904 — 25.III.1915

ВРЕМЯ

Часы стучат...Секунда выходит из мрака,
стукнет — и падает в мрак.
Я колеблюсь на острой верхушке волны;
сходящую воду я вижу, восходящую — нет.
Часы стучат... Секунда выходит из мрака,
стукнет — и падает в мрак.

7.IV.1904

* * *

Я стоял позади... Ты сидела и вдруг
ты глубоко, глубоко вздохнула
и когда поднялась твоя грудь,
то расширилось мягко открытое платье...
Грудь опала, а платье осталось... В пространство
между них заглянул я с надеждой...
и увидел и тень меж грудей
да и самые груди... начало их только...
Ты слегка шевельнулась и вздрогнули груди
о, что сделалось с кровью моей...
Голова потемнела... едва на ногах
устоял я, дрожа от желанья.

10.IV.1904

ЛЕТНИЙ САД

Мечтая, в полусне вдруг обернулся я
и увидал ее. Добра судьба моя!
Ее уже давно я в городе заметил,
на набережной раз в большой коляске встретил.
Она идет одна. Как хороша она,
как в ней спокойная развязанность видна.
Она, мне кажется, заметила и прежде
мое внимание... прошла... В ее одежде
широкой и простой, в походке молодой,
в манерах знатности воспитанной, простой,
так много милого. Она прошла и села.
Я тихо встал, прошел, смотря. Она хотела,
но не сумела скрыть волненья своего;
не недовольства, нет; хотя туман его
мелькнул у тонких губ и правильного носа.
И наклонилась вбок, но вслед взглянула косо.
Я до пруда дошел и повернул назад
и издали глядел, спокоен, прям и рад.
Она кругом смотреть старалась равнодушно;
взглянула на меня вдруг слишком простодушно...
я вспыхнул, а она, разгневавшись, носком
вскопнула мягкий грунт, посыпанный песком.
Я наискось присел, стянувши с рук перчатки.
Хватило такта в ней, чтоб не пуститься в прятки:
она не двинулась. Не отрывая глаз,
я всю ее следил, но видел только раз
вполне ее лицо — ах этот зонтик белый! —
на этом фоне мне лишь профиль потемнелый
достался, чтоб смотреть... но был красив и он.
Но тут, как назло мне, меж нас одна из бонн
пустилась в мяч играть с ребенком... и мелькали
и любоваться мне, противные, мешали.
Ушли они... зачем пускают их сюда!
Ах милая, как ты свежа и молода!
Ведь ты волнуешься и как мне это сладко.
Что? Вдруг встает она. Причесанная гладко
качнулась голова... ко мне идет она ...
еще видны следы девического сна...
прошла... Я вслед смотрю за синею накидкой
и белым зонтиком. Но вот прополз улиткой
и заслонил ее какой-то генерал;
потом толпа детей. Вон снова замелькал

там белый цвет... исчез... Какая-то старушка
подсела на скамью. С тройным раскатом пушка
дала о полдне весть, и, нежась теплотой,
перчатки натянув, и я иду домой.

14.IV.1904 — 16.IV.1905. Петербург

ДИДАКТИЧЕСКАЯ ЭЛЕГИЯ
О ПРИСТОЙНОМ ОПИСАНИЮ ЛЕТНЕГО САДА
СТИХЕ

Александрийский стих? Уж от него отвык
Мой в гибких новшествах изнеженный язык;
Но непременно мне его тягучесть надо,
Чтоб верно передать очарованье сада.
Он — регулярный сад; к нему — такой же стих.
Один и тот же дух спокойно веет в них:
Деревья из земли высокими рядами
Растут и тянутся печальными грядами,
И к югу каждое из них наклонено,
И на соседнее похоже, как одно.
Как саду этому идет ущерб осенний
И чуть начавшийся, больной расцвет весенний,
И как разъеденных, побитых статуй ряд
Уместен странно здесь... Как он ласкает взгляд!
Александрийский стих — он так же ущемленный
И так же правильно и ровно разделенный
Соседством парных рифм, цезурой посреди,
Прошедшей красотой ложится на груди.
И сад и стих близки, родны — они созданье
Времен, когда одно простое сочетанье
И строгость правильной и смеренной черты
Являлись истинным законом красоты.

14.IV.1904 — 22.VII.1910

* * *

Волненья, упреки, самолюбивые муки
и мысли, неприятные мысли
в томленьи немощи и липкой скуки,
шевелясь, проникли в сознанье, нависли.

И сознанье чуждо помнит их тщетность,
слившись само с безобразною сетью.
Одну прогонит, слабея, другую, третью
и снова та же ползет беспросветность.

3.V.1904

* * *

Петропавловский шпиц и дворец рококо
и синеющий мост, далеко-далеко
унесенный неверностью мутного света...

12.V.1904

ЛЕБЯЖЬЯ КАНАВКА

Белая ночь. В неподвижной воде Лебяжьей канавки
Отразились деревья Летнего сада.
Вода так неподвижна, что ея вовсе не видно...
Видно только, что вниз растут деревья;
Ясно видны каждый листок, каждая почка.
А дальше воздух, пустота, беспредельность...
И кажется, что дошел до края земли,
Кажется, что заглянул за землю.

17.V.1904

К LISE ХОХЛАКОВОЙ

Там где явишься ты на страницы романа,
я целую, замирая, страницы книги
и на сердце как давит что-то
и слезы просятся потечь из глаз...

Милая! Милая... Страшною скорбью
часто сжимается бедное сердце...
Ты идеал и на свете не встречу
я тебя, нет -- повторений нет в мире...

Для чего ж тогда жить... С беспрерывной тоскою
я читаю всё те же страницы
и скорблю, что художник умер раньше,
чем успел выполнить свой замысел...

Дальше ты должна была первою стать...
Я поэт — понимаю поэтов...
Я томлюсь безвозвратной тоской...
Оживи... Если б встретил тебя я...

17.V.1904

* * *

Этот палец, придавленный дверью,
посиневший, и капельки крови,
из-под ногтя выдавленные, это
восклицание «подлая, подлая, подлая, подлая!»
Их ищу с напряженьем я в мире...
Для меня в них слились все стремленья,
все стремленья, позывы тех черных волнистых полос,
черных с красными искрами с серою мглою,
из крови приходящих в сознанье,
из крови и всех пропастей тела...
Они тянутся, блещут, и хочешь скользить.
Но возможность исполнить дает только палец,
только палец, придавленный дверью,
посиневший, и капельки крови.

22.V.1904

В ШИРОКОЙ СТЕПИ

На зеленой траве в широкой степи
Мальчик, лежа, пускает змея
И глядит за ним туда, где, белея,
Облака стоят... распластались...
Жаркое солнце мглою задернуло небо;
Змей занесся высоко, высоко;
Тепло; стоят облака, распластавшись;
Жаворонки звонко щебечут, поднявшись...
Мальчик лежит и глядит, глядит.

1.VI.1904 — 12.II.1905

* * *

Еду. Деревья, столбы у дороги
быстро назад убегают,
дальние темного леса отроги
тише меня покидают,
а облака — те совсем не уходят,
точно меня провожают.
Мчатся над лесом за поездом, словно
это все те же приветы
дружбы, меня проводившей любовно.
Шлю ей немые ответы!
Верю в нее по невольным мельканьям —
тонкие знаю приметы.

1 — 3.VI.1904

* * *

Надо идти совсем тихо... Как звучат плиты... Свет белой ночи так необычаен и невероятен, что утром не веришь в ночные прогулки, и кажется, что видел во сне и улицы, и Неву, и набережную.

Как странно это освещенное окно... «... пишу, читаю без лампады...» это не теперь, а после, через неделю.

Сзади говор... а стук всего двух ног... Странно. Ах, понял, это человек говорит сам с собой! Рядом: «... ведь и я тоже чувствую...» обогнал — не разобрать.

Запах водки... Он пьян: вот что!

Послушать? Ведь это он думает вслух — значит здесь обнажается непрерывная преемственность мыслей чужой души, чего я так долго ищу. Пойти за ним? Спешит?.. пускай... Как странно смешивается полутень из окна с уличным полусветом — он кажется каким-то притушенным, разжиженным...

Раздольное. 5.VI — 27.XII.1904. Петербург

К LISE ХОХЛАКОВОЙ

В раздраженной праздности недуга,
исстрадавшись, всё издумав снова,
у тебя вся мысль ушла из круга,
общего, но каждому чужого.

Ты нашла родник живого слова.
Говоришь — и слышно до испуга
колыханье темного покрова,
кроющего души друг от друга.

Думает в тебе не мысль, а тело:
шея и спина, бока и пальцы.
Думать так — блаженство без предела.

Так судьбу и жизнь клянут страдальцы;
у поэтов радостно и смело
так родятся образы-скитальцы.

10.VI.1904. Раздольное — 2.IX.1905. Петербург

* * *

Иногда я люблю и невинность,
хоть и чаще мешает она,
хоть и чаще ее благочинность
только глупою скукой полна.

Но лишь в ней нахожу я причину,
что, нисколько меня не стыдясь,
груди выпятив, выгнувши спину,
в гамаке ты лежишь, развалясь.

Без корсета ты... Тонкое платье
западает меж юных грудей,
полных ног юбку смявшее сжатье
намекает на путь для страстей...

Ты сейчас раскачалась высоко —
раздуваются юбки твои,
но тебе всё равно, что глубоко
в них копаются взгляды мои.

10. VII. 1904
Манглис

* * *

За чувственным расчетом
уж поднимается любовь
трепещущим и радостным полетом.
Так и в источнике, забившем вновь,
сперва несется муть по дну оврага,
а после льется искристая влага.

13-14. VII. 1904

* * *

Почему, увидавши тебя,
я бесстыдно тебя пожелал...
Просто, грубо и ясно, как зверь,
как кобылу в степном табуне
жеребец застоялый желает...
Он вскочил на нее... Для него
безразлична она, но в ней есть
то что нужно ему, чтоб унять
разошедшейся похоти зуд...
Сам не знает он что... Что-то узкое, чтоб
там тереть напряженно свой член,
и он двигает задом, пока не попал...
Так и мне захотелось напасть на тебя
и задрать тебе юбки, совсем не смотря,
и искать, где бы мочь потереть
вплоть до боли напрягшийся член.
И искать прямо им, мимо им попадать
и забыть, что ты также живой человек,
и искать только щели меж ног...
и рычать, и стонать, мять и тискать тебя...
И с желаньем таким всё, что было кругом,
мне казалось нелепым и странным...
Для чего ты одна? Зачем говоришь?
Почему не подмять мне тебя под себя?
Что мешает? Ничто! Ты слабее меня...
Да, подмять и тереться быстрее, быстрей
и грубей, не смотря никуда...
А других я целую в священную щель,
и вдыхаю ее аромат и ценю
чуть заметное сжатие ног подо мной.

10.IX.1904

* * *

Меня опутали лень, скука и томленье...
Твой взгляд, что соскользнул? да, пошлые слова!
Но вникни в их жестокое значенье,
Когда светла бывает голова.
И пусть они звучат привычно, скучно —
И диво, длясь века, не удивляет глаз —
Но чтобы ты меня постигла простодушно
Прислушайся — как будто в первый раз.

13.IX. 1904 — 4.I.1912 и 1.IX.1913

БАБОЧКИ НАД ГРАНИТОМ

В синеве речной и небесной дали
мост выгибался, бледно-зеленый
и над рекой, гранитом окаймленной,
две белых бабочки весело порхали.
Как странно было видеть их то над волнами,
то над старым гранитом и над баржей с дровами.

18.IX. — 13.X.1904

К Е.А.ТАТАРИНЦОВОЙ

Пролейся в кровь струящимся огнем,
Огнем страстей, бессильных утомиться.
Дай пропитаться им, дай выжечь в нем
Весь тлен души, всё бывшее, что длится.

О величайшая из всех потерь,
Мысль — молния, забытая сознаньем!
Как ту ловлю измученным вниманьем,
Твоей души я так хочу теперь.

Мне твой огонь, багряный, распаленный
Не страшен — он желанен, хоть далек;
В моем мозгу свой ползает — зеленый,
Извилистый, холодный огонек.

Тобою одержим, гонимый страхом,
Как ветер ледяной в жару песков,
Я рвусь к тебе, — а то рассыплюсь прахом
Под вспышками болотных огоньков.

23.IX.1904 — 30.VI.1913

<БАЛЕРИНЕ КЯКШТ>

Ваши ножки,
ножки — крошки
поведут Вас по дорожке
наслаждений и страстей,
и Ваш муж получит рожки
с многим множеством ветвей,
а от страсти — только крошки.

22.X.1904

ПЛАН ПЕТЕРБУРГА

Огромная река, широкие каналы,
Прямые широкие улицы, большие площади...
Они прекрасны в теплые белые ночи.
Но как раздольно на них взрывам зимнего ветра,
Как ненавистен их простор в морозы,
Когда всякая пустота леденит,
И всё хочет быть ближе, уже, теснее,
Когда в карете, и не любя,
Женщина жмется к мужчине.

28.XI.1904 — 28.I.1905

НА НОВЫЙ 1905 ГОД

Наступает год... новый? — нет... продолженье
Нового грозного четвертого года,
Когда многое зародилось в России
Что взойдет по целому миру.
Грозный год морозов, войны и подземного гула
Недовольства народной воли,
Что-то старое в нем замерзло, сметено и погибло.
Он ушел, этот год, когда мы не танцовали,
В болезни за братьев и хороших знакомых,
Когда в отчаянии чуть не желали врагам победы,
Когда ложились спать спозаранку,
Чтоб узнать скорее, что будет завтра,
Когда в царские дни не отражались салюты
От воды в дворцы и от дворцов в небо.

3.XII.1904 — 25.V.1906

НЕВА ЗИМОЙ

На Неве полыньи, замерзая, дымятся.
Воздух стал, скован мерзлой тканью тумана,
И солнце, в нем погруженное низко,
Охлаждаясь, уже покраснело,
А темно-серая пустая вода
Хочет совсем затушить в себе
И его потускневший отблеск.

9.XII.1904 — 5.I.1905

* * *

Не рви... дай вытянуть мучительную нить!
Дай досказать мне то, чему не верю,
Дай мне оплакать мнимую потерю;
Не спорь! Дай говорить...

Постой: я соглашусь — мне сбросить эту пену,
И, ясный, я приму твой отблеск голубой
И, тихий, вдумчивый, приду к тебе на смену,
Чтоб верила и ты, что правда за тобой.

13.XII.1904 — 25.I.1905

* * *

Солнце мне светит и, может быть, миру.

15.XII.1904

* * *

Мы стояли друг против друга и смотрели
взаимно на тонкие черты, на стройные фигуры
и говорили о том, кто бы мог рисовать нас...
Это было на вчера открытой выставке
Союза русских художников.
Нет, не Сомов — нам не нужно,
чтоб из нас, подчеркнув, обезьян извлекали.
Нет, не Малявин — нам, тонко красивым,
страшно отдаться художнику ярких баб.
Нет, и не Врубель, не великий Врубель!
Мы не хотим искаженья, хотя бы и гения,
не хотим быть сфинксами или демонами...
Нет, мы красивые красотой вековою,
никого не нашли, кто бы мог написать наши руки,
кроме Ван Дика, мертвого Ван Дика...
Как мы жалели о том, что нет его,
о том, что, значит, и нас не будет!

31.XII.1904

* * *

Дрожащий, приподнятый с луга,
куда-то уходит туман
и тает у лунного круга,
как тонкий и светлый обман.

И сердце сжимают позывы
прильнуть и изныть в вышине...
и в ветре свежеют порывы...
ты... думаешь ты обо мне?

1904

(К LISE ХОХЛАКОВОЙ)

Я тебя провожал сегодня во сне.
Ты входила в дом по черному ходу...
Сказала: «Придите же завтра ко мне!»,
руку дала... и вдруг на свободу
стала дергать ее, скорей, как-нибудь.
Я не пускал. Вдруг ты потемнела
и, сжав, моей рукой себе затрепала грудь,
затеребила по уголкам трясшегося тела,
вся стыдясь, забившись довольным смешком.
Натешась, еще не дав очнуться тревогам,
бросила руку... всё обошлось молчком...
и заспешила вверх по грязным порогам.

1904<?>

СЕНТИМЕНТАЛЬНОЕ СТИХОТВОРЕНИЕ
ДЛЯ Т.М.ДЕВЕЛЬ

Подмерзла, некрасиво обвисла вялая ветка
белой, тепличной сирени, но шепчет сердечно
милые мысли, и слезы падают редко...
И зачем ей нельзя всегда так остаться... вечно.
Если б умел, я б нарисовал ее акварелью
как она есть, со всеми пожелтелыми лепестками,
и повесил бы ее в грустную, чистую келью,
в узкой рамке с круглыми углами.

15 — 25.I.1905
Петербург

<К Е.П.МАГДЕНКО>

Наконец и вы по мерзлым ступеням
из вокзала вышли к серому забору,
удивились ему — а домов дальним теням
сквозь туман было трудно пробраться к вашему взору.
Наконец и вы по набережной снежной
шли со мной, любуясь Невой и дворцами
и слушали с улыбкой прилежной
их названья, легенды и спрашивали сами.
Наконец и вам у Эрмитажного моста
стали ясны мои стихотворные клики
в честь Петербурга, и вы сказали просто:
«Как во всем, вы и в этом велики».

16.I.1905

* * *

Это оно... и опять... и как хорошо!
С этого дня я люблю.
Вот теперь мне сесть на диване
и замечтаться, поднявши брови,
отложивши в сторону руку с книгой,
и задуматься, и искать в сумраке
очертаний лица дорогого.
То, что всегда я делал любя...
А не лгу ли я? Не играю ли в чувство?
Нет... А нового много, я жду,
в нем обнаружится... нового...
Вот его и ищу я опытом прошлого.

8.II.1905
Петербург

ЦАРСКОЕ СЕЛО

Чужды преданьям и народу
дворцы и церкви рококо,
и сад, печальную природу
преобразивший далеко,
и генералы в римских тогах,
и гладь искусственных озер,
и желтый гравий на дорогах,
и стриженой травы ковер.
Век проносился легкокрылый,
Россию заволок угар,
и вырос из болот унылый
и стройный каменный кошмар.
Не видно нив и слез отсюда,
и мысль, возникнувшая здесь,
туманится над жизнью люда,
бессилия и яда смесь.

10.II.1905 — 29.VIII.1907

ПОСТОЯНСТВО

Когда я говорю, что в жизни одного б
Хотелось бы достичь — тебя, о дорогая,
Других девиц и дам лукаво вспоминая,
Ты улыбаешься и клонишь белый лоб.

Но странник вдаль идет от северного края,
Подвинут ревностью узреть Господень Гроб
И, сбросив чешую людских страстей и злоб,
Молиться там и ждать, как у преддверья Рая.

И Гроб — вся цель его в пустыне бытия;
Но этот свет далек — и кто ему укоры
Дерзнет послать за то, что он во все соборы,

В часовни на пути заходит? Скорбь тая,
В неполной святости он ищет лишь опоры
Стремленья к истинно святому. Так и я.

2.III — 31.VIII.1905

* * *

Странно. Сижу я с девушкой чистой, здоровой.
Она вся смеется, и смех блестит даже в волосах
золотистых,
скромно, небрежно причесанных, и на руках, полных,
чистых...
А во мне сквозь разговор, то веселый, то суровый,
начинает шевелиться похоть, и хочется, поднявшись,
взять ее за руки выше локтя... Она покраснеет,
смутится...
еще приблизиться и попробовать, обнявшись,
с грудями ее повозиться...
Она вспыхнет, попробует освободиться...
Ее удивленью не будет границы,
когда я ногами буду к ней жаться,
она расплачется... Чтобы вполне наслаждаться,
это и нужно... А что, если и в ней также просто
явится желанье, и мы с ней ляжем...
Хорошо! Приятна и женщина уже жившая,
испытавшая много, приятна и девочка,
незрелая, еще тесная, еще узкая...

3.IV.1905

* * *

Какие красивые, важные лица
собраны здесь из зал и подвалов!
Передо мной идет вереница
государей, князей, генералов.
Они несли высокое бремя
в изяществе умном и строгом
и в наше тревожное время
заставляют подумать о многом...

14.IV.1905

ГЕРЦОГСКИЙ СОНЕТ

Я, грозный герцог, всем — и сюзерену — страшен,
Но страсть к его жене смирить я не могу.
Их жду на пир... хожу по колоннадам башен
И пыль далекую ревниво стерегу.

Тверд замок — что скала, что дно морей — украшен;
Не счесть реликвий в нем, мехов и жемчугу...
И этот замок мой средь шумной смены брашен,
Со всем, что будет в нем... да, я его сожгу!

Да, я сожгу покров Святой Пречистой Девы,
Сожгу живых гостей, богатства и рабов,
Чтоб мне спасителем коснуться королевы,

Чтоб высказать ей всё, на что душой готов,
И чтобы пламени безумные напевы,
Свистя, ей не дали услышать дерзких слов.

14.IV.1905 — 18.XII.1912

* * *

Мир жадно зряч, но сам не видим,
и мы, не зная ни о чем,
мы называем, помним, видим,
лишь озаренное лучом.
И настоящее рожденье —
попасть на путь, где мчится свет.
Ты в мире шла. В твое движенье
уж проливался блеск планет.
Но слабый. Но теперь попала
ты в самый яркий луч — в меня,
а я, в честь твоего начала,
еще усилил блеск огня.
Теперь гряди. И мир, прикован
сияньем лика твоего,
не спустит взора, зачарован.
И ты, ты будешь — божество.
И образ твой, немой и милый,
знай, навсегда я сберегу:
я, ослепляющею силой,
его векам в глаза вожгу.

21.IV. и 26.XI.1905
Петербург

НА ОСТРОВАХ

Помните? — Вечер Вы мне подарили.
В небе, чуть смеркшем, сияла луна.
«Нет, не луна» — нет, Вы мне говорили:
«Это мой месяц и он, не она».
Он — Ваш любимый, но вы мне сказали:
«Вечер для Вас... он на небе всегда».
Гнулась дорога. В ревнивой печали
он забегал то туда, то сюда.
Вы добросовестно мимо смотрели.
Как это ласково было, смешно.
Я говорил: «Лейте счастье без цели —
нас и обоих утопит оно».
Помните? После? Стоим над водою,
держимся за руки... тихо... и мне,
с поднятой к месяцу вверх головою,
Вы говорите без чувств, как во сне...
Были Вы бледного месяца жрицей...
там...уж давно... в сонме вдумчивых дев...
Вы восходили немой вереницей...
на гору... к месяцу руки воздев.

24.V и 30.VIII.<1905>
Петербург

* * *

Мне больно, почему не знаю сам,
показывать свои стихи, но вам
я что-то прочитал, поддавшись мигу,
и через день вы мне вручили книгу,
вплетенную в старинную парчу,
чтоб, если к вам писать я захочу,
я заносил в нее свои созданья.
И с радостью я принял в ней признанья
моих еще не писанных стихов...
И дать им жизни всё я не готов:
есть где-то образы, слова, размеры,
но я боюсь — не оправдаю веры.
А книга? Я люблю ее ласкать...
прижать к лицу... Но я хотел бы знать
не портится ль парча от поцелуев?..

27.V.1905 — 16.I.1906

* * *

Плывет тоска, растет, немая,
И дорастает до границы слов.
Ничтожен я... И, как подмытый у основ,
Дух сник, а мысль блестит, карая,
Точа изысканный и меткий приговор.
Что? Я любуюсь им? — уж дальним, самовольным.
И вспыхнул мир: я становлюсь довольным
Еще сильней, чем был до этих пор.

3.IX.1905 — 2.VIII.1912 и 9.IV.1916

* * *

В спускающейся амфитеатром аудитории было полу-
темно, скучно и пустовато. Ученый говорил медленно,
негромко, запинаясь. Несколько студентов сидело на не-
удобных скамьях в распущенных, изломанных позах.

Я отвел от них глаза и бессильно лег лбом на руку,
лежащую на пюпитре... Глаза уставились в пол... потом
увидел свою левую ногу, упертую о край передней скамьи,
согнутую и некрасиво отвалившуюся в сторону... увидел
чуть обтершийся край темно-зеленых панталон. Странно
подходящее... чужое... Да это не я, а студент.

6.IX.1905
Петербург

* * *

Люди, гуляющие по улицам, набережным и паркам,
всегда обращают внимание на встречных. И каждая встреча двух незнакомых людей — это короткая схватка двух
самолюбий. Каждый устраивает свою голову и глаза так,
чтобы сделать взгляд по возможности свысока и, в то же
время, страшась неожиданности, старается проникнуть за
другой взгляд свысока: что за ним скрывается: какое имя,
какое положение, какая обстановка, какая воля, какой
доход? И в такой схватке всегда определённо выясняется
победитель и побежденный.

Для людей особенно обостренного самолюбия прохо-
жие превращаются в яркий и прерывистый ряд то лику-
ющих, то оскорбленных вспышек, и равнодушная по виду
прогулка оказывается полною самых напряженных переживаний.

Но в этих тщеславных встречах даже привычный победитель чувствует себя маленьким и неловким перед
человеком, который проходит мимо, от всей души не
обращая ни на кого внимания.

8.IX.1905
Петербург

* * *

Недалеко от моей квартиры, на углу, стоит посыльный. Я часто прохожу мимо, и он всегда кланяется мне. Когда его не бывает, мне неприятно. Было бы неприятно, если бы он вдруг перестал кланяться. Его поклоны — единственный живой след двух странных дней, удивительно приятных для воспоминания.

Ведь эта женщина дала выглянуть нескольким чувствам, редко выглядывающим. Я ничего не победил, нисколько не торжествовал... скорее наоборот. Но в душе подтаяли и двинулись льды... были слезы... И когда я во второй раз шел домой, я ликовал, как река в половодье. Душа возгордилась, но совсем незнакомо... чисто.

В первый раз мы простились. Я думал: надолго, надолго.

Потом целый день не был дома, а на моем столе лежало письмо: она звала.

Я написал письмо и отправил его вот с тем посыльным, который теперь кланяется мне.

Мы опять виделись... расстались. Я даже не знаю, потерял я ее или нет.

А она такая женственная: она каждую минуту готова сделать невозвратимый шаг... и, может быть, так, что моя смутная жалость к ней окажется пророческою.

И я ничего не знаю, а посыльный мне кланяется, и я вижу, что следы прошлого длятся.

16.XI.1905

* * *

Молодиться никогда не рано.
Поняли вы это слишком поздно.
Да... а правда вечно блещет грозно
Там, где мы хотели бы тумана.

День рожденья... новый... снова рана.
Скоро станет пусто и морозно.
Молодиться никогда не рано.

И потомки под парчой обмана
Вашей жизни, тканной многозвездно,
Узрят только, не толкуя розно,
Что весь вывод из всего романа:
Молодиться никогда не рано.

7 — 17.XII.1905

* * *

Когда любовью сердце так забьется,
что грудь ему преградой впереди,
она от боли кровью вся зальется...
Ей хочется прильнуть к твоей груди,
прильнуть, и чтобы сердце затомилось,
сжималось, выпускало кровь свою
и всё сильней, беспамятнее билось,
врываясь из моей груди в твою.

27.II.1906

* * *

Ты мой враг, и час пробил к борьбе,
но мой панцирь адом заколдован;
твой к таким боям не уготован...
брось его и мой возьми себе.
Ты мой враг и час пробил к борьбе,
но мой шлем архангелами скован;
твой к таким боям не уготован...
брось его и мой возьми себе.
Ты мой враг, и час пробил к борьбе...
звон ударов будет част и громок,
но твой меч зазубрен, легок, ломок...
мой — огонь. Возьми его себе.
Я себе оставил только нить
глубоко мерцающих жемчужин.
Ты могуч. Я наг и безоружен.
Вот теперь я смею победить.

21.III — 25.V.1906 и 16.XI.1914

РОНДО

Я вас люблю в готическом наряде.
Отрадно видеть сердцу моему
И горностая белую кайму,
И холод плеч, и две воздушных пряди

Над белым лбом, и дальний свет во взгляде.
Вы так грозней, сильней — и потому
Я вас люблю в готическом наряде.

Я сам грозней. Тогда я сам ни пяди
Не уступлю. Что захочу — возьму;
Я знаю — мы стремимся к одному,
И, слитый с вами в масочном обряде,
Я вас люблю в готическом наряде.

23.VII.1906

13 ДЕКАБРЯ 1906 ГОДА

Вы каждый раз рождаетесь тогда,
Когда насилье тьмы одолевает солнце,
Когда, едва взойдя под низкое оконце,
Лучи, дробясь, блеснут по сводам изо льда —
И с каждым днем растет окружность свода,
И солнце всходит вверх на новую ступень,
И день длинней, и широкрылей день
Всё обещающего радостного года.
И эта связь весны с заветным днем,
Когда забилось в мире сердце ваше,
Она одна и ласковей, и краше
Всех слов, которые я мог сказать о нем.
И эта связь да будет неразрывна!
Всю вашу жизнь пусть каждый новый год
Над вами разрушает темный свод
И, как весна, пусть светится призывно.

7 — 13.XII.1906

ЦУ-СИМА

Плавный накат раскачавшихся волн
сбит скорым движеньем громад,
урчаньем громад,
взрывами в плотной воде.
Зеленые волны растерянно пляшут на месте,
качая обломки, обломки и трупы,
и истекающих кровью людей,
плеща им в рты белой соленою пеной...
Тонкими струйками кровь распускается в жадной воде.
Мука какая смотреть!
Острый удар нанесен,
насквозь прободив того,
кто насел на меня и сосет,
нож больно вонзился в спину
и я ощутил ликованье.

12.II.1907

* * *

«Я ведаю, как видеть Бога!
Я претворяю камни в хлебы!» —
И собралось на голос много
Взалкавших утолить потребы.

«Я ведаю, как видеть Бога!»
Те умоляют: «Ради неба,
Ты камни горного отрога
Нам обрати в запасы хлеба...»

Едят... И только утолиться
Успела голода тревога,
Шептанье по толпе струится:
«Ну где ему увидеть Бога...»

13.II.1907 — 9.IX.1912

* * *

Я так тоскою был разрушен,
что, если плакал я о ней,
плач был и жалок, и бездушен,
и не было в слезах лучей.
И был ваш образ нарисован
рукой земной, душой земной;
был Ангел глубоко закован,
но был закован предо мной.
Тоска не отнялась. Сильнее
вонзились острые мечи,
но стал я выше и бледнее
и дрогнули в слезах лучи.

16.VI.1907

* * *

Звезды падают в черное море,
И следы угасают бессильно...
Слезы бегло блестят на уборе
Ночи, плачущей тихо, умильно.
Мне не жалко звезд облетелых
Листопада ночи печальной.
Не свожу я очей онемелых
От звезды мне взошедшей, венчальной.

30.VII.1907 — 8.IX.1911

ПОЭТ

Я стою высоко над землей
И ее заклинаю стихами.
Сеть событий, петля за петлей,
В кряжи гор обращаю словами.
Властью образов мысли людей
Направляю на многие годы
И в далекую синь, чародей,
Прорезаю глубокие ходы.
Эти ходы, на веки веков,
Примут реки грядущего мира,
И волнам не стереть берегов,
Твердых трещин на глади сапфира.
Но, по слову создателя пут,
Эти трещины, все в перемене,
Уклоняются вбок и бегут,
Точно в море вечерние тени.

25.VIII.1907, 9.VIII.1914

* * *

Такого дня не видано давно.
Снег засиял... о — песнью лебединой!
А в небе бродит синее вино
И стынет по краям прозрачной льдиной.

Холодным ветром веет новый зов,
А сад, без зимнего сухого треска,
Шумит хмельной волною голосов,
Просящих сока у немого блеска.

24.I.1908 и 22.IX.1912

ПОЛУДЕННАЯ ДРЕМОТА

Полудня теплая дремота...
И застит томная слеза
Несопряженные глаза.
Блистающая позолота
И зелень листьев, и трава,
И тающая синева,
И тень, и облаков сиянье
Плывут в глаза — и расстоянья
В дреме не узнают они...
И потухают в сладкой лени —
И утопает мир в тени,
И близятся родные тени.

28 — 29.VII.1910

ШВАЛЬБАХ

Я, с потускнелой и усталой кровью,
Размаяв блеск ее по городам,
Здесь припадаю к пенистым водам,
Целенья чаю, сердцем рвусь к здоровью.

Без роздыха под вспашкой по годам
Иссякло поле... Да воскреснет новью,
Напитано железом, — и сыновью
Тебе, целитель Феб, любовь воздам.

Здоров, взыщу, где ключ, рожден в расклине
Глав снеговых, ручей дарит долине,
И только там всю душу утолю.

Феб! — и того источника властитель,
Здесь — врач благой, там — грозный вдохновитель,
Мне вод кастальских выпить дай, молю.

31.VII. — 9.VIII.1911

ЛОМБАРДСКИЙ СОНЕТ

Повсюду сокрушая оборону,
Миланцы в Альпы лезут по карнизу;
Миланцы заняли Болонью, Пизу,
У Скалигера отняли Верону.

Они, то в панцирь облачась, то в ризу,
Провидят итальянскую корону
И к ней идут. Кто даст подняться трону,
Тот больно им притиснут будет книзу!

Не выгоняйте стад на зов природы
И долго плуга мирного не троньте!
Держите меч! Меч, это щит свободы!

Вожди республик, очи обессоньте!
Глядит на ваши крепостные своды
Ломбардский тигр Джангалеацц Висконти.

9.VIII.1911 — 2.XI.1914

ТЕГЕРНЗЕ

Здесь Тютчев был; предания глухи,
Но верно то, что, видя в отраженьи
Спокойных вод спокойное движенье
Жемчужных облаков и гор верхи,
Он написал суровые стихи:
Я лютеран люблю богослуженье.

9 — 11.IX.1911

СОНЕТ

О кровь из сердца, сжатого тобой,
Рубиновыми каплями сочится,
И сердце в муке, теплое, лучится
И сладостен его о грудь прибой.

И всё, что кровь не окропит собой,
Чистейшей багряницей облачится,
И здесь, где целый мир дрожит и мчится,
Нетленною наделено судьбой.

Подательница муки, будь блаженна!
Свет на тебе! Как сердца ни изрань,
Навеки ты передо мной священна!

Но там, за кровью, нашей дружбы рань —
Лазурная. И если кровь нетленна,
Положенная неприступна грань.

27 — 31.I.1912

СОН БЛАГОДАРНОСТИ

О.А.Химона

Чаруя и перегибаясь,
Тянулось кружево твое
В моих руках — и забытье,
Чаруя и перегибаясь,
Сознанье облекло мое;
А, по виденьям сна, ласкаясь,
Чаруя и перегибаясь,
Тянулось кружево твое.

Его узор замысловатый
Неровно зыблясь, рос вокруг:
То в сонме туч, луны подруг,
Его узор замысловатый
Я узнавал; то лесом вдруг,
Прозрачный и зеленоватый,
Его узор замысловатый
Неровно зыблясь, рос вокруг.

И в пене светло-серебристой
Я видел те же кружева:
Морская в искрах синева
И в пене светло-серебристой;
И растеклась, вскипев сперва,
Волна по отмели кремнистой—
И в пене светло-серебристой
Я видел те же кружева.

21 — 22.III.1912

ПОСЛАНИЕ НА ПРИНЦЕВЫ ОСТРОВА

Два месяца почти прошло,
Как я, свободный и досужный,
С душой, настроенной светло,
Весь погрузился в мир содружный,
В неистощимый книжный мир.
Какой великолепный пир!
Поэтов жизнеописанья,
Поэмы, повести, стихи,
Народов грозные грехи
И византийские сказанья —
Всё развернулось предо мной
То в новых книгах, то в старинных,
И, дней не замечая длинных,
Весь напитавшись стариной,
Мой ум сопоставлял известья,
Любовно посещал поместья
Поэтов Пушкинской поры,
Гостил в Петраркином Воклюзе
И с Велисарием в союзе
Мечом переносил дары:
Трофеи — Кесарю к престолу,
Народам — Кесарев закон.
Мой дух забыл дорогу долу,
Дух позабыл, что всюду — склон.

Так мне жилось, и пробужденье
Я знал одно — в письме от вас,
Но пробуждение на час —
И новый сон... и сновиденье
Несло мое воображенье
К простору тех далеких мест,
Где неизменно на дозоре
Невидимый Софии крест,
Где плещет Мраморное Море.
Там вы! Но вы не только там!
Спасибо, что моим мечтам
Вы дали следовать за вами
По Олимпийским высотам,
Натешить синими цветами
Мой взор, а в легкие вобрать
Холодный редкий воздух горный.
Потом в Никею путь не торный...

В пути пришлось заночевать —
И белоснежная кровать...
И с ледяной водой кувшины,
Чеканенные мудрено...

Никея! Нет, такой картины
И в снах я не видал давно:
Проходит время, всё мешая,
И деревушка небольшая,
Вся в зелени, защищена
Неколебимыми стенами
И башнями окружена
И триумфальными вратами;
Юстинианов акведук,
Несомый арок чередою,
Журчит прозрачною водою
И гулко слышен каждый стук —
Так тихо в воздухе каленом...
А тут же, в озере зеленом
Степенно буйволы стоят
И грузно из воды выходят,
И лбами низкими поводят,
И важно на стены глядят...
Но, видно, сон был слишком долог...
И я томиться стал во сне;
Как будто бы какой-то полог,
Густой, мешал, свисая, мне.
Уж я не находил покою
В моей излюбленной тиши,
Необъяснимою тоскою
Вдруг обернулся сон души...
Так день прошел, другой, покуда
Не стал я различать в тоске
Каких-то веяний оттуда,
Где звуки зреют вдалеке,
Где роются ключи в песке...
Очнулся — прорвана запруда!
Я в разлитой плыву реке!
Уж больше бодрствовать не может
Дух человека, как тогда,
Когда предчувствие труда
И творчества его встревожит;
И что ж я вспомнил в этот миг?
Да то же, что во сне я видел:

Я вспомнил вас, а груду книг
Пренебрежением обидел:
Их отодвинув, я пишу
Вам стихотворное посланье,
Пишу и глубоко дышу,
Унять стараюсь щек пыланье
Холодной левою рукой,
Забыв тоску, забыв покой!
И без существенных изъятий
Вся повесть лета моего,
Моих мечтаний и занятий,
Моих надежд — важней всего —
В стихи ложится торопливо.
Мне мил стихов певучий звук,
Слагаемых неприхотливо
Для ваших благосклонных рук.
Я радуюсь, что те минуты
Вам, милый друг, посвящены,
Когда едва отметены
Души разорванные путы
И дали, наконец, ясны;
И добрый знак я вижу в этом:
Пройдет разлука вместе с летом —
А осень как не далека —
Затянут солнце облака,
И в тихом Павловске мы будем
Друг другу повести читать,
Похвалим это, то осудим,
И разговорами мечтать
Мы будем помогать друг другу,
Верхом изъездим всю округу,
Не раз помокнем под дождем
И так событий подождем.
И верится, что вашим сердцем,
Как ни было б судьбой оно
Взволновано, потрясено,
Я буду признан одноверцем.
И гордость я поставлю в том,
Что впрямь счастливые мгновенья
Я вам доставлю — а потом
Воспоминаний упоенья.

3 — 5.VIII.1912

ВАЛЬС

Вальс, волнуясь, поет... мы плывем, а кругом,
Завертевшись, теряются люди и зала,
И со мной — только ты... ты одна не пропала,
Вижу только тебя с наклоненным лицом.

Всё смешалось, исчезло... Лишь мы остаемся...
А кругом ускользая, несутся огни...
Мы вдвоем — и одни. Мы вдвоем и одни
В беспредельности звуков и света несемся.

Не понять, уносясь, это я или ты? —
Звуки нас сочетали в согласном движеньи:
Излучаются души в немом наслажденьи
До забвения всякой разлуки слиты.

И глаза потонули в глазах с упоеньем
Ты, светла, всем лицом повернулась ко мне.
Уносимые в теплой певучей волне,
Мы одни, мы одно, мы одно с этим пеньем.

14.VIII.1912

СТРАШНОЕ СЕРДЦЕ

Борьба с дерзаньем сердца тяжела.
Когда, в порыве темном и безумном,
Что птица, оба — в вышине — крыла
Сложившая, оно, с биеньем шумным,
В пучину кинется, упоено —
Не устоять душе... А срок наступит,
И жадное, лучистое, оно
Ценой души, чего захочет, купит.

26.VIII.1912

ПОСЛАНИЕ
ПО СЛУЧАЮ ПОДНЕСЕНИЯ СОЧИНЕНИЙ ТЮТЧЕВА

Позволь любимого поэта,
С которым я душой возрос,
В котором дух искать ответа
Привык на каждый свой вопрос,
Тебе вручить с душой открытой;
И эту книгу ты прочти
Со всей любовью, не избытой
Тобой на жизненном пути.
Услышь его стихов могучих
Глубокую, простую речь
И обаянью слов певучих
Дай душу далеко увлечь;
И сердцем, ведавшим волненье,
Ты вместе с ним переживи
Губительное опьяненье
Его страдальческой любви:
Боль самобичеванья пыток,
Колючие шипы клевет, —
И упоений преизбыток,
И радость, и далекий свет!
Задумайся над ним. Он много
Разгадок муками купил
И жуть последнего порога
Он, поборов, переступил.
Мерцая ризой совлеченной,
Развеяв солнечную тьму,
Природа-Мать разоблаченной
Сошла к любимцу своему.
Он взвидел вечное сиянье,
Чуть рухнул златосводный склеп —
Но мигом ночи обаянье
Его постигло: он ослеп.
Он знал о казнях и проклятьях,
Но всей душою он прилип
К усладе утопать в объятьях
У матери: ведь он — Эдип.
Его раздумья — прорицанья,
Песнь — многогласный хор ночной,

Но в голосе слышны стенанья
Души пронзенной и больной.

27.VIII. — 20.IX.1912

ВЯЧЕСЛАВУ ИВАНОВУ.
НА «ROSARIUM»

Видя корзины глубокие роз, разноцветных, пахучих,
    К дому снесенных тобой, видя тебя, наконец,
С новой душистою ношей в кошнице чисто сплетенной,
    С песней идущего к нам, скажет с досадой иной:
«Розы для всех цветут, а он не все ли замыслил
    Их обобрать для себя?» «Слушай, — отвечу ему: —
В путь иди, маяками упадших роз направляем;
    Сильного он приведет в полный цветов вертоград:
Там, коль сердцем чист, как этот, розы несущий,
    Розу увидишь Одну — Той не сорвать никогда!
Эти ж прелестные розы — мгновенные тени Единой;
    Этими, сколько ни рви, мир не иссякнет благой!»

1 — 14. IX. 1912

СТИХИ,
ВЫРЕЗАННЫЕ НА ПОМЕРАНЦЕВОМ ДЕРЕВЕ

(Из Парни)

Твой, померанец, свод густой и плотный
Нам послужил прикрытием любви.
Прими ж стихи, и с ними век живи,
С детьми моей истомы беззаботной.
И тем скажи, кто для любви своей
Твою бы сень укромную избрали,
Что если б от услады умирали,
Я умер бы под кущею твоей.

15 — 16.IX.1912

* * *

Люблю отделывать стихи прошедших лет.
Воспоминанию услады большей нет:
Ведь, чтобы выправить удачно только слово,
Всё, что вело к стихам, необходимо снова
И сильным и живым почувствовать в себе,
И беглый поцелуй, по дрогнувшей губе
Мелькнувший и едва замеченный в ту пору,
Теперь так задержать, чтоб творческому взору
Неповторимость всю увидеть удалось.
Я примечать люблю, как много довелось
Мне нового познать со времени сложенья
Иного важного душе стихотворенья,
Которое тогда я как предел судил
Искусства моего, моей души и сил,
А ныне — опыта счастливые уроки! —
Меняя в нем слова, вычеркивая строки,
Вдруг сообщу ему и свет, и глубину,
И даже большую в той глубине длину.
И сущее в таких занятьях сущим,
Прошедшим прошлое, грядущее грядущим
Воспринимаю я, но вижу и закон,
Благоустроенно упадок и восклон
Связующий в душе таинственным обрядом —
И благодарным жизнь окидываю взглядом.

16.IX.1912

АПОЛЛИНИЙСКИЕ ДИСТИХИ

I

Феб! Не бросайся на дно — тебя вода не удержит:
   Прежде, чем тронешь ее, пламенем в пар обратишь.

II

Дафну, подумав, вини. Она убегала от бога...
   Солнце дерзнешь ли принять в тело живое свое?

III

К милым нейди, Аполлон! — Сожжешь. Удались и на столько,
Чтобы не видеть их: станешь сияньем благим.

IV

В тайну его не вводи: он Фебовым знаком отмечен...
   Тайна его не зальет; тайну лучи просквозят.

V

Как хорошо по земным расстояниям к Солнцу стремиться.
   Горе, коль горним путем Солнце навстречу пойдет.

16 — 17.IX.1912. 26.XII.1913

Ю.Н.ВЕРХОВСКОМУ

Видений и стихов кавказских
Вернулась славная пора,
С тех пор как, жрец богов Парнасских,
Туда, где мечется Кура,
Ты унесен рукою рока.
И ладно: образы Востока
Пленяют любопытный глаз;
Но ожила с того же срока
Пора напутствий на Кавказ —
Печальный род! На этот раз
Мой, год назад молчавший, голос,
Тебя напутствуя, звучит:
Увесистый озимый колос;
Слова питает, кто молчит.
В разлуке помни нашу дружбу...
Могла б, летала бы, что тень,
Тебя проведать каждый день,
Хоть и не в боевую службу
Лет прошлых, не под град свинца
Ты едешь — жребии смягчились,
Но умягчились и сердца.
В Колхиде вдосталь утягчились
Сплетенья русского венца
Победным дубом — лиры ныне
Везешь в далекую страну,
Ей не чужие: в старину
Те, кто водили по твердыне
Кавказа русские полки,
Умели пальцами руки,
Своей мечу, водить по лире
И петь... так петь, что в целом мире
То пенье слышно всё звончей.
Ты лиры их, без их мечей,
В дарьяльские уносишь двери,
Ты из-под наших мокрых крыш
В Тифлис профессором спешишь,
Где будешь гуриям и пери,
Курсистками решившим стать,
В разумно суженном размере
Литературный курс читать
И светом Пушкинской плеяды
Полуобразованья яды

Искоренять в умах. О друг,
Ведь это подвиг благородный!
С ним так удачно вступит в круг
Твой дар певца, живой, свободный
И духу предков соприродный.
Заветы дружества прими,
Души под спудом не томи.
Твое профессорство не кара,
Но воля видящей судьбы.
Ей доверяйся без борьбы
Вей лавры, где плели дубы,
И будь Дедалом для «Икара».

18 — 19.IX.1912 и 26.XII.1913

* * *

Любовь нежна... А духом меч
    Сверкающий подъят,
Всё властный в сердце пересечь.
    Любовь томит... Но свят
И редок этот вышний дар
    В юдоли наших дней,
И слишком легок мне удар
    Губительный по ней.
Отрекшийся — он не идет,
    Он по земле скользит,
Предчувствуя высокий взлет,
    И мир ему сквозит
Подобно яркому лучу
    Через завесы вежд;
Но сбросить бремя не хочу
    Тяжелое надежд!
Любовь! Блаженство ль в чашу уст
    Страданье ли пролей, —
В моей груди терновый куст
    Пылает всё светлей.

20.IX.1912

Е.М.М.

Во взгляде ваших длинных глаз, то веском,
То зыбком, то поющем об обмане,
Вдруг тайный свет затеплится в тумане
И воссияет углубленным блеском.

Не так ли в зачарованном лимане
Плывет луна, заслушиваясь плеском?
Ах, вас бы подвести к леонардескам
В музее Польди-Пеццоли в Милане.

Себя, смотрясь как в зеркала, в полотна,
Вы б видели печальной в половине,
А в остальных — жестокой беззаботно.

А вас живую, с вами на картине
Сличая, я бы проверял охотно
Больтраффио, Содому и Луини.

21.II. — 7.III.1913

ГАЗЕЛЛА

В брызгах радужных сияний грань алмаза разглядеть ли?
Цвет блеснувшего призывом нежным глаза разглядеть ли?

Стать взыгравшей кобылицы, скачущей, взметая ноги,
В чистом поле у подножья гор Кавказа, разглядеть ли?

В опереньи легкой птицы, проносящейся у башни,
Жар рубина ль, изумруда ли, топаза разглядеть ли?

Тело смуглой баядерки, дерзко гнущееся в пляске,
Всё быстрее, всё смелее раз от раза разглядеть ли?

Склад души у девы жадной до влюбленных наших взглядов,
У которой — всё увертки, всё проказы разглядеть ли?

А намеренья поэта, у которого той деве
В наставленьях, в песнях, в сказках нет отказа,
                              разглядеть ли?

7.III, 20.VI.1913 и 5.VI.1915

АХМАТОВОЙ

С тобой в разлуке от твоих стихов
Мне не хватает силы оторваться.
И как? В них пеньем не твоих ли слов
С тобой в разлуке можно упиваться?

Но лучше б мне и не слыхать о них!
Твоей душою словно птицей бьется
В моей груди у сердца каждый стих,
И голос твой у горла, ластясь, вьется.

Беспечной откровенности со мной
И близости — какое наважденье!
Но бреда этого вбирая зной,
Перекипает в ревность наслажденье.

Как ты звучишь в ответ на все сердца,
Ты душами, раскрывши губы, дышишь,
Ты, в приближеньи каждого лица,
В своей крови свирелей пенье слышишь!

И скольких жизней голосом твоим
Искуплены ничтожество и мука...
Теперь ты знаешь, чем я так томим? —
Ты, для меня не спевшая ни звука.

11 — 24.XII.1913

13 декабря 1913 года

День рожденья твоего
Праздник солнца воскрешенного.
Пусть для духа угашенного,
Пусть для духа моего
    Этот день
Тоже днем воскресным будет.

Наших ясных дней года
Блещут яркими каменьями,
Нежно сцепленными звеньями...
Этот день пусть навсегда
    Гонит тень
И весельем к счастью нудит.

12.XII.1913

ЗАЯЦ

На лыжах пробираясь между елей,
Сегодня зайца я увидел близко.
Где снег волною хрупкой от метелей
Завился, заяц притаился низко,
Весь белый; только черными концами
Пряли его внимательные ушки.
Скользнув по мне гранатными глазами,
Хоть я и вовсе замер у опушки,
Он подобрался весь, единым махом
Через сугроб — и словно кто платочек
Кидал, скакал, подбрасываем страхом.

Горячей жизни беленький комочек
На холоду! Живая тварь на воле!
Ты жаркою слезой мне в душу пала
Такую нынче мерзлую, как поле,
Где вьюга от земли весь снег взвивала.

1 — 6.I.1914

* * *

Не напрасно вашу грудь и плечи
Кутал озорник в меха
И твердил заученные речи...
И его ль судьба плоха!
Он стяжал нетленье без раздумий,
В пору досадивши вам:
Ваша песнь — для заготовки мумий
Несравненнейший бальзам.

31.I.1914

* * *

При жизни Вы разлучены с душой...
Покамест я об этом в небольшой
Не рассказал, как собираюсь, сказке,
Бездушная, — примите «Душу в маске».

2.II.1914

* * *

Странную едкую радость доставило мне, что Верховский
Мне сегодня прислал кипу стихов для тебя.
Смесь двусмысленных чувств потешена? Только ли это?
Или в признаньи чужом веры себе я ищу?
Только верую: всякая радость любимого — в радость!
Всю же радость свою вздохами шлю я к тебе.

11.II.1914

* * *

Законодательным скучая вздором,
Сквозь невниманье, ленью угнетен,
Как ровное жужжанье веретен,
Я слышал голоса за дряблым спором.

Но жар души не весь был заметен.
Три А я бережно чертил узором,
Пока трех черт удачным уговором
Вам в монограмму не был он сплетен.

Созвучье черт созвучьям музыкальным
Раскрыло дверь — и внешних звуков нет.
Ваш голос слышен в музыке планет...

И здесь при всех, назло глазам нахальным,
Что Леонардо, я письмом зеркальным
Записываю спевшийся сонет.

16.II.1914

НА ПУТИ

Черневшей рощи полоса
Заслонена; на все лады
Грозятся вьюги голоса,
И запорошены сады.

Назад не только не пойти,
Не глянуть — ускользнет и цель:
Приметы скудные пути
Заравнивает мятель.

А слезы мерзнут на глазах
И больно режут веки мне.
Последний свет заплыл в слезах...
Муть в голове и лень в спине...

Мне, сердце, жизнь для славных дел
Теперь ты можешь ли спасти?
Уж я для отдыха присел
В сугробе на полупути...

16.II.1914 и 4.VI.1915

БАЛЕРИНЕ

Мощь мышц у тела тяжесть отняла.
Ты в воздухе, и нет нужды в опоре;
А за плечом покойным нет крыла...
Выходит: ты океанида в море!

Но, если воздух наш тебе — вода,
Не легче ль ты сама мечты влюбленной?
Ей не угнаться, даже окрыленной
Стихами, за тобою никогда.

21.III.1914

* * *

Господень день. Ликуя, солнце пышет
И плавит около сверкающую твердь.
Так чудесами Канны воздух дышит,
Что вот прозябнет и сухая жердь.

Свободна ото льда и пароходов,
Вся в тонких струйках, искрится Нева
И, пышно поделясь на рукава,
Объемлет и, колебля в чистых водах,
Лелеет радостные острова!

А сердце полным роздыхом природы,
Овеянной благословенным днем,
Во мне расширено до той свободы,
Что ничему теперь не тесно в нем.

И сердцем той, кто без того свободна,
Так радостно свободу подтвердить.
Господь сошел весь мир освободить,
И никакая жертва не бесплодна.

6.IV.1914. Светлое Воскресенье

* * *

Не ярок, но невыразимо светел
Сегодняшнего утра нежный свет.
Случилось то, что понял по примете,
И нежно стало сонной голове.

Ну что случилось? — после... Знаю: радость.
А свет идет от стен, от потолка...
Да, это благодать, а не награда,
И не людская так щедра рука.

Лень... глянул: легкие снежинки!
Так быстро встал, что чуть не обомлел:
Тончайшие пуховые косынки
Едва сгибают травки на земле.

И небо — белое такое. Воздух бодрый
Сейчас впущу в широкое окно.
Не задохнуться бы. Какой он добрый,
Тот, кем всё это так легко дано.

14.X.1914

СКАЗКА О ПТИЦЕ

Часть I

«Видит Бог, не убивал я птицы».
«Так скажи, куда она девалась?
На беду тебя я полюбила,
На беду тебя в мой сад впустила!
Пенье птицы я любила больше
Самой птицы и, конечно, больше,
Чем любви усладный плен любила...
Ты пришел в мой сад, и нету птицы...
Да, ты понял, как люблю я птицу.
Потому из ревности унылой
В сумерки у круглого колодца
В мирный час, когда уж село солнце,
Но еще светло и против зорьки
Видны очертанья всех листочков».
Только песни смысл невнятен деве,
Птичьих слов она не понимала —
Ну, а ангелы горе — те знали,
Полукругом рея в горнем небе
И заслушиваясь песней птицы,
Что подруга их поет о сердце,
О любви усопшего и молит,
Молит Господа и славит, молит,
Чтобы вся любовь его свершилась,
И Господь любимую им принял,
В несказанный рай и дал ей счастье,
На которое у юноши немого
Не хватило благодатной силы,
Но любовь его была угодна
Божьей птице, посланной на землю.

5—7.XII. 1914

СТИХОТВОРЕНИЯ
НЕИЗВЕСТНЫХ ГОДОВ

* * *

Холодный ум не верит в привиденья.
Но отчего ж, когда с небес луна
льет в жутком свете странные влеченья,
встают, растут и тянутся виденья
и стоном суеверного смятенья
душа трепещет и звучит до дна?..

Бессильный ум не хочет верить в Бога.
Но почему ж, когда в немой ночи
зияет свод небесного чертога,
и теплится священная тревога,
и к Богу манит звездная дорога —
по ней текут душевные лучи?..

Не верит ум и в тайное общенье.
Но почему ж, когда, мой милый друг,
мы сходимся с тобой в уединенье,
не знаем мы, что значит разделенье,
и заливает нас соединенье,
и всё без слов мы понимаем вдруг?..

Да, отчего? Холодный ум, довольно!..
О, замолчи ненужный, слабый ум...
Всё, что молчит таинственно и больно,
что шепчет сердцу сладостно невольно,
что воспаряет душу богомольно,
всё прочь бежит, прочь от проклятых дум.

* * *

Я — целый мир. Всё то, что вижу я и знаю,
всё это — я, и лишь во мне живет;
всё это я своим сознаньем созидаю,
и это всё со мной умрет.

Но есть и мир другой, и я его не знаю,
хоть весь я из него. В нем обезличен я,
бессмысленно и слепо выполняю
неведомый закон немого бытия.

Да, если бы тот мир, то странное движенье,
где я — не кто, а что, и мог бы я познать,
то в тот же самый час, в то самое мгновенье
я б перестал существовать.

КАПЕЛЛА

На небе, огненной зарей опаленном,
дрожит Капелла снопами огней,
сверкнет то красным, то зеленым,
то вдруг погаснет, то вспыхнет сильней.

Я помню вместе, с счастливой дрожью,
в нее, взгрустнувшись, смотрели мы,
и в ней светилось из вечной тьмы
нам наше счастье, мелькая ложью.

Что если той же звезды узоры
теперь и ее к себе привлекли?
Там вместе сходятся наши взоры,
хоть мы вдали, бесконечно вдали...

Одно для тысяч мест и людей,
небо! представить тебя невозможно,
и, пред громадой вечной твоей,
как здесь всё мелко, как ничтожно!

Как, и она? Может быть, для тебя
она, как всё здесь, ничтожна тоже,
мне ж взгляд ее, устремленный любя,
всех звезд сильнее, всех звезд дороже.

Не схож с Капеллой тот взгляд, о нет!
В нем нет обмана и тайны мерцанья,
нет вспышек страсти, блеска страданья,
в нем мягкий, милый, приветный свет...

* * *

Омертвелые части души!
Оторвитесь, пустите меня,
дайте, дайте, победно звеня,
унестись в бесконечную высь.

Всё живое стремится туда,
всё собралось в вершинах души,
а внизу, в этой серой глуши,
вы лежите противным свинцом.

Чем-то грозным, тлетворным порой
вдруг от вас и в вершины пахнет,
и отравлено, вниз упадет,
что неслось к голубым небесам.

И как трудно очиститься вновь!
Ах оставьте, пустите меня,
чтобы мог я, победно звеня,
унестись высоко, высоко!

* * *

Черные волны вливались в меня,
бились, ревели, тушили маяк...
Я потерялся... Их страшная мгла
          всё помутила во мне.

Вырвался я, наконец, и они
где-то бушуют в неслышной дали.
Как хорошо мне теперь, как светло,
          как золотятся лучи!

* * *

Завет, с которым мы расстались,
Скажи, исполнила ли ты?
Скажи, в твоей душе остались
Мои далекие черты?

Надеюсь я... В душе глубокой,
В такой душе, как у тебя,
Не гаснет пламень одинокий,
Но век питает сам себя.

Я жду... С душою неизменной
К тебе, мой милый друг, приду
И верю, свет любви нетленной
В тебе по-прежнему найду.

К М.Н.ЛИСОВСКОЙ

Я опускаюсь — жизнь ушла;
недвижно давит отжитое;
в душе всё мутно, всё в застое,
ум вялость сетью оплела.

И лишь когда пред мною ты —
в грязь, в плеснь, в развалину сырую,
смутив всю гадину ночную,
свет льет потоки теплоты.

Развалина освещена,
мелькнула будто тень родного...
меня упавшего, больного
спасти ты можешь... ты одна!

О, можешь ты! Спаси ж меня,
люби меня... С живой любовью
ласкай, к больному изголовью
лицо чуть бледное склоня.

Приди к страдальцу. Воскреси
меня улыбкой и слезами,
взгляни печальными глазами,
взгляни с любовью и спаси!

* * *

С каждым мерным дыханьем твоим
бездна прошлого всё возрастает...
Так опомнись! Зачем мы сидим,
сложа руки, а жизнь утекает.

Пусть по тканям желтеющий свет
разливается ровно, красиво,
умягчает лица яркий цвет
и на бронзе блистает игриво —

Всё равно — надо встать, надо жить!
Торопясь даже, мало успеем.
Как потом, целым дням дав уплыть,
о мгновениях мы пожалеем...

<НАЧАЛО ПОЭМЫ>

I

Как франт прошедших поколений
Средь щеголей последних лет
Казался б странным, так поэт,
На лад старинных песнопений
Настроивший свою свирель,
Сам одиночество в удел
Себе готовит. В наше время,
Чтоб чувствовать себя легко,
Сверхчеловеческое племя
Стряхнуло чувства меры бремя
И так умчалось далеко...

II

Когда погибнувшего века
Философ всех очаровал
И род людской с собой умчал
Он по следам сверхчеловека
В страну, куда добра и зла
Еще судьба не занесла.
Искусства бросились туда же,
Покинувши наш жалкий мир,
И перегнали Ницше даже...
И я один стою на страже
Парнасских муз и древних лир.

III

Один я Пушкина читаю,
Пленившись чудной простотой
И величавой красотой
Его творений, и черпаю
В нем легких вдохновений рой.
Иду широкою тропой,
Великим гением пробитой,
Но как-то брошенной потом
И почему-то позабытой,
Когда-то лаврами покрытой,
Теперь поросшей бурьяном.

\<IV\>

Еще недавно можно было
Быть новым — вздор в стихах писать,
Но декадентство наступило —
Исчезла эта благодать...
Теперь Бальмонт с своею кликой,
За ту возможность ухватясь...

К ДИНЕ

Скажи, скажи мне, милый друг,
что значит это утомленье?
В твоей душе что за недуг
посеял боль, тоску, смятенье?

Ах расскажи мне, что с тобой?
Какое у тебя несчастье?
Болеет над твоей судьбой
мое всегдашнее участье.

Ужель твое лицо в слезах?
Ужели вместо нег мерцанья
в навек мне памятных глазах
сухой и горький блеск страданья?

Зовут тебя! Приди сюда,
склонись на дружеские руки,
заплачем вместе и тогда
прочь утекут с слезами муки.

* * *

Я ласкаю тебя сладострастно,
восхищен твоим телом, дитя.
На меня же ты смотришь бесстрастно,
уязвленная лишь не шутя,
О невинность с могучею властью!
Пусть мелькнул бы хоть трепет стыда —
он уж шаг по пути к сладострастью —
я б хоть им насладился тогда.
Но не клонится томно головка,
ты колен не сжимаешь своих,
нет, тебе, вижу я, лишь неловко
в непонятных объятьях моих.
И желанья, без встречи радушной,
гаснут, с дряблым осадком в груди.
Я пускаю тебя равнодушно,
мне уж скучно с тобою, уйди...

* * *

Иногда моей мысли, бьющейся в оковах прошлого, кажется, что она свергла их — и вот через головы будущих поколений, сквозь полупрозрачность времени, далеко, далеко, на недосягаемой высоте, я вижу нового человека. Он стоит там, избитый, израненный ошибками и падениями, дивно прекрасный, примиривший на своем задумчивом лице и скорбь, и тихую радость. Он думает о том, чего для нас еще нет, и так, как мы не можем думать, и смотрит вперед, и видит там свое дальнейшее перевоплощение.

К ДИНЕ

Ты не позволишь, чтоб мужчина,
Хотя б и был тобой любим,
Касался до тебя? Но, Дина,
Клянусь желанием моим
Тобою обладать, не знаю,
Что делать будете вы с ним?
Тогда... Ах, я не понимаю,
В чем выльется у вас любовь?
Ужели в томных воздыханьях
И нежных, долгих созерцаньях?
Тем, у которых рыбья кровь,
Еще идет эфирность эта,
Ты ж нежным пламенем согрета,
И страсть кипит в твоей крови,
И грудь желания колышат;
Призыв мой благосклонно слышат
Нагие прелести твои.
И ты не жаждешь поцелуя,
Объятий не желаешь ты?
И жить ты можешь, не тоскуя,
Без их приятной теплоты?
К себе на сладостное ложе
Ты не допустишь никого?
О, о с какою глупой рожей
Я вижу мужа твоего!
Как поступать ему прикажешь?
Бедняга!.. для его страстей
Какой исход ему укажешь?
Ах объясни мне поскорей.

К НЕЙ ЖЕ

Ты далека. Я не могу
Тобой, как прежде, любоваться,
Но в сердце, жадном наслаждаться,
Тебя я нежно берегу.

Ты далека, ты далека,
Но нежные желанья, мысли
Пришли и на тебе повисли,
Как капли на листках цветка.

Они коснулись губ твоих,
Они к твоей груди прильнули
И незаметно заглянули
В открытое для них одних.

Ты далека, но предо мной
Плывет твой образ, манит страстно,
Твой томный взгляд блестит неясно
И грудь вздымается волной.

И я к тебе лечу, лечу,
Играя грезой неземною...
В моих мечтах ты предо мною,
Как я хочу, в чем я хочу!

Теперь в волнистом полусне
Я вижу с сладким содроганьем,
Что заразилась ты желаньем,
Тобой взволнованном во мне.

* * *

В глубокую, звездную, темную ночь
Я в тихое море далеко уплыл.
Всё было спокойно, дремало без сил,
Всё сна не могло превозмочь.
Я на спину лег, и на слабой волне
Лежал, чуть колышась, и, если порой
Я медленно двигал ленивой рукой,
Вся влага блистала в огне.
Из тьмы на меня сквозь столетья смотрел
Сияющий трепетный мир в вышине,
И музыка сфер доносилась ко мне,
И гимн ее ровно звенел.
Земли я не видел. Далеко она
Лежала в молчаньи и чутко спала.
Была незаметна, как тело тепла,
Нагретая за день волна.
И я растворялся в зыбучих волнах,
В стихии без формы, не чувствуя их.
И мир был так тепел и томен, и тих...
И веял таинственный страх.

* * *

Луна дрожа плывет меж облаками,
Дрожа, дрожа, купаясь в белом дыме...
И облака проносятся клоками.
Всё небо вдруг куда-то заспешило,
Встревоживши и воздух, и деревья...
И, стряхнуты с ветвей, дневные птицы,
Смятенные, и мечутся и стонут,
То, отлетев, во мраке ночи тонут,
То смятых, черных теней вереницы
Через луну несет, бросая, буря.
Клоки густей... густей и чаще мчатся;
Является луна всё реже, реже,
Тяжелый душный воздух стал спираться...

* * *

Помню я рокот прибрежной волны,
Сплюшек печальное пенье,
В дремлющем море сиянье луны,
Жарких страстей наслажденье.
Помню туман в темных, влажных глазах,
Дрожи больной замиранье
На побледневших, раскрытых губах,
Мягкой груди трепетанье.
Я тебя, теплую, плотно сжимал,
Ты, как змея, извивалась.
Я от блаженства почти что страдал,
Нервы, душа разрывалась...
Где же теперь твоя знойная грудь,
Где твои губы и очи?
Милая, так же как я, не забудь
Ты наслаждений той ночи.

* * *

Не любя декадентского стиля,
Я не стал на распутьи дорог.
По обеим я шел, сколько мог,
Расхождения их не осиля.

И валюсь я, как судно без киля.
Но тянуть не хочу я тревог,
Не любя декадентского стиля.

Надо выбрать. И вот, пересиля
К телу страсть, отдаю ее, строг,
Чтоб к тому вел меня Тихий Бог,
Что одна ты всё думаешь, Иля,
Не любя декадентского стиля.

ТРИОЛЕТЫ О ЛЮБВИ

Ю. П. Анреп

Любить? — Да это так же просто,
Как и дышать, и так легко!
Ах, грудь вздыхает глубоко...
Любить? — Да это так же просто.
Растет блаженно, широко
Любовь — конца не видно роста...
Любить? — Да это так же просто,
Как и дышать, и так легко!

Коль для меня любовь — дыханье,
Как воздух мне необходим!
А воздух мой — кто мной любим,
Коль для меня любовь — дыханье.
Он, лучезарный серафим,
Он, радости благоуханье,
Коль для меня любовь — дыханье,
Как воздух мне необходим!

Бесценный воздух разве с песней
Я выдохну — и всё пою...
В груди стесненной затаю
Бесценный воздух, разве с песней
Сравнимый сладостью, стою —
И мне всё ярче, всё чудесней...
Бесценный воздух разве с песней
Я выдохну — и всё пою!..

* * *

Твои следы в отцветшем саду свежи —
Не всё, года, дыханьем своим смели вы, —
Вернись ко мне на пройденный путь счастливый,
Печаль с печалью моей свяжи.

Пусть я не тот, что прежде, и ты не тот,
Бывалых дней порадуемся удачам,
А об ином, чего не сказать, поплачем,
Ведь горечь слез о прошлом мягчит, не жжет.

Пока закат твой ярый не стал томней,
Пока с дерев ветрами убор не согнан,
Пока твой взгляд, встречаясь с моим, так огнен, —
Вернись ко мне, любимый, вернись ко мне...

* * *

Снова на профиль гляжу я твой крутолобый,
И печально дивлюсь странно-близким чертам твоим.
Свершилося то, чего не быть не могло бы:
На пути, на одном, нам не было места двоим.

О, этих пальцев тупых и коротких сила,
И под бровью прямой этот дико упорный глаз,
Раскаяния, скажи, слеза оросила,
Оросила ль его, затуманила ли хоть раз?

Не оттого ли вражда была в нас взаимней,
И страстнее любви, и правдивей любви стократ,
Что мы свой двойник друг в друге нашли? Скажи мне, —
Не себя ли казня, казнила тебя я, мой брат?

* * *

Я вспомню всё. Всех дней в одном, безмерном миге
Столпятся предо мной покорные стада.
На пройденных путях ни одного следа
Не мину я, как строк в моей настольной книге
И злу всех дней моих скажу я тихо: «да».

Не прихотью ль любви мы вызваны сюда, —
Любовь, не тщилась я срывать твои вериги!
И без отчаянья, без страсти, без стыда
Я вспомню всё.

Пусть жатву жалкую мне принесла страда.
Не колосом полны, — полынью горькой, риги,
И пусть солгал мой Бог — я верою тверда,
Не уподоблюсь я презренному расстриге
В тот страшный миг, в последний миг, когда
Я вспомню всё.

ЮДИФЬ

Трагедия в стихах

Лица

Навуходоносор, Царь.
Олоферн, второй по Царе.
Навузардан, начальник Царских телохранителей.
Тартан
Рабсак   Ассирийские военачальники.

Вагой, евнух Олоферна.
Ахиор, вождь Аммонитян.
Озия, князь дома Иудина.
Гофониил
Хабрий   старейшины Ветилуи.

Нер, знатный Еврей.
Юдифь
Иохаведа   знатные вдовы.

Керенгапух
Фамарь   служанки Юдифи.

Воины Ассирийские и Еврейские: жители Ветилуи.

Между прологом и первым действием — полгода; между первым и вторым действиями — ночь; между вторым и третьим — более месяца; между третьим и четвертым — несколько часов; между четвертым и пятым — три дня.

ПРОЛОГ

Чертог Навуходоносора. Слуги царя простерты.

Навуходоносор

Царь Мидян Арфаксад смирил толпу народов,
И тьмы рабов пригнал добычею походов,
И город выстроил из тесаных камней.
Он Экбатаною был назван; и грозней
Кто стены видывал? — безмерные длиною,
В ширь семьдесят локтей и тридцать вышиною;
А башни царь воздвиг над ними в сто локтей,
И той же вышины на каждом из путей,
Ведущих к городу, ворота он поставил.
Непобедимым царь себя повсюду славил,
Гордился множеством людей и колесниц —
И так, что я решил его повергнуть ниц.
Чтоб выполнить верней, туда, где недовольства
На Арфаксада ждал, я снарядил посольства:
Послал в Киликию, и в каменный Сидон,
И на великую равнину Эздрилон,
И в горную страну к живущим по Ливану,
И в Галилейский край, и вдоль по Иордану,
На путь к Египтянам — и к ним. Призывных слов
Нигде не приняли народы, а послов
С бесчестьем выгнали обычаем злонравным,
Затем, что в слепоте меня считали равным
Себе и всем другим, предвидеть не сумев,
Как скоро будет сжат безумия посев.
Один я выступил; и, встретив супостата
На тучной Рагава на берегу Евфрата,
Пронзил его копьем и погубил вконец.
И вот — ко времени — освободился жнец.
Моей судьбой клянусь, неумолимой мести
Теперь покорностью не отвратить. На месте
Цветущих городов немых пустынь хочу,
Людей хочу предать ярму, цепям, мечу!
Но не на месть одну я ныне рать подъемлю —
Мой замысел пройти и покорить всю землю!
На запад, Олоферн, ты поведешь войска.
Знай, память о себе теперь на все века,
Прочней чем на камнях, хочу на душах высечь!
С тобою пеших войск сто двадцать полных тысяч

И конных лучников двенадцать тысяч дам,
Людей, уверенных в себе; а по следам
Пусть гонят вьючный скот: здесь каждого верблюда
Возьми, коль надобно; гони с собой отсюда
Несметные стада быков, овец и коз,
И хлеба обеспечь достаточный подвоз —
Его вся Сирия пусть держит наготове.
И пусть не думает никто о мирном крове,
Не совершив всего. Меч изощренный вынь —
И, вея ужасом, как зноем от пустынь,
Пехота, конница, телеги, колесницы,
Несчетные стада, верблюдов вереницы
Потянутся в поход, всё руша, всё топча,
Заволокнув лицо земли, как саранча.
Пройдет: зеленый луг — весь серый, пыльный, голый...
Где встретит, дерево облепит рой тяжелый
И зелень помрачит покровом серых риз,
И ветви, загудев, качаясь, свиснут вниз
Под грузом медленно сползающих наростов...
Спадает саранча... Торчит негодный остов.
Так всё, что встретит глаз, смети и разори!
И пусть в твоих ногах разбитые цари
Пощады молят — знай: царь побежденный — ложен;
Он — прирожденный раб. На целый мир возложен
Один венец — он мой. Ты, не внемля мольбам,
Людей, которые по силе и годам
Способны выйти в бой, бери с собой: животных,
Навьюченных добром, рабов под ношей потных,
Гони с собой; хлеба повсюду собирай,
Чтоб сила воинства росла из края в край
И в каждую страну ты, страшный, всё могучей
Вступал. Чего не взять, над тем огнистой тучей
Пройди губительно: низвергни города,
Казни людей, сожги хлеба, избей стада...
И — выслушай завет моей великой мощи —
Все капища ломай, руби святые рощи,
Искореняй богов, да видит каждый взор,
Что в мире бог один — Навуходоносор.

КОНЕЦ ПРОЛОГА

ПЕРВОЕ ДЕЙСТВИЕ

Шатер О л о ф е р н а. Ассирийские военачальники
и вожди присоединенных народов.

О л о ф е р н

Ну что ж? Проходы есть в горах? Они свободны?

Т а р т а н

Проходы, господин, я видел. Но бесплодны
Попытки конницы ущельями пройти.
Сопротивление я встретил на пути.
Теснины укрепив и захватив высоты,
Евреи спрятались, и даже для пехоты
Задача трудная преодолеть отпор.
Но мало их числом, и, коль на склоны гор
Всей силой ринуться, не глядя на потери,
Мы прошибем их строй и нам открыты двери!

Н а в у з а р д а н

Пусть мало их, но знай: один на высоте
Сильнее десяти внизу. И, верно, те,
Кто, не испуганы безмерной нашей славой,
Решились оказать царю отпор кровавый,
Когда не силою — безумием сильны!
А мы за весь поход не встретили страны,
Которая бы так противостать нам смела...
Здесь стоит действовать спокойно и умело.
Войска растянуты; их стоит подобрать,
Проверить, разделить и раззадорить рать,
А то, смотри, она приучена к победам,
А битвы жаркий пот иным еще не ведом.
В походе взятые идут по племенам;
Их спутать с нашими необходимо нам.
А наши, с головой нагружены добычей,
Заленятся в бою — таков уж их обычай,
А в мыслях: отдых, пир и по домам разброд...

Олоферн

И надобно узнать, что это за народ:
Какие города, какое войско, сколько,
И почему из всех народов этот только
Не вышел с миром к нам, но нам грозит мечом?

Рабсак

Он не узнал, что смерть мы за собой влечем!

Ахиор

Слух, господин, склони. Я вождь детей Аммона,
Я раб твой Ахиор. Уж я дожил до склона:
Мне слово ложное не осквернит уста,
А память опытом и знаньем не пуста —
Жил, много видевши и многое содеяв.
Израильский народ из племени Халдеев,
Но от своих отцов и от родных богов
В Месопотамию ушел как от врагов,
Прозрев Единого, на высях неба, Бога.
Бог вновь велел идти, и новая дорога
Евреев привела в Харран. Они цвели...
Но их в Египет зной, посевы той земли
Испепелив, пригнал. Там стал народ несметным
В четыре века — знай: еврею быть бездетным
Проклятье Божне. Смутился фараон
И, скрытно, истребить евреев вздумал он,
Велев работать день и ночь киркой, лопатой,
Канавы отводить, чтоб от реки богатой,
Степь, напояясь, свой преображала вид.
Других принудили таскать для пирамид
Куски огромных скал с далеких гор, с высоких
И в кубы их тесать; и свист бичей жестоких
Не утихал в ушах; и на телах рубцы
Не заживали... Вдруг услышали отцы
Приказ — неистовой изобретенье злобы:
Быть убиваемы, чуть выйдут из утробы,
Должны все мальчики. И было. Но простер
Предсмертный к Богу вопль Израиль — и в костер
Злых мук был обращен Египет, и от казни
Всё застонало в нем... И фараон, в боязни,
Не видя, как стране раздавленной помочь,

В великой ярости погнал Евреев прочь.
Бог казни прекратил. Тогда в безумьи новом,
Отвыкнув от труда, Египтяне к оковам
Задумали вернуть Евреев в свой полон.
За ними двинулся с войсками фараон
И, к морю их пригнав, возликовал, что вскоре
Исполнит замысел, но Бог разверзнул море!
Евреи шли. Вода стенами по бокам,
Не зыблясь, высилась. Когда же по следам
Пошли Египтяне, то водное ущелье,
Сомкнувшись, погребло их дерзкое веселье
На низком дне морском, во глубине пучин,
И из немой воды не вышел ни один,
Чтоб рассказать своим о гибели чудесной.
Евреи же вошли в пустыню. Стала пресной
Там горькая вода, и с неба сорок лет
Бог пищу посылал и с клятвой дал обет
Не покидать вовек Евреев, если крепко
Законы соблюдут. Пока держались цепко
Они за тот завет, то покоряли всех.
Но Бог жестоко мстил, когда впадали в грех.
И вот, о господин, коль оскорбили Бога
Они теперь, тогда, будь мало, или много
Их сил, они падут под острием мечей.
Но если с ними Бог, поверь, тогда ничей
Не страшен меч: их Бог все острия затупит,
И всякий, поражен, в бесславии отступит.

Н а в у з а р д а н

Кто он, дерзающий грозить грозе земной?

Т а р т а н

Скорей помчимся вверх бушующей волной,
Чтоб стоны беглецов неслись по всем дорогам!

Р а б с а к

Он смеет нам грозить каким-то новым Богом,
А в мире Бог один — Навуходоносор!

Навузардан

О, что мы слушали? Позор! Позор!
Когда мы их сразим, и с Богом, всех мечами,
И копья беглецам загоним меж плечами,
Он пусть под топором оплакивает ложь!

Ахиор

Их яростью себя, владыка, не тревожь!
Что знал, то рассказал. Правдиво, или ложно,
Коль победим врагов, проверить невозможно...
Сразили ль Бога мы, иль нам их предал Бог.
Проверка на другом... Но чтоб к ней путь заглох!

Олоферн

Пророк! Ты возвестил, что Бог спасет Евреев.
Но, чтобы видел ты, сомненья все рассеяв,
Что нет Богов — один Навуходоносор,
Когда обрушится карающий топор,
Разделишь жребий тех, кто так тобой прославлен.
Ты будешь отдан им и в их руках оставлен
И с ними будешь ждать губительного дня,
Когда, ослушников заслуженно казня,
Жестокие войска на вас наложат руки!
И сам израненный, смотря на злые муки,
Ты будешь призывать последнее копье!
И если веришь сам в пророчество свое,
Зачем поник лицом? И если небылица
Обещанное мной, пускай на наши лица
Твое лицо глядит без мертвой белизны!
И чтобы пред тобой мы не были грешны,
Чтоб мысли не было, что это Бог их предал,
Посей им в души всё, что мне здесь проповедал!
Коль праведны они, не вреден лишний сев,
А если вызвали правдивый Божий гнев,
Пускай опомнятся, пусть жертвы жгут и ладан...
И будет в эти дни их тайный Бог разгадан!
Я на Него иду, сломить Его отпор!
Исполнить по словам!

(Ахиора схватывают и уводят.)

Навузардан

Прекрасный приговор!

Ассирийцы

Так! Так! Рассужено отлично, мудро, верно!

Навузардан

Дивитесь мудрости и силе Олоферна!

Рабсак

Вожди, казалось мне, он к смерти был готов,
Сраженный молнией невыносимых слов!

Навузардан

Да и не он один; и ты дрожал, как серна!

Рабсак

Да, смерть для каждого в руках у Олоферна!

Тартан

О Ассирийцы! Ждет вас слава впереди!

Олоферн

Но и о трудностях подумайте, вожди.

Навузардан

Подумав, думаю: разбить бы нам палатки
И, вызывая тех на небольшие схватки,
Пока не соберем всё войско в крепкий ком,
Стоять. А там — в обход, коль трудно прямиком,
Не всюду кстати конь. Так — и наскок ретивый.
Тут горный, трудный край, да и народ строптивый.
Тут угнаны стада и убраны хлеба,
А с пищей на себе не легкая ходьба!

И помнить надобно: потери будут крупны:
Твердыни на скалах почти что неприступны.

О л о ф е р н

Нет, на скалах крепки не будут города,
Покуда снизу вверх не потечет вода.
А мы у городов прорвем водопроводы,
А всюду, где бегут, где ниспадают воды,
Там луки будут ждать, пока палящий зной
Заставит всё забыть для капли водяной!

Н а в у з а р д а н

Где ты собрал, скажи, в какой каменоломне
Алмазы мудрости, о господин? Но вспомни,
С чего ты начал речь: разведать нужно нам...

О л о ф е р н

Я и не забывал, и на разведки сам
Отправлюсь, во главе лазутчиков отборных.
Посмотрим, где вода, поищем тропок горных...
Ты ж с конницей, Тартан, вдоль гор опять скачи,
А ты, Навузардан, точи мои мечи!

КОНЕЦ ПЕРВОГО ДЕЙСТВИЯ

ВТОРОЕ ДЕЙСТВИЕ

Площадь в Ветилуе. Среди народа О л о ф е р н и его соглядатаи, переодетые пастухами.

О л о ф е р н

Вот здесь на площади узнаем все поближе.

С о г л я д а т а и

Но только б Ахиор нас не видал. Пониже
Одеждой, властелин, свое лицо укрой,
А мы, что около царицы плотный рой.

(Входят Озия, Гофониил и Хабрий.)

Г о ф о н и и л

Велел Елиохим, первосвященник Божий
Остановить врагов в равнине, у подножий
Обрывистых высот, занять теснины гор,
Да не проникнет в храм безбожный хищный вор.
И мы исполнили приказ Елиохима.
Да будет Господом Его земля хранима,
Да будет Господом Его народ храним!

Х а б р и й

Таких врагов сразить мы сможем только с Ним!

О з и я

Он помогает нам. Ударившись о горы,
Семь дней недвижен враг, а скрытые дозоры
Показывают нам, что он не так силен,
Как Моавитскою молвой превознесен.
За эти дни не раз на горные проходы
Набрасывался враг, но никакой невзгоды
Не причинял и сам, под тучей метких стрел,
Лишь резвость лошадей нам показать сумел!

Х а б р и й

Но их так много, князь, что стрел у нас не хватит.

(Воины вводят связанного Ахиора.)

В о и н

Где князь? где Озия?

О з и я

        Враг и свои растратит,
Стреляя по камням... Какая там беда?

В о и н

Мы пленника нашли.

О з и я

        Веди его сюда!
Откуда он?

В о и н

      Мы, князь, всю ночь стоим на страже
У леса, под скалой, где горный склон поглаже,
И тихо без костров опасный пост блюдем.
Сегодня вдруг враги. Замечены вождем,
Они, под градом стрел, бежали в глуби леса.
Но мы преследовать боялись: как завеса
Ночная темнота... засада ждать могла...
И, подождав, пока не стала ночь светла,
Мы, тихо в лес вступив, направились по следу,
Не зная что найдем: засаду иль победу.
Вдруг слышим впереди тоскливый, долгий крик...
Спешим: увидели, что этот вот старик
У дерева стоит, к стволу привязан прочно.
Не зная, может быть враги его нарочно
Оставили в лесу, чтоб, взятый нами, он,
Всё высмотрев, бежал и им на трудный склон
Подъемы указал, иль правда он гонимый,

Как говорит, — мы ждем, что князь наш досточтимый
Его судьбу решит.

Озия

Задача не трудна!
Коль в каждом действии причина быть должна,
Я прямо вам скажу, что это соглядатай:
К врагам преступника не гонят за расплатой,
Когда и у самих без дела палачи.

Ахиор

О князь, дозволишь ли сказать? Твой раб...

Озия

Молчи!

Ахиор

Израильский народ! Молю — во имя Бога!

Озия

А как его зовут? — ведь у тебя их много.

Ахиор

Ваш Бог!

Юдифь

Пусть, Озия, он говорит! Не прав
Мешающий тому, кто, Господа призвав,
Придет к Израилю просить себе защиты.

Озия

Ее замолят все, когда падут, разбиты.
Пусть говорит...

Ахиор

Увы, Израильский народ,
Довольно уж и так я испытал невзгод,
Чтоб быть казненным здесь за то, что вас прославил.

Хабрий

Но кто ж тебя тогда от гибели избавил?

Ахиор

Гордыней Олоферн меня на время спас,
Определив казнить в тот день, когда и вас.

Гофониил

Мне речь несвязная, о старец, непонятна.
Ты видишь, сам я стар, и положила пятна
На книгу памяти мне старость... Трудно мне
И связное следить.

Озия

Внимайте в тишине!
И не держать его, и развяжите руки,
Но оставайтесь здесь — и наготове луки!

(Ахиора развязывают.)

Ахиор

Я Аммонитянин. Был день, когда не в срок
Нам ночью красную зарю явил восток,
Зарю от пламени, палящего колосья,
И мы услышали вдали многолосье
Людей, коней, ослов, верблюдов, овнов, коз,
Когда топор подсек живые корни лоз
И Олоферн велел склониться на колени,
То мы, испуганы как робкие олени,
Не в силах сосчитать пастей рычащих львов,
С покорностью пошли на смертоносный зов.
Сложив безропотно щиты, мечи и копья.
Мы думали спастись, но полетели хлопья

От нас, как от овцы, подхваченной орлом.
Погибли города — огонь, топор и лом
Сравняли их с землей. Взмолились... «Мы утешим»,
Промолвил Олоферн: «вас в горе. Те, кто пешим,
Иль конным, иль стрелком способны выйти в бой,
Зачем вам города? — я вас беру с собой!
А кто не нужен мне, что́ плачет об отчизне! —
Скорей пусть о другом заплачет он — о жизни».
И было так! И я несчастный, как в бреду,
Истерзанный народ других терзать веду...

Народ

Ужели, Господи, нас ожидает то же?
О, Господи, спаси, помилуй... Боже! Боже!

Ахиор

О если б не сказать, что горшее вас ждет.
У ваших гор орел остановил полет,
Проведав, что ему готовится засада.
Озлоблен, Олоферн решил в душе, что надо
Вас вовсе истребить; чтоб знали на земле,
Что есть спасение и в самом худшем зле,
Нет — в непокорности... Увы, неимоверна,
Опустошительна жестокость Олоферна!

Народ

Смерть! Ужас! Господи! Мы брошены во прах!

Озия

Зачем внедрять в сердца губящий силу страх?
Понятен твой испуг: ты видел много горя,
Но нам не страшен враг. И так, рассказ ускоря,
Поведай, как судьба тебя вручила нам.

Ахиор

Ты правильный урок препо́дал сединам!
Ты молод, князь, но мудр. Узнав, что вы решили
Противостать в бою неисчислимой силе,
Воскликнул Олоферн в совете: «Кто они,
Что смеют мне грозить, из всех людей — одни!?»

Я рассказал ему, что знал о вашем роде,
О странствиях отцов, о плене, об исходе,
И как вас Бог водил в пустыне сорок лет,
Как в этот край привел и положил завет
Меж вами и собой: за жертвы и молитвы
Вовек оборонять ваш род на поле битвы.
И я ему сказал: коль грешны вы теперь
Пред силой Господа, то будет вам как зверь,
Как лев — пришедший враг, а вы — что козлиц стадо;
Но если с вами Бог, то есть у вас ограда —
Ее ж не сокрушить!..

Гофониил

                    Как Ангел с облаков
Нам знаменьем пришлец! Не вражий это ков!

Ахиор

Услыша, вне себя, вселяя в душу холод,
Воскликнул Олоферн, и голос был как молот:
«Я не казню тебя, но в руки им предам.
Иди же к ним и жди: покаран будешь там,
Когда войду туда, и ты узнаешь скоро,
Что кроме нашего Навуходоносора
На свете нет богов! И повтори им то,
Что мне рассказывал, чтоб не сказал никто,
Что Бог их предал мне. Стань по крутым отрогам
Высоких гор их Бог, иду сразиться с Богом!»

Гофониил

Он Бога искусил!

Юдифь

                    Еще придет пора
И сгинет враг: стрела у Господа остра!

Озия

И Бог не поразил его в слепые вежды!

                (Озия раздирает одежды.)

Народ

Сыпь прах на головы! Вон князь раздрал одежды!
Увы!

Хабрий

Скажи, каков посланец адских недр?
Он страшен, дик как зверь?

Ахиор

                    Прямой, что горный кедр;
Высокий, волосы и борода завиты,
А тело чистое; накрашены ланиты,
И кожа словно пух мягка, и носит он
Благоуханьями пропитанный виссон,
Покрытый складками широкой багряницы;
Он ходит золотом обвешен как блудницы;
Но мышцы у него как у быка крепки,
И чтоб метнуть копье сильнее нет руки!
И вдруг, пресытившись обильем вин и брашен
И множеством рабынь, он встанет, горд и страшен,
И, покидая сень узорчатых шатров,
Один, с одним мечом идет на диких львов...

Народ

Один на львов! Увы!

Хабрий

                    А воинское дело
Он знает хорошо?

Ахиор

                    Он действовал умело
Вот эти дни, а то, пред именем одним
Без боя падали народы.

Озия

                    Сколько с ним
Людей и колесниц?

А х и о р

На это нет ответа —
Нет чисел в голове. В походе без просвета
Войска растянуты на десять дней пути.

Н а р о д

Увы, погибли мы! О Господи, прости!
За что ты предал нас? Свистят над нами плети
Господней ярости!

Ж е н щ и н ы

Нас осквернят! И дети
Руками хищными неистовых людей
Оторваны в борьбе от молодых грудей,
Размозжены, падут на каменные плиты!

Н а р о д

Мы будем бешено, жестоко перебиты!
Не станет ни домов, ни стад, ни нас самих!
Невесты не познав, во прах падет жених!
О горе, горе нам! Сдадимся! Горе! Горе!
Умрем поруганы, в мученьях и позоре!

А х и о р

О горе, горе мне! Мне меч еще острей
Наточен, чем для вас: я, у чужих дверей,
Ненужный, мучимый, пойму, но слишком поздно,
Что тщетно о чужих пророчествовать грозно...
Зачем я не погиб вблизи родных могил!

Ю д и ф ь

Беспамятный народ! Ты Бога искусил!
Тот, кто не ждет любви и милости Господней,
Тот и не видит их и гибнет в преисподней!
И воли Божьих глаз не ведают ни те,
Кто мнит, в избытке сил, себя на высоте,
Ни те, кто, слабые, в отчаянье приходят.
Забыли, значит, вы, как руки Бога водят

Израильский народ на поприщах судьбы?
В Египте, вспомните: избитые рабы
И мощный фараон — Бог предал фараона!
Чем были вы сильны у стен Иерихона?
Молитесь Богу сил, падите перед Ним,
Да отшатнется враг, Его мечом палим!
И ты не плачь, старик! Ты, возвестивший громко
О силе Господа, узнаешь, что не ломко
Копье в Его руке, и будешь награжден.
Приятно Господу, когда среди племен
Безбожных, дерзостных восхвалят славу Божью.
Он истину всегда превознесет над ложью,
И ты увидишь сам, как Он повергнет ниц
Грозящих Господу безумных львов — блудниц!

Олоферн

Узнай, кто женщина.

(Соглядатай склоняет голову.)

Ахиор

Да сбудется!

Озия

Да будет!

Юдифь

Чего захочет Бог, то и овец принудит
Исполнить против львов — нам не прозреть глубин!

Хабрий

Да, так. Юдифь права! Господь — Господь судьбин!

Юдифь

Бог, взяв слова молитв, камнями с неба сбросит!

Гофониил

Над смирной головой летит коса, но косит
Прямые головы!

Народ

                Да, да, презренен страх!
О, встретив Ангелов с мечами на горах,
Враг побежит! Молясь, оружие наточим!
Идем, молитвами Господень щит упрочим
Над нашим городом! Пойдемте по домам!
Молитесь Господу, да явит милость к вам!

Озия

Уйдите, воины! Ты, старец, гость от Бога.
Останься здесь, живи...Коль вышедший из лога
Падет убитым лев, откроются пути:
Тогда, захочется, ты можешь прочь уйти,
Но лучше, Господа признав, останься с нами!
Теперь же, мой отец, прошу тебя с сынами
Израиля вкусить.

*(Озия, Гофониил, Хабрий и Ахиор уходят; народ
расходится; соглядатай подходит к старому еврею.)*

Соглядатай

            Мне, старец, расскажи,
Как имя и кто муж прекрасной госпожи...

Старый еврей

Юдифи ты не знал? Откуда ты?

Соглядатай

                    Из степи.
Мы — пастухи, и нам, как всем, не милы цепи.
Два дня как мы пришли искать защиты стен.

Старый еврей

Вот как! Всего два дня — и не попали в плен?

Н.В.Недоброво. 1912 г.

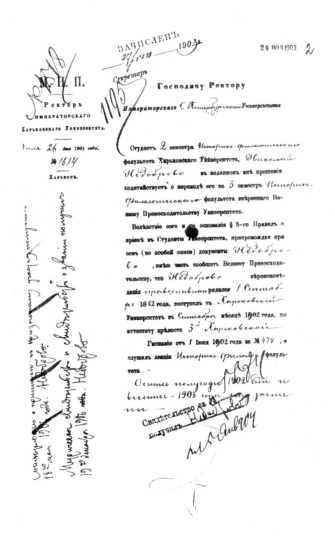

Прошение ректора Харьковского университета
о зачислении Н.В.Недоброво на историко-филологический
факультет Санкт-Петербургского университета. 1903 г.

Для памяти.

дня 191 г.

Н.В.Недоброво. Автограф «зеркального» сонета.

Пикник на Островах.
Н.В.Недоброво (в центре), Б.В.Анреп (слева)
Д.С.Стеллецкий (справа).
1906 г. Петербург. Фото Т.М.Девель.

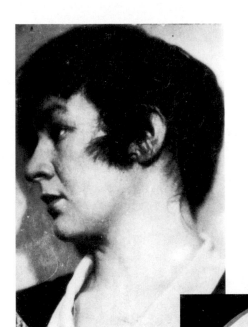

Любовь Александровна
Недоброво
(ур. Ольхина,
1875-1923).

1910-е годы.

Любовь Александровна
Недоброво
в форме сестры
милосердия.

1914 г.

Б.В.Анреп в мастерской Д.С.Стеллецкого. 1906 г. Фото Т.М.Девель.

Мастерская Д.С.Стеллецкого. Фрагмент.
В камине - бюст Н.В.Недоброво работы Д.С.Стеллецкого.

Б.В.Анреп в своей парижской мастерской. 1908 г.

Юния Павловна фон Анреп. Портрет работы Б.В.Анрепа.
Париж. 1907-1908 гг.
Литературный музей Пушкинского дома.

Б. В. Анреп. Мозаика «Compassion» («Сострадание»).
Мысли об Анне Ахматовой во время ленинградской блокады. 1953 г.
Лондонская Национальная галерея.

X

Б.В.Анреп. Лондон. 1969 г.

Анна Ахматова. Слепнево. 1914 г.

Анна Ахматова. Царское Село. 1916 г.

Анна Ахматова. 1915 г.

Анна Ахматова.
Портрет работы О.Л.Делла-Вос-Кардовской. 1914 г.

Н.В.Недоброво. 1915 г.

С о г л я д а т а й

Враг взял стада, а нам все тропочки знакомы...

С т а р ы й   е в р е й

Юдифь вдова. Ей муж Манассия хоромы
Оставил, и стада и всё добро отцов,
Убитый солнцем в день, когда своих жнецов
На жатве понукал работать. Нет богаче
И краше женщины. Вдовой в мольбах и плаче
Она четвертый год живет, и нет верней
Рабы у Господа; и уваженье к ней
Безмерно, и никто о ней не скажет дурно;
И слушают ее. Когда на свете бурно,
Бог женщинам не раз вручал бразды судеб.
Прощай — и я пойду вкусить с пришельцем хлеб.

С о г л я д а т а й

Благодарю, отец!

С т а р ы й   е в р е й

                    Да, ростом вы не малы!
Я Озии скажу: пусть вас возьмут на скалы.

С о г л я д а т а й

Мы с радостью пойдем!

        (Старый еврей уходит.)

                    Властитель, слышал ты?

О л о ф е р н

Да.

С о г л я д а т а й

    Все расходятся, и нам до темноты
Спуститься должно. Днем и стража смотрит хуже,
И труден будет спуск, а вниз тропа — всё уже!

Олоферн

Постой...

(Олоферн подходит к Юдифи, удаляющейся
с площади в сопровождении служанок.)

　　　Мне, пастуху, пророческая речь
Запала глубоко и, думаю, сберечь
Израильский народ ты можешь мудрой речью.
Поди, склони врага.

Юдифь

　　　　　Увы, простосердечью
Нет места на земле! Не ты ль один, пастух,
Владеешь им? Что враг?! — и здесь бессилен дух...

Олоферн

Тогда умилостивь красою Олоферна.

Юдифь

Презренный! Что сказал?! Мне слышать это скверно!

Олоферн

Готовишь на позор ты всех, зовя на бой!
Поди и выкупи народ одной собой.
Ужели доблести мы и в тебе не встретим?

Юдифь

Туда пошла бы я... убить!

Олоферн

　　　　　　Поди за этим.

КОНЕЦ ВТОРОГО ДЕЙСТВИЯ

ТРЕТЬЕ ДЕЙСТВИЕ

Вершина скалы, входящей в состав стены Ветилуи.
Старейшины, народ и сторожевые воины.

Гофониил

Уст, славословящих Тебя, не истреби!
Рук, жертвы к алтарю несущих, не руби!
Дай, Господи, спастись нам, Твоему наследью,
Не допусти избить губительною медью
Стада Твоих овец, которых для Себя
Из тьмы Египетской Ты вывел, возлюбя.
Перед Израилем не побежало ль море?
Не вспять ли Иордан бросался и — в раздоре
Течений — точно змей, отпрянувший на склон,
Горбами скользкими не выгибался ль он?
А горы, что козлы, пригорки, что ягнята,
С дороги прыгали, и, трепетом разъята,
Земля своих родных, взлелеянных сынов
Хватала в трещины во славу пришлецов!
Мы ль, безоружные, без шлемов и поножий,
Без копий, мы ль — народ и видом не похожий
На страшных воинов — перед собой могли
Освободить поля назначенной земли?
Нет, Ты сам каменный дождь сверг на рать Сигона,
Ты сокрушил трубой толщь стен Иерихона!
Мы, Боже, странники перед Тобой, мы — тень;
Тень — дни текучие, жизнь — быстролетный день;
Дым по земле — вот мы. Ты — солнце во вселенной;
Мы — в пене отблески. И не для жизни бренной
Израиля, о нет, для славы Твоему
Святому Имени не попусти ярму
Язычников крушить нам шеи, и позором,
Нам уготованным Навуходоносором,
Покрой безумного! Длань на него простри!
Перед Твоей рукой как тростники — цари.
Пусть даже за грехи обрушенное бремя
Нас давит; Господи, перетерпи на время!
Месть за Тобой всегда, и не уйдет наш страх!
«Что Бог Израиля передо мной? — Он прах,
Дыханьем уст моих отвеянный в пустыню»,
Промолвит ныне враг и вознесет гордыню,

Возвеселясь, как бог, до звездной высоты!
И это, Господи, ужели стерпишь Ты?
Мерзки грехи рабов, мерзей надменье сильных!

О з и я

Дай жилам крепости, пошли дождей обильных,
Лук солнца преломи, а наши напряги
Руками Ангелов — и побегут враги!

Г о ф о н и и л

И вражье золото и камни Олоферна
Мы в Иерусалим отправим, и безмерно
Озолотим Твой храм.

Х а б р и й

                          О, отомкни затвор
Небесных светлых вод!

О з и я

                          Твой правый приговор
Пусть громом прогремит!

Г о ф о н и и л

                          О, если бы моленьям
Внял царь над царствами, над нашим поколеньем
Помилосердствуя, как милосерден был
С отцами...

(Хабрий смотрит через стену.)

Х а б р и й

                  Не дойти к источнику. Враг срыл
Деревья и кусты по склону.

Н е р

                          Чуть за стену
Кто выйдет, всякому готова на промену

За полглотка воды зубчатая стрела.
И ночью углядят.

Г о ф о н и и л

О хоть бы темь сошла!
Как солнце нас палит, хоть и легло к закату.

Н е р

А с женщин за воду берут другую плату:
Хватают и ведут под стражею в шатры...

О з и я

Нер, перестань... Зачем тревожить до поры
Боль скорби? Подожди, настанет время мести —
Все оскорбления пересчитаем вместе,
Чтоб бодрость придавать карающей руке.

Н е р

Напрасно, Озия, сам утонув в тоске,
Надеешься в других зажечь огонь надежды.

О з и я

Ты сам — утопленник; но ловишь за одежды
Спасающих тебя и тянешь их ко дну!

Н е р

Не в водоемах ли пустых я утону?

О з и я

Кого же попрекнуть ты хочешь Божьей волей?

Н е р

Кто не смиряется перед тяжелой долей
И не читает, слеп, сверкающих письмен
Небесной ярости, но мышцами рамен

Надеется сдержать Господней воли молот,
О ней не слушает охотно!

О з и я

Видно, смолот,
Нер, жерновами бед в пыль слов твой дух и, чуть
Повеет ветерок испуга, взмоет муть
И застит вихрем свет!

Н е р

Сам колешься словами!
Но слушайте меня! Власть в городе за вами,
А город окружен: приказов и вестей
Уж не дойдет сюда, и принятых путей
Проверить некому. Так жребия коварство,
Отрезав нас, для вас содеяло на царство
Венцом кольцо врагов. Мы не хотим царей!
Став безначальными, начальником скорей
Признайте над собой народ. Пусть Бог рассудит
Нас с вами: вот — пять дней по счету — и избудет
Последняя вода, которую теперь
По капле выдают; и водоемов дверь
Охранена у нас от ближних много строже,
Чем стены от врагов охранены — и что же?
И стражу, и войска как ни вооружай,
Смерть — жнец жнет вызревший на солнце урожай,
Кладет по улицам иссохнувшие трупы!
А стон живых растет. Да! «Немощны и глупы»,
Вы скажете о них: «пусть доблестно умрут!»
Но коль не их, то что обороняем тут?
Не Бога ль охранить хотим на этих горках?

О з и я

Кто немощен душой, тот силен в отговорках!
Но я не захлебнусь в водовороте лжи!
Ты верно бедствия исчислил, но скажи,
Коль в эти дни затвор небесного потока
Господь раскроет нам, в одно мгновенья ока
Не расцветем ли мы?

Н е р

Так воинов своих,
Вождь, воодушевляй! Не оттого ль затих
Стан неприятельский, что просто, чуя носом
Смрад трупов, сваленных копнами под откосом,
Враг мог сообразить, что мы и без меча
Не заживаемся! Сыщи-ка палача
Жесточе жажды... Князь! Охота на оленей,
Что день, успешнее идет у звонких звений
Веселого ручья, блестящего внизу...
Пусть тучи наплывут и жалости слезу
Нам сронят, тотчас же враг встрепенется к бою
И нападет на нас, измученных от зною.
А что случается, коль воин изнемог? —
Дочь лука не летит, а падает у ног,
Меч не разит сильней обыкновенной палки
И люди, как шесты не вкопанные, валки!

О з и я

Пока мы держимся, заглядывать вперед
Не надлежит. Жди, верь, что близится черед
Чудес... Бог видит всё... Враг побежит отсюда!

Н е р

Слепые ждут чудес, не замечая чуда!
Без воли Божией, кто заключит дожди?

Х а б р и й

Лжец! Бунтовщик! С хулой злословить подожди:
Ты за народ кричишь, народом не поддержан!

Н е р

Его безмолвием ярем упорства свержен.
Пока народ в узде и не расторг ремней,
Вождь скажет: «бунтовщик», — народ кричит: «камней!»
Согласье с силой — крик, а с истиной — молчанье.
Ты видишь: я сказал — и ни одно дыханье
Не шелохнулось...

Г о ф о н и и л

Бес! Бес! С глас моих долой!
Довольно искушал безумною хулой
И нас и Господа! Молчи, пес беспощадный!
Смотри, не разверзай дыханья пасти смрадной,
Пока проклятие не произнесено...

Н е р

Навуходоносор не проклят ли давно?..

*(На скалу, визжа, врывается Иохаведа, с мертвым
ребенком на руках; за нею несколько мужчин,
женщин и подростков. Затем толпы прибывают.)*

И о х а в е д а

Где, где старейшины? А! Вижу: на вершину
Мучители спаслись и повернули спину
К слезам, к стенаниям, к смертям! А!

Х а б р и й

Что за крик?

О з и я

Что там?

Н е р

А, вспугнуты? Не хочется улик?

И о х а в е д а

Всё общим сделано, и каждому жилищу
Приказано отдать напитки, воду, пищу
В хранилище вождей. Я свято чту приказ:
Ягненка приношу! Не уклоняйте глаз:
Еще он тепл... Пей кровь! Ешь мясо!

Женщина

Кровопийцы!

Иохаведа

На дело рук своих не смотрите, убийцы?
Я, за ноги ловя, молила о воде,
Чтоб молоко сосцов не высохло...везде
Подстерегала вас, молила, призывала
Всю благодать на вас, от самого начала
Моих губителей! Когда тяжелый мех
Мой муж в источнике наполнил, за успех
Кто восхвалял его, но тут же отнял воду?
Он водоемы сам вам отдал, но невзгоду
Своих он подвигом отворотить хотел:
Плод подвига, он знал, — свершителя удел...
Сыны Израиля! Послушайте! Обратно
Муж за водою вниз пополз — и безвозвратно!
Плод семени его я поклялась сберечь...

Озия

Молчи, безумная! Бессмысленная речь
Пусть не смущает душ! Муж умер, и за горем
Безумье в грудь вползло несчастной. Мы позорим
Прах прародителей...

Народ

Пусть говорит жена!
Мы все безумием, таким же, как она,
Полонены.

Нер

Ты сам безумием не болен?
И отчего, скажи, ты ныне не доволен
Правдивой повестью о твердости твоей?

Иохаведа

Когда убавили для женщин и детей
Дневную выдачу воды...О Боже! Боже!
Сын с голоду визжит... На золоченом ложе,

От жажды высохнув, с молитвою к Творцу
Я билась бедная! Бог вразумил овцу:
Пусть вина и плоды из Божьей десятины —
Их в Иерусалим с отрезанной вершины
Не довезти и здесь всё пропадет — пусть нам,
Нам, матерям дадут. Жестоким сединам
Мольба безумием казалась...

                    Г о ф о н и и л

                              Заклятого
Да не касается рука Иуды! Смысл святого
Закона темен нам, но, коль стоит закон,
Израиль устоит, хоть иногда уклон...

                    Н е р

Но руки Левия протянуты повсюду!

                    Н а р о д

Законы — мытари, и золотому блюду,
Не Господу должны мы кланяться по ним!
Да, поедим плоды и жизни сохраним!
Вождям они ничто, но Господу потребны.

                    Г о ф о н и и л

Отныне небесам вы навсегда враждебны!

                    Н а р о д

Пусть старики кричат!

                    И о х а в е д а

                              Вот, наконец, права,
Но всуе, Господи! Днем раньше, и вдова
Живого первенца измученною грудью
Могла бы прикормить! О, подивись бессудью,
Здесь воцаренному, Всезрящий Судия!

                    Н е р

Ты жертва за других...

Н а р о д

Пойдем! Пойдем!

О з и я

Нет, я
Не подпущу к тому, что ото всех заклято!

Х а б р и й

Подумай, Озия: насильно будет взято...

О з и я

Меч обнажу на вас, как на врагов!

Н а р о д

Один!
С тобою никого!

С т а р и к

Не троньте десятин!
Грех без отмщения не будет... Лучше сразу
Сдадимся и умрем и отвратим проказу
Междуусобия.

Н а р о д

Смерть ждет, так пусть скорей!

С т а р у х а

О, лучше бы, приняв советы матерей,
Сначала вы сдались!

О д и н   и з   н а р о д а

Сдадимся же!

О з и я

Изменник.

Н е р

Что сдача для того, кто и без сдачи пленник!
А мы ли не в плену? Чей глаз, как ни остер,
Просвет в рядах врагов увидит... А шатер,
Который Олоферн, не на смех ли, придвинул
Так близко к городу и пышно так раскинул,
Не все ли видите? Оружья не сложив,
В стенах кто не умрет, кто, выйдя, будет жив?
Как сделалась тюрьмой осада, мы надменно
И не заметили... Пойдем же и смиренно
Жизнь вымолим!

Н а р о д

Да, так! Скорей! Так, так. Нер прав!

О з и я

Ты воцарился, Нер! И учит твой устав
За рабство жизнь купить!

Н а р о д

Да, лучше псу живому,
Чем льву издохшему! Да!

Н е р

По пути кривому,
Князь, доблести вождей ведут народы. Вам
Бессмертье славы — смерть; а этим головам,
Хоть ни во что вы их считаете, труднее
Катиться с крепких плеч, и женщине виднее,
Чем суемудрию — внемли, Гофониил! —
Путь, коим Саваоф Евреев сохранил.
Что смерть язычнику? Слепой по Божьей воле,
Над трупом об одном умершем — и не боле —
Он подымает плач, но мы-то знать должны,
Что дети мертвыми не будут рождены.

У нас, бесчисленных, один отец Иаков.
Судите, был ли бы наш жребий одинаков,
Когда б от голоду Господь не вывел в плен
Родоначальников двенадцати колен.
Мы разрослись в плену и вот боимся плена!

О з и я

Другой дорогою, но верной смерти тлена
Не избежите: вас не пощадят!

Н е р

                        Как тех,
Кто заведен тобой в теснину, ты на смех
Теперь пытаешься поднять, слепой вожатый!

(Общие крики.)

Н а р о д

Ворота открывай! Спиной к стене прижатый,
О покорись! Пойдем и стражу у воды
Прогоним! Поделить напитки и плоды
Спешите!

Х а б р и й

Озия, решайся! Безнадежно...

О з и я

Нет!

Х а б р и й

Святотатство ждет, мятеж... И неизбежно...

И о х а в е д а

Ниц всё, что на крови стоит, и на слезах,
Ниц, ниц, свергайте ниц!

Народ

Вождь! на твоих глазах
Мы руки на себя наложим, если смерти
Вам нашей надобно! И, как ни лицемерьте,
Наш грех падет на вас!

Иохаведа

Им, Боже! не забудь
Голодным первенцем искусанную грудь!

Народ

Прочь, обезумела!

(Гофониил падает ниц.)

Гофониил

О Боже, Боже, Боже!

Народ

Смерть, так скорее смерть!

Иохаведа

Опустошивших ложе
У юных жен, рази!

Озия

О слушайте меня!
О братья! Стихните! Внемлите! Оскверня
Себя неистовством, достигнем ли спасенья?!
Нет, лучше голосу народного веленья
Я скорбно покорюсь. Повременим пять дней
До истощения воды и, коль своей
Нам милости Господь не явит раньше срока,
Мы из ворот пойдем, и станет милость ока
Врага единственной надеждою у нас.
Идите с миром! Пусть пока не грянет час,
Все молятся, да Бог простит богохуленья
И явит чудеса!

Х а б р и й

О, вознесем моленья!

Н е р

И пусть Израиля не устрашает царь,
Завоеватель царств! Он — жертва на алтарь.
Незрячий, он идет по промыслу десницы.
Угодно Господу передвигать границы.
И растворять народ в народе, чтобы сил
Уединенности никто не накопил,
Но только мы. Чужих чуждайтесь: их державу
Переживем тогда и снова узрим славу!

*(Народ, стихая, расходится; когда Озия, Гофониил
и Хабрий остаются одни, входит Юдифь
в сопровождении служанок. Сумерки.)*

Ю д и ф ь

Вы, милости Творца поставившие срок,
Кто вы пред Господом, что смели дать зарок.
Сдать город? Коль нельзя прозреть у человека
Глубокой мысли, как сокрытую от века
Мысль Вседержителя вы испытать могли?
Он держит на руке устои всей земли,
А тут Его приказ, объявленный во храме
Первосвященником, вы отменили сами
В народном сборище?

Х а б р и й

Юдифь, в твоих словах
Обычный разум. Но — у свергнутых во прах
Непоколебленный закон — одно богатство!
Что сделали бы мы, когда на святотатство
Народ готовился? Мятежною толпой
Жестоковыйный, злой и разумом слепой,
Надежды потеряв, готов к насилью, сдачи
Он требовал от нас — и поступить иначе
Мы не могли: пять дней молитв наш выход спас,
А, ниспровергнув власть, они б сдались тотчас.

Ю д и ф ь

Израиль от веку к отступничеству склонен!

Х а б р и й

Да, сатана всегда нас стережет, бессонен!

Ю д и ф ь

О что же будет, князь?

О з и я

              Тьма давит душу мне...
Ты, непричастная ни в скрытой глубине,
Ни в действиях греху, ты можешь быть спокойна
За чистоту души... и ты одна достойна
Пред Богом предстоять. Ты помолись...

Ю д и ф ь

                  До дна
Дыханьем вещих слов я вся потрясена!
Я день и ночь молюсь...Ужели руку вдовью
Бог предъизбрал на месть безбожному становью?

О з и я

Какая у тебя мелькнула мысль в уме?

Ю д и ф ь

В душе, как молнии по беспросветной тьме,
Безумные мечты. Я их гнала... Но, Боже,
На призрак явное безумие похоже!
Ужели в эти дни?..

О з и я

Скажи...

Ю д и ф ь

              Не вопрошай...

О з и я

Как хочешь, так, сестра, ты в мыслях и решай...
Пойдем, старейшины; нахлынувшей дремоты
Повязки разорвем... Хоть власть ушла, заботы
Не отошли. А ты надейся: Бог велик!

(Озия, Гофониил и Хабрий уходят.)

Ю д и ф ь

Ужели на меня поворотился лик,
Лик Бога Господа! Но в чуде всё чудесно.
Что было — в буквах книг; что будет — неизвестно.
Я силой немощна, что в том? Не я, вдова,
Меч вознесу, но Бог. О вещие слова,
Знаменованья дел, вы просверкали снова!
Всё в думах взвешено и видно без покрова,
Но чуть очнусь и шаг ступлю — сбегает прочь
Весь замысел, как сон, разумно-ясный в ночь,
Но дикий наяву... Ужели безрассудной
Господь воистину доверил подвиг трудный?

К е р е н г а п у х

Достойна ль я узнать, что в мыслях госпожи?

Ю д и ф ь

Игра зарниц в ночи. Керенгапух, скажи,
Не возгласил ли князь, что я одна пред Богом
Чиста?

К е р е н г а п у х

     Да, так сказал, и в приговоре строгом
Прав.

Ю д и ф ь

     А вершит Господь нечистою рукой
Свои решения?

Керенгапух

Нет.

Юдифь

      Значит, никакой
Другой руки и нет для Божьих дел, как эта?
Керенгапух, ответь.

Керенгапух

      Я не найду ответа:
Грех на краю речей, затеянных тобой.

Юдифь

Без искушения высокою судьбой
Не наделен никто.

Керенгапух

      Всё благодать Господня!

Юдифь

Да будет благодать со мной, когда сегодня
Пойду из города!

Фамарь

      К ручью?

Юдифь

      Срок жизни дан
В пять дней — воды достанет. В вражий стан
Я, может быть, пойду...

Керенгапух

      Ты разделить не хочешь
Народной участи, Юдифь?

Ю д и ф ь

Зачем порочишь
Себя безумием. Месть совершу.

К е р е н г а п у х

Как, ты?
Ты — женщина?

Ю д и ф ь

Да, — я.

К е р е н г а п у х

Безумные мечты!

Ю д и ф ь

Дебора, Иаиль! И женщина устроит
Над Олоферном месть!

К е р е н г а п у х

Он наготу откроет
На осквернение тебе!

Ю д и ф ь

Пусть острый меч
Сам обнажит на смерть себе!

К е р е н г а п у х

Ты оберечь
Вдовство для этого ль старалась?

Ю д и ф ь

Осквернение
Смерть осквернителя искупит; омерзенье
Убавит грех. Почто себя уберегу.
Не всё ль простительно, что гибельно врагу?

Керенгапух

Но необрезанный — нечист.

Юдифь

                Я не на сладость
Иду, о горе мне! Тебе какая радость
От слов твоих?

Фамарь

Нейди, о госпожа!

Юдифь

                   Фамарь!
Что наша жизнь и честь, когда дрожит алтарь
Во храме Господа! Он — Господин; мы — стадо:
А для хозяина жалеть овец не надо...
Поди за Озией. Скажи, что нынче в ночь
Я выйду из ворот, и воротись помочь
Мне дома. Из ларей все камни и одежды
Достань.

(Фамарь уходит.)

       О Господи! Надменные надежды
На копьях и мечах взлелеяли враги!
Но Ты — Господь! Воззри, о Боже! Помоги!

(Юдифь падает ниц.)

КОНЕЦ ТРЕТЬЕГО ДЕЙСТВИЯ

ЧЕТВЕРТОЕ ДЕЙСТВИЕ

Ночь. Шатер, освещенный серебряными светильниками.
Олоферн на ложе.

Олоферн

Да, семя брошено, и лилией багряной
Мой стебель расцветет. Обильно кровью рдяной
Я поливаю сев, а мой садовник — зной
Побеги выгреет, лучась над крутизной.
Зной-Солнце, вниз, струей язвительной и рьяной
Лей огневой поток, пали дремою пьяной,
Даль заволакивай слепящей белизной,
И всякий лист, и зверь, и человек — изной!

(Входит Вагой.)

Вагой?

Вагой

Я, господин. Весь вечер за водою
Не приползал никто.

Олоферн

Так новой чередою
Пойдут события. Вой, долетавший к нам,
Не без значенья был. На выручку к стенам
Не Бог ли подошел?

Вагой

Раб вымолвит ли слово?

Олоферн

Да.

Вагой

В сети нашего обильного улова
Всё не уловлена намеченная лань,

Улов же кончился; и боевую длань
Не своевременно ль поднять на утоленье
Желания вождя?

О л о ф е р н

Пустое ослепленье!
Нож в грудь вонзается скорее, чем от стен
До дома женщины я доскачу и в плен
Желанное возьму. И буду ли спокоен,
Что ранее меня убийством пьяный воин
Не прикоснется к ней? Доколе не пришла
В стан эта женщина, знай, ни одна стрела
Не пролетит от нас за стену и не сдвину
Ни одного кремня стены, хотя б на спину
Навузарданову пришлось грузить меха
И воду вверх возить... Да ведают: глуха
На зов побед душа — я побеждал довольно!
Пусть пленниц воины насилуют привольно —
Ко мне враг-женщина должна придти сама
Для обольщения.

В а г о й

Для рабьего ума,
О господин, твои пути неизъяснимы!

О л о ф е р н

Я не сильнее ли ее?..

Г о л о с   Р а б с а к а

Нет, несравнимы
Ни с чем, о господин, твои деянья!

О л о ф е р н

Ты,
Рабсак? Войди сюда!

(Рабсак входит.)

Р а б с а к

Чудесной красоты,
В уборе радости, в одеждах многоцветных
И в искристых камнях бесценных и несметных,
И станом, и лицом и мудростью речей
Очаровательна, спустилась на ручей,
Сияя негою, как сладостная жрица,
Наложница богов, и властью, как царица,
И стала женщина и возгласила к нам:
"Я с миром прихожу к Ассуровым сынам,
Да слышит Олоферн речь уст его рабыни.
Коль соизволит он, и море и пустыни
Покроет славою неизрекомых дел!
Ведите же меня к нему!" Но я не смел
Ни привести ее в шатер без дозволенья,
Ни пренебречь мольбой. Жду ныне повеленья:
Здесь за шатром она, и собрались вожди
На весть о женщине.

О л о ф е р н

Всех поскорей введи!
Внеси серебряных лампад! Побольше света!

(Вносят горящие светильники и лампады. Рабсак
вводит Юдифь с Керенгапух: они падают ниц;
за ними входят Ассирийские военачальники.)

Не думай, женщина, что мирного привета
Я не ценю! Восстань! И ты, старуха, встань!
Предавшимся царю меч не пронзит гортань.
И если б ваш народ по первой царской вести
К нам вышел, то теперь не увидал бы мести;
И, если бы, смирясь хотя на этот раз,
Вы покорились мне, быть может, милость глаз
Вас пощадила бы — дух, сытый отомщеньем,
Вы снова возалкать своим сопротивленьем
Заставили... Теперь, прелестная жена,
Поведай словом уст, чем ты привлечена
В сень моего шатра?

Юдифь

              Меня приводит слава
Твоих великих дел, и сердцем не лукава
Твоя раба во всем, что скажет в эту ночь.
Я научу тебя, как должно превозмочь
Сопротивленье стен высокой Ветилуи.
Ты мудростью отвел живительные струи
От города, и вот, безводьем истомлен
И немощью своей в паденье увлечен,
Народ готовится к попранию закона.
Он собирается терзать животным лона
И выпить кровь их жил, что нам воспрещено;
Наставлен жаждою, он вспомнил и вино,
Назначенное тем, кто предстоит во храме
Пред Божиим лицом — того вина руками
Нам не дозволено коснуться... Я раба
У Бога верная, и грозная судьба
Пусть бьет ослушников, но я не буду с ними!
К тебе пришла раба, известьями своими
Надеясь ублажить твой гневный дух. Она
Угодна ли глазам властителя?

                    Олоферн

                        Жена,
Ты угодила мне и хитростью, и станом
И прелестью лица. Да я бы счел обманом,
Когда б не видел сам, что на сухой скале
В безвестном городе, последнем на земле,
Такая женщина, незримая доселе,
Живет сокрытая! Ты посмотри, не все ли
Здесь воспламенены присутствием твоим?

                    Юдифь

О, будь благословен и навсегда хвалим
День муки матери, коль я тебе угодна!
Я в воле глаз твоих, но только пусть свободно
Я выхожу за стан перед рассветом. Бог
Мне предукажет день, в который их порог
Он обнажит тебе на славу, коль моленья
И омовения по слову откровенья
Я буду совершать. Властитель Ахиор

Не ложно возвестил: Израиль до тех пор
Неколебим, пока не потоптал закона!
В пять дней свершится грех — и вступишь без урона
На высоту горы, на Иерусалим
Как меч опустишься, и языком своим
Пес не пошевельнет против твоей победы!

Олоферн

Ты здесь не пленница, и никакие беды
Неволи не грозят предавшимся царю.
Нет за тобою глаз! — я громко говорю,
А слово уст моих — судьба. И если даже
Ты козни принесла с собою, что мне в страже?
И Ахиора к вам не отпустил ли я?
Нет, в ослеплении восставших на меня
Я не казню рукой рабов и не неволю,
Но сам им меч даю — пусть испытают долю,
Которую в душе наметили себе!

Юдифь

О властелин судеб! И к дерзостной мольбе
Ты благосклонен, вождь! Муж неисповедимый,
Кто может устоять перед тобой, палимый
Огнями гнева глаз? Ты видишь, я чиста
В намереньях и вот — стою.

Олоферн

                              Ты — красота!
А речи женщины, я вижу, не лукавы.
Я в бездобычности сегодняшней облавы
Отчаянья врагов уж заподозрил знак.
Послушайте теперь, Навузардан, Рабсак,
И ты, Тартан, и все! Мы подождем немного
В надежде на ее неведомого Бога
И, коль обманемся, я вспомню твой совет,
Навузардан!

Навузардан

О вождь!

Олоферн

               И если пятый свет
Нас утром озарит в таком же ожиданьи,
Пусть обнажится меч, хотя в моем мечтаньи
Я и решил его не поднимать на тех,
Последних на земле.

Навузардан

               Мне изо всех утех
Нет большей, как узнать, что и мои советы
Запоминаешь ты, о господин!

Олоферн

                Приветы
Примите от меня, вожди!

Ассирийцы

              О господин,
Прощай, прощай!

*(все уходят, кроме Олоферна, Юдифи, Вагоя
и Керенгапух.)*

Олоферн

             Вагой! Чтоб ночью ни один
Не смел войти сюда! О наслажденье взглядов,
Как звать тебя?

Юдифь

Юдифь.

Олоферн

            Юдифь, тебе нарядов
Не предлагаю я, смотря на твой, но вин,
И брашен и плодов возделанных долин,
Вагой, им доставляй по воле. Дорогое
Убранство разложи в роскошнейшем покое
Гаремного шатра...

Юдифь

О приклони свой слух
К моим молениям. В ее мешке на двух
Есть пища. Мне нельзя есть мяса или хлеба,
Не приготовленных по правилам. Потреба
Твоей рабы скромна, а для обоих нас
Мне следует греха стеречься.

Олоферн

А запас
Иссякнет — и тогда?

Юдифь

Бог до иссякновенья
Через меня свершит определенья.

Олоферн

Тогда Он утолит и мой взалкавший дух!
А эту как зовут, Юдифь?

Юдифь

Керенгапух.

Олоферн

С Керенгапух, Вагой, пойди и в их покое,
Что только возалкать желание людское
Способно, помести, и оставайся там!

(Вагой и Керенгапух уходят.)

Ты не Астарта ли, сошедшая во храм?
В свой храм ты, женщина, вошла в одежде брачной,
О опьяненье глаз! Под пеленой прозрачной
Вздымая жаркий пух двух белых лебедей,
Смерть — утоление, владычица людей,
Яд — кубок ярких губ, ты, женщина со мною!

Ю д и ф ь

Раба не слышала за нашею стеною
Слов восхваления такого, как твое!
На высоту надежд превознесла ее
Речь всемогущего. Как сладостною песней
Я упиваюсь ей!

О л о ф е р н

     Живая, ты чудесней
Воспоминания. Вино любви, жена,
Ты льешь, влекущее... Ты много познана
Познанием тебя блаженными бужами?

Ю д и ф ь

Бездетная вдова, я поясом с ножами
Перепоясалась у чресл, и ни один
В три года моего вдовства, о господин,
Муж не познал меня, хоть и желали много.

О л о ф е р н

И ни один из них не преступил порога?
И тело пожалел раздрать об острия
Ограды сада нег? О, сладостность твоя
У диких пастухов пропала бы бесцельно!
Соединение с Изидою смертельно:
Пусть все в моем шатре висящие мечи
Из чресл сверкающих исходят, как лучи,
Я прилеплюсь к тебе и в сладости изною...
Я напою тебя горячею волною
Хмельного молока и мед в густом вине
Я выпью...

(Олоферн кладет руки на плечи Юдифи.)

  Ты дрожишь?

Ю д и ф ь

    И ты дрожишь — в огне...

КОНЕЦ ЧЕТВЕРТОГО ДЕЙСТВИЯ

ПЯТОЕ ДЕЙСТВИЕ

Перед рассветом у шатра О л о ф е р н а.
К е р е н г а п у х сидит на земле, скорчившись.)

К е р е н г а п у х

О Боже... Господи...

(Юдифь с головою Олоферна вырывается из шатра.)

Ю д и ф ь

Смотри!

К е р е н г а п у х

Ты совершила
Свой подвиг, славная в Израиле!

Ю д и ф ь

О, сила
Нашлась и в женщине. О, будь благословен
Тяжеловесный меч, меч, мой постыдный плен
В неомрачимую победу обративший!
О Боже, женскою рукою совершивший
Казнь над гордынею прислужников царя,
Возмнивших сокрушить рога у алтаря,
О Вседержитель сил! Облекшись багряницей,
Ассур тщеславился конем и колесницей,
Гордился силой ног и мышцею плеча,
Надеялся на щит, на острие меча,
На копья и пращи, лишь одного не ведал,
Что Ты — Господь. Ты — Царь над гордыми: Ты не дал
Надеждам гордости торжествовать, но, в срам
Завоевателю, судил не топорам,
Не огненным мечам им обезглавить плечи,
Но отуманенным приманкой хитрой речи
Ты женскою рукой внушительный удар
Нанес, да видят все, что избавленье — дар
Господней милости, а смерть — Господня кара.
Вершат дела людей не люди! Клубом пара
Уносится в огонь плеснутая вода!

Керенгапух

О верю, Господи, не унесут года,
Не смоют в памяти того, что вижу ныне!
За благочестие Ты даровал рабыне
Такое зрелище... Скорее поспешим
Путем обдуманным и принесем своим
Весть о спасении.

Юдифь

Да, да, иди скорей!

Керенгапух

Иди! А ты?

Юдифь

Иди, я говорю!

Керенгапух

                             Мудрее
Ты, госпожа, меня, но я еще в уме!
Зачем останешься?.. Что ждать?.. Зачем во тьме
Мне мысль держать?.. Скажи!..

Юдифь

                             Моих путей и прежде
Не понимала ты, но по моей надежде
Не совершилось ли? По опыту суди
И ныне: доверщу, что начала. Иди!
Прячь голову в мешок... Переходи повыше
Ручей, вверх подымись и чуть завидишь крыши
И стены города из-за скалы, зажги
Свой факел и кричи: «Без головы враги!»
Условные слова услышат и ворота
Откроют. Возвести, как удалась охота
На льва и голову показывай... кричи!
Пусть просыпаются, берут щиты, мечи!
А не поверит кто, пусть голову покажет
Князь Ахиору — тот, она ли это, скажет!

Кричи, что в стане страх и что враги бегут...
Миг дорог мне... Спеши!

Керенгапух

Я поспешу, а тут
Что станется с тобой?

Юдифь

Я может быть, дорогой
И догоню тебя. Не мучь себя тревогой:
Вне стражи буду я скорей, чем ты у стен.
Иди, Господь с тобой.

Керенгапух

Позволь твоих колен
Коснуться мне!

Юдифь

Нет, нет! Дай обниму...

Керенгапух

Ты скоро?

Юдифь

Да, но спеши — заря!

Керенгапух

Прощай, прощай, опора
Израиля.

(Керенгапух с головой в мешке уходит.)

Голос Воина

Кто тут?

Голос Керенгапух

Керенгапух.

Голос Воина

Одна?

Голос Керенгапух

Да, госпожа потом...

Голос Воина

                    Ну в эту ночку сна
Ей видно не вкусить — вкусней ей видно, ложе...
Иди себе! А будь ты, право, моложе
Ты б дождалась ее без скуки. Чтобы ей
Другую привести, лет на сто поюней!

(Долгая тишина.)

Юдифь

Кому нужна стрела, сломившаяся в ране
Пронзенного врага? О счастье, что заране
Я не предвидела всего: тогда бы сил
Не стало у меня, тогда бы он носил
Прямую голову и шел, смывая кровью
Пыль с пальцев крепких ног. Я ль по пути к становью
Обратного пути искала и, хитря,
Здесь в гордости врага нашла поводыря,
С которым мне ничто все стража и заставы!
И вот — долг совершен, а за наградой славы
Я не иду... Нет сил... Могла ли ждать, могла ль,
Глаз, прозревающих как будто бы всю даль
Моих намерений? Как часто утомленный,
Он голову клонил, и гаснул раскаленный
Блеск взора... миг — и всё! Но ловко, как змея,
Он ускользал и вновь, смутясь, смотрела я,
Как, дерзко обнажив сверкающие зубы,
Улыбкой зыблились пылающие губы,
Пылающие мной! О — идол золотой —
Он надо мной сиял ужасной красотой,

Как панцырь крепкого и блещущего тела.
Испытывала вновь я мужа... Я б хотела
Всю кожу, щеки, грудь сорвать ногтями прочь!
Как телу на себе переносить невмочь
Одежды смрадные, так тело нестерпимо!
Муж жив в жене и с ней он смешан неделимо
И может сызнова ожить... Он не добит,
Покуда я жива! Хоть оземь раздробит
Князь голову, а труп хоть в клочья разорвать бы,
Во мне живой жив муж! И после этой свадьбы
На свет взгляну? Богинь постыдных имена
Пятнали душу мне, и я, озарена
Неровным пламенем дурманящих возжений,
Рабой-богинею, чад мерзостных служений
Вдыхала... Господи, очисти! Сколько раз,
Зажав отчаянье в душе и в искрах глаз
Злой ужас затаив, всей волей вожделенья
Не вымогала ль я в себе — и утоленья
В безумьи не пила ль, чтоб сжечь его собой!
Отчаявшись во всем, последнею рабой,
Послушной каждому малейшему желанью
Я эту ночь была и вся его пыланью
Далась уступчиво... И вдруг его лицо
Затихло, и глаза закрылись, и кольцо
У стана свитых рук ослабло... непритворно,
Я сразу поняла, он задремал: покорно
И тихо, как дитя, склонился головой
Он к моему плечу. Мгновенно, ужас свой
Забыв, я вся зажглась враждой; оберегая
Нежданный сон, сползла, и, как была нагая,
Давно манивший меч приподымала: враг
С блаженством на лице, пьян наслажденьем, наг,
Раскидисто лежал... всей силой размахнула
Я непосильный меч — и, кровь, от разгула
Еще горевшею, забрызгана, восторг,
Хмель мести взвидела! Пусть враг на мне расторг
Одежды моего вдовства, он, безголовый,
Гниет в своей крови. О, от зари багровый
Небесный свод, смотри, смотри на смерть, на месть!
Я ею до конца натешусь... Скоро весть
Дойдет до города. О Боже! Скоро, скоро
Дух вырвется из пут страданья и позора
И полетит к Тебе, ликуя, упоен
Восторгом мщения над скопищем племен,

Дерзнувших посягнуть на наш народ... Наверно
Уж скоро, извещен о смерти Олоферна,
Князь поведет войска из города... Господь!
Дай одоления, молю, не обесплодь
Пред жатвою Тебе уж обреченных всходов.

(Доносится шум пробуждающегося становья.)

Миг близится... О ты, посмешище народов,
Ассур, утративший и жизнь, и честь, и власть
На лоне женщины! Миг близится...

(Стук шагов; Юдифь скрывается в шатре.)

Голос Вагоя

                                        Напасть
Они готовятся?

Голос Рабсака

                        О как мы были б рады.
Но, если я скажу, что, истомясь, пощады
Они хотят просить, не будет ли верней?

(Рабсак, в сопровождении воинов, и Вагой входят.)

Рабсак

Но всё же донесем вождю.

Вагой

                                Он спит.

Рабсак

                                        Всё с ней?

Вагой

Да, с ней, и приказал ни под каким предлогом
В шатер, коль там она, не заходить.

Рабсак

Залогом
Пусть будет голова, что мы на этот раз
Должны ослушаться: давая свой приказ,
Едва ли он хотел не видеть, как осада
Со славой кончится!

Вагой

Понятная досада
Для юного вождя, но Олоферн давно
Недобродившее и слабое вино
Успехов боевых снял со стола и, право,
Ему любой другой приятней будет слава,
Как к славе он привык настолько, что она
Не отвлекла его от утреннего сна
И от наложницы. И подождать мы можем
Известий, чтоб не стать смешными, коль встревожим
Его до времени. Тем временем и сам
Проснется, может быть, и смятым волосам
Вниманье уделит, и вестникам...

Рабсак

Однако,
Вон, видишь, вестники. Не битва ль?

Вагой

Просто драка!
Здесь хватит и ее.

(Входят несколько воинов.)

Старший воин

Из города ряды
Вооруженные выходят. У воды
Построясь в боевой порядок, мы готовы
И в силах вылазку отбросить... И оковы
Уж приготовлены для пленных...

196   Н.В.Недоброво

В а г о й

                        Не тревожь
Сна Олофернова, Рабсак! И для чего ж
Предусмотрительность Навузардана с нами?

        С т а р ш и й   В о и н

Навузардан велел просить, чтоб под стенами
Явился Олоферн.

        (Вбегает лучник.)

            Л у ч н и к

                    Скорей будите стан!
Готовьтесь в бой!

            Р а б с а к

                    Что? Что?

            Л у ч н и к

                        Мне сам Навузардан
Велел властителя позвать!

            В а г о й

                        Что за расправа?

        Л у ч н и к

Враги набросились и с криком лгут лукаво,
Что Олоферн убит... Пусть выйдет. Смущены
Войска...

            В а г о й

        Не лани ль вы, что языком лгуны
Вас гонят пред собой? А ну они натянут
И луки? Что тогда?

Л у ч н и к

       Их стрелы в них отпрянут,
Но их слова страшней!

В а г о й

       Ты не овец в горах
Здесь криком гонишь вниз на водопой! Твой страх
Не всеми разделен. Молчи! А если нужно
Нарушить сон вождя, посовещавшись дружно,
Решимте же...

Л у ч н и к

       Он спит? Как крепко он заснул,
Что разбудить его не мог ни крик, ни гул
Везде разросшийся...

Р а б с а к

       Что говоришь?

(Вбегают воины.)

В о и н

       Смятенье
Наполнило войска!

К р и к и б е г л е ц о в

       Убит! Убит! Спасенье!
Убит!

В а г о й

Поди туда!

Р а б с а к

       Мне страшно... Не войду!

*(Юдифь откидывает перед Рабсаком завесу шатра
и остается у входа. Оцепенение.)*

Без головы...

Голос Навузардана

Что конь, забытый в поводу,
Перестоялись мы — не занестись бы в беге!
Стойки одни гонцы, да, видно, стоек в неге...

*(Навузардан, в полном вооружении, с нагим мечом,
входит и оцепеневает. Бегство.)*

Беглецы

Убит! Убит! Убит! И голову враги
На острие копья несут... Теперь беги!
Не перечесть врагов... Их целые потоки!..

Навузардан

Взять эту... и убить!

*(Воины подступают к Юдифи.
Беглецы проникают в шатры. Грабеж.)*

Беглецы

Они как львы жестоки!
Добычу что бросать? Спасайте-ка добро!
Бегите! Он убит!

Навузардан

Бросайте серебро,
Сосуды, золото! Всё! Всё! Бежать — так скоро!
Где в бегстве выбьетесь из сил — там место сбора,
Пусть в храмах полежат богатства — до тех пор,
Пока сюда придет Навуходоносор!

(Юдифь схватывают.)

КОНЕЦ

ВРЕМЕБОРЕЦ (ФЕТ)

Так, для безбрежного покинув скудный дол,
Летит за облака Юпитера орел,
Сноп молнии неся мгновенный в верных лапах.

Фет

I

В основе научных и критических работ, ставящих своею задачею истолкование творчества поэтов, лежит, по-видимому, предубеждение, что предмет исследования — поэт — есть нечто единичное, в месте и времени привязанное к определенной человеческой личности и всегда само себе равное.

Только на почве такого предубеждения и возможно появление попыток дать исчерпывающее описание того или иного творчества, а равно и возникновение оживленных споров по вопросу, содержится в нем, или нет, какая-либо стихия.

Между тем ясно, что для суждения о поэте исследователь имеет перед собою только испещренную типографскою краскою бумагу, которая, сама по себе, могла бы служить лишь предметом теории о бумаге и краске; всё же, что называется *поэтом*, возникает при условии воздействия этих пестрых знаков на мозг исследователя в том направлении, что он видит в них изображение понятных ему (то есть употребляемых в обиходе его мышления) слов. Слова же — мы знаем — являются несовершенным орудием передачи мыслей. Ряд моих слов не переливает в читателей моей мысли, а только возбуждает их мысль, с их значением слов, которое, как установлено наукою, в высшей степени лично и, во времени, изменчиво.

Таким образом, понятно, что единственным доступным при исследовании творчества материалом являются личные, безнадежно замкнутые психические переживания исследователя, которые отбрасываются его сознанием во внешний мир, с большею или меньшею степенью *материализации*.

И потому, когда я говорю: «поэт Фет», я говорю не об Афанасии Афанасьевиче Шеншине и не о нескольких книгах, а о какой-то особенной духовной величине, во мне существующей. Вот изучением этих *внутренних поэтов*, единственно доступных изучению, наука и критика не занимались достаточно. Многим это казалось мелким и субъективным. Ускользало из виду, что никакого иного, скажем, Фета, кроме множества тех внутренних Фетов, о которых только что упоминалось, невозможно отыскать в действительности.

Внутренний Фет живет в каждом из нас и слагается под воздействием не только черных узоров на страницах книг, где заглавный узор: «Стихотворения Фета», но и совершенно других узоров. Иногда, при чтении какого-либо совсем постороннего сочинения, мы восклицаем: «Как мне стало ясно то-то у Фета!» Часто и читать ничего не надо: личное переживание придает особенную глубину и значение какому-нибудь стихотворению, которое, однако, мы и до тех пор отменно понимали, и ни одно слово его не вызывало в нас недоумения.

Это показывает, что стихи часто собирают около нового центра независимо от них сложившиеся представления и переживания. Наблюдается, в больших размерах, нечто подобное тому умственному передвижению, которое происходит при усвоении нами нового *слова*. Слово, впервые услышанное — звук пустой. Но, усвоенное на почве общения людей, созданием и орудием которого слово является, оно приобретает огромную силу, значение и внятность.

И наше представление о поэте, подобно слову, является созданием весьма сложной соборной духовной жизни человечества. Это особенно видно из того, что часто *внутренние поэты* появляются в сознании человека и тогда, когда основного толчка — узоров соответствующего поэта — оно не испытывало. Так, несомненно, многие хулители Фета в известную пору нашей общественной жизни не трудились читать его именно потому, что всё о Фете предварительно было для них ясно.

Все эти соображения не подсказывают ли вывода, что субъективность — неизбежный метод исследования поэтов, даже и в том случае, когда исследователь стремится уйти от нее как можно дальше?

Между тем, бежать от нее не следует. Чем различнее и ярче субъективные определения, тем богаче соответствующий поэт, тем, значит, богаче и души, способные питаться искусством, тем, значит, богаче и просвещение.

Высказанная здесь общая точка зрения родственна современному мышлению, особенно отличая его от еще недавнего мироощущения. Прежде люди жили в пространстве между предметами, теперь они живут во времени, среди фантомов. И Фет — наглядный осколок старого.

Изложенное имеет целью: во-первых, оправдать субъективность и как бы произвольность освещения взятого за предмет исследования поэта, как равно и то, что это освещение производится односторонне; во-вторых, развернуть фон, на котором объясненное субъективное освещение будет особенно отчетливым, потому что ведь именно Фет менее всего верил в фантомность художественного творчества.

В вышеописанном процессе сложения *внутренних поэтов* многие из них получили устойчивые облики: Пушкин — всеотзывчивость, Тютчев — пантеизм, Баратынский — пессимизм. И о Фете в свое время было удивительно резкое представление: «Пошлот, боркое хыданье etc.»[1] , но, по счастью, вандализм этот остался настолько позади, что теперь можно сказать: о Фете нет сколько-нибудь согласованного представления.

И вот, моя субъективная задача заключается в том, чтобы на фоне мнения о призрачности поэта, на фоне представления, что он — создание соборного общения людей, какая-то перекатывающаяся из мозга в мозг лавина, обрисовать Фета очень яркой чертой: *он — времеборец*.

II

Властное влияние Тютчева на Фета известно всем, кто читал обоих поэтов, а равно «Мои воспоминания» Фета и его замечательную статью «О стихотворениях Ф. Тютчева» («Русское слово», 1859 г., № 2). Это влияние особенно сильно сказывается в стихах, озаренных размышлением.

В тех случаях, когда, при наличности сильного общего влияния одного поэта на другого, окажется, что одна из ярких и могучих сил поэта влияющего не отразилась на

---

1 Пародия на стихи: «Шепот, робкое дыханье etc.». — *Примечание Н.В. Недоброво.*

его ученике, можно заключить, что эта сила учителя особенно чужда природе ученика.

Когда Тютчев описывает явления природы, с каждою новою строфою открывается новая картина (например, стихотворения «Люблю грозу в начале мая», «Как неожиданно и ярко», «Гроза дорогой»). Тютчев умел и любил воспроизводить движение не только в природе, но и в душе человека, и в истории человечества. Течение событий он считал высоким зрелищем богов и говорил: «Блажен, кто посетил сей мир в его минуты роковые». И страсть, пытливая страсть прозрения всегда томила его. Тютчев пророчествует.

Пророчествует ли Фет? Всего один раз, в стихотворении «Никогда» (Полное собрание стихотворений А.А. Фета. СПб., 1901, т. I , с. 173). Но зато тут развернута редко богатая для пророка картина: мертвец одиноко воскресает на замерзшей уже земле.

В разное время сочинено много утопий, посвященных гаданию о будущем земли. Ее лицо в этих утопиях представляется совершенно преображенным. И вот, если земля замерзнет, можно предположить одно из двух: или на замерзшей планете (по разным причинам) вовсе не останется вещественных памятников человеческого быта, или оставшиеся не будут иметь ничего общего с сооружениями современных нам людей. Послушаем, однако, Фета.

> ...И встал. Как ярок этот зимний свет
> Во входе склепа! Можно ль сомневаться?
> Я вижу снег. На склепе *двери нет.*
> Пора домой. Вот дома изумятся!
> Мне парк знаком, нельзя с дороги сбиться.
> *А как он весь успел перемениться!*
> . . . .
> А вот и дом. *В каком он разрушеньи!*
> И руки опустились в изумленьи.
>
> Селенье спит под снежной пеленой.
> Тропинки нет во всей степи раздольной.
> *Да, так и есть!* Над дальнею горой
> *Узнал я церковь с ветхой колокольней.*
> . . . .
> Всё понял я: земля давно остыла
> И вымерла. . . . .

Каким недоразумением звучит здесь стих:

> *«А как он весь успел перемениться!»*

Неужели за всю историю земли, от наших дней до конца мира, облик земли переменится только в том направлении, что русский помещичий дом придет в разрушение, а русские селения и церковь с ветхой колокольней останутся на своем месте? Предположение, что вещественные памятники русского деревенского быта сохранятся до кончины мира, не является ли беспредельной невосприимчивостью сознания к категории времени?

Конечно, Фет написал свою картину наивно, внимание его было сосредоточено на других сторонах стихотворения; но бросалась в глаза разительная странность, только что отмеченная. И на почве такой невосприимчивости политический консерватизм автора «Никогда» получает полное обоснование: какое может быть обновление, если на самом дне своем душа верит, что и на замерзшей земле в неприкосновенности сохранятся все признаки помещичьей и крестьянской общинной России?!

Итак, искусство Фета бедно временным воображением. То, что эта черта проявляется наперекор сильному влиянию Тютчева, служит испытанием и скрепою ее художественной и духовной подлинности.

И Фетовские описания природы и чувств — неслучайность этого также испытуется противоречием Тютчеву — очень бедны движением. Здесь картины до того застыли, что, изображая их, можно было реже, чем это обыкновенно делается в человеческой речи, прибегать к глаголу — этому грамматическому выразителю времени. Не производя точных вычислений, по непосредственному впечатлению, можно сказать, что процентное отношение глаголов к совокупности слов у Фета ниже, чем у какого бы то ни было другого русского поэта. А для яркости можно указать на три стихотворения: «Шепот, робкое дыханье» (ibid. I, 419), «Это утро, радость эта» (I, 488) и «Буря на небе вечернем» (II, 23), в которых нет ни одного глагола. Любопытно с этой точки зрения и стихотворение «Деревня» (I, 345), где четыре раза употреблен глагол: «люблю», но самое описание того, что любит поэт, на пространстве семи строф обошлось без глаголов.

После этого не покажется удивительным стихотворение, в котором сам Фет изображает столкновение своего искусства с временем.

> Как трудно повторять живую красоту
> Твоих воздушных очертаний!
> Где силы у меня схватить их на лету
> Средь непрестанных колебаний?
> Когда из-под ресниц пушистых на меня
> Блеснут глаза с просветом ласки,
> Где кистью трепетной я наберу огня?
> Где я возьму небесной краски?
> В усердных поисках всё кажется: вот-вот
> Приемлет тайна лик знакомый! —
> *Но сердца бедного кончается полет*
> *Одной бессильною истомой!*

Образы творческого воссоздания в этом стихотворении: кисть, краска, заимствованы из мастерской живописца — жреца искусства недвижного. Фет признается здесь, что и его искусство недвижно, что, не совмещаясь с временем и не имея средств воссоздать его, оно должно или пасть в бессильной истоме, или, во всемогуществе вдохновения, опрокинуть и остановить время.

III

И не только творчество Фета, но и его живая душа страдала от времени.

Чувство каждого мига — ценность, и разно можно относиться к ней. Можно радоваться каждому ушедшему мигу, потому что, уходя, он выводит за собою новый. Во имя любопытства к будущему можно скорее и скорее гнать в душе колесо, на которое наматывается нить жизни. И гибель даже бесценного мига может быть прощена такою жаждою нового.

Но жаждет нового тот, кто устремился душою в будущее: пророк.

А Фет — не пророк. И для Фета уход каждого мига — потеря. Миг только тогда дорог, когда он настал, когда он прошел. И никаким прошедшим Фет не согласился бы заплатить ни за какое будущее. Время — это потеря звеньев драгоценной цепи, одного за одним. И Фет мятется в сознании потерь, рвется и проклинает. Своим глазам, вперившимся в даль прошлого, он говорит (II, 38):

> Не вам допросить у *случайности жадной,*
> Куда она *скрыла рукой беспощадной*
> Что было так щедро дано!

Вот какими словами дается времени нравственная оценка. А для других поэтов, и для пророка Тютчева, оно — целительное время.

Для того чтобы перестать проклинать этого целителя, Фету надо солгать. Вот какое состояние духа описывает он в прекрасном стихотворении «У камина»:

> Тускнеют угли. В полумраке
> Прозрачный вьется огонек.
> Так плещет на багряном маке
> Крылом лазурным мотылек.
> Видений пестрых вереница
> Влечет усталый, теша, взгляд
> И неразгаданные лица
> Из пепла серого глядят.
> Встает ласкательно и дружно
> Былое счастье *и печаль —*
> *И лжет душа, что ей не нужно*
> *Всего, чего глубоко жаль.*

И только способность Фета к исступленным состояниям духа, — о которых он с правом говорил (I, 141):

> Пускай клянут, волнуяся и споря,
> Пусть говорят: «То бред души больной!»
> Но я иду по шаткой пене моря
> Отважною, нетонущей ногой,

— избавляла его от ужаса. В такие мгновения душа не чувствовала на себе *времени оков,* и воссоздания этих мгновений горят яркими алмазами в мире драгоценных камней, живых цветов, шатких теней и неуловимых запахов, в Фетовом мире, над которым мерцают вечные звезды.

Звезды Фет любил потому, что за них хваталась его душа, сносимая потоком времени. Вот как это происходило (I, 5):

> Еще темнее мрак жизни вседневной,
> Как после яркой осенней зарницы,

> И только в небе, *как зов задушевный,*
> *Сверкают звезд золотые ресницы.*
> И так прозрачна огней бесконечность,
> И так доступна вся бездна эфира,
> Что *прямо смотрю я из времени в вечность*
> И правду твою узнаю, солнце мира!

И еще, в стихотворении, где Фет идет по шаткой пене моря, — «Alter Ego» (I, 107):

> Та трава, что вдали, на могиле твоей,
> Здесь на сердце, чем старше оно, тем свежей,
> И я знаю, взглянувши на звезды порой,
> Что взирали на них мы как боги с тобой!

Понятно, что дух художника «познал родство с нетленной жизнью звездной» (I, 379); понятно, почему Фет так часто закидывал голову к ночному небу и, созерцая звезды, думал о вечности, выпорхнуть в которую было, может быть, заветнейшею мечтою его песен — птичек Божьих, как он назвал их в стихотворении «На пятидесятилетие Музы» (I, 100).

И способность духа быть возносимым в мир звездного эфира позволяет Фету не бояться последнего лика, являемого временем человеку — смерти.

> Покуда я дышу, ты — мысль моя, не боле,
> Игрушка шаткая тоскующей мечты (I, 172).

Вот как гордо человек обращается к смерти.

Но из всех исступлений самым могучим в борьбе со временем является вдохновение поэта, и за то так и любит Фет искусство.

Он говорит «Поэтам» (I, 81):

> Только у вас мимолетные грезы
> Старыми в душу глядятся друзьями,
> Только у вас благовонные розы
> Вечно восторга блистают слезами.

IV

Торжество искусства над временем звучит во всяком Фетовом гимне искусству таким восторгом и таким самозабвением, что соответствующие стихотворения Фета надо признать образцовыми выражениями мотива времеборства во всей всемирной литературе. Для художника (I, 59)

> Всё, всё мое, что есть и прежде было:
> В мечтах и снах нет времени оков.

А в гимне «Поэтам» (I, 81) Фет возглашает:

> *Этот* листок, что иссох и свалился, —
> Золотом *вечным* горит в песнопеньи.

И не случайно сказано: «этот». Изведение из власти времени единичных предметов — драгоценное для Фета могущество. Он не раз возвращается к совершению такого чуда. Он говорит молодой девушке:

> Если радует утро тебя,
> Если в пышную веришь примету, —
> Хоть на время, на миг полюбя,
> Подари *эту* розу поэту.
> Хоть полюбишь кого, хоть снесешь
> Не одну ты житейскую грозу, —
> Но в стихе умиленном найдешь
> *Эту вечно* душистую розу.

Любовь ко всему, закрепляющему подлинность мгновения, доходила у Фета до одобрения такого искусства, которое вообще не в почете у художников — фотографии. Фет пишет Тютчеву (II, 263):

> Пришли в письме мне твой портрет,
> Что нарисован *Аполлоном.*

А в другом месте («К фотографической карточке m-lle Viardot», II, 336) сказано и, видимо, с похвалой:

> Тебя не кисть живописала,
> А солнца луч изобразил.

Если бы при жизни Фета была усовершенствована техника моментальной фотографии до достигнутой ныне ею высоты, кто знает, не была ли бы она воспета им, как близкая родственница его Музы.

Фет избежал мучительных размышлений Тургеневского «Довольно». Из ряда стихотворений видно, что он твердо и глубоко, со всею наивностью вдохновения, веровал в незыблемость и вечность созданий поэзии. И стоит поближе всмотреться в одно из лучших его стихотворений, чтобы понять, до чего в творчестве Фета искусство отождествлялось с сопротивлением времени.

> Как беден наш язык: хочу и не могу!
> Не передать того ни другу, ни врагу,
> Что буйствует в душе прозрачною волною:
> Напрасно вечное томление сердец! —
> И клонит голову маститую мудрец
> Пред этой ложью роковою.

Это — Тютчевское «Мысль изреченная есть ложь». Почему ложь? И у нас возникает тоскливое сознание безнадежной замкнутости личности, непереливаемости словами чувств и мыслей; словом — мы почти готовы вступить в тот круг идей, от которого отправились. Но для Фета дело совсем не в том, а опять во времени: это оно мешает всему. Вот что он говорит, начиная вторую строфу стихотворения:

> Лишь у тебя, поэт, *крылатый* слова звук
> *Хватает на лету и закрепляет вдруг*
> И темный бред души, и трав неясный запах.

Нам кажется, что противоречия нет: темный бред, неясный запах — это-то ведь и есть смутность, не передаваемая словами, без всякого отношения к времени. Но, дочитав до конца, мы увидим, что главное — «хватает на лету и закрепляет вдруг». Вот чудный образ — эпиграф нашей статьи:

> Так для безбрежного покинув скудный дол,
> Летит за облака Юпитера орел,
> Сноп *молнии неся мгновенный* в верных лапах.

И опять надо отметить, что образ заимствован из скульптуры и, притом, из такой скульптуры, которая, в сущности, равносильна моментальной фотографии, так как, подобно ей, искажая действительность, представляет неподвижным то, что живые глаза человека могут видеть не иначе, как мгновенно мелькнувшим и исчезнувшим.

Но для Фета мраморный орел со снопом перунов в лапах значил очень много. Полет этого орла в безбрежность связан с представлением Фета, что возможно, перемещаясь в пространстве, убежать от времени. В стихотворении «Никогда» (I, 173) Фет обмолвился намеком: «Куда идти, где некого обнять, там где в пространстве затерялось время». Это странное выражение глубоко символично для Фетова мира. Там можно найти еще два образа, выражающих спасение от времени в пространство. Один — чудные строки в стихотворении «На юбилей А.Н. Майкова» (I, 91):

> Хоть восторг не дает нам молчать,
> Но восторженных скоро забудут,
> *А певца по поднебесью мчать*
> *Лебединые крылья всё будут!*

Другой — глубокое, удивительное по цельности и вдумчивости стихотворение, навеянное созерцанием звезд, элегия, обращенная к тем из них, которые уже угасли, но свет которых, стремясь по пространству, не подчинен времени.

> Долго ль впивать мне мерцание ваше,
> Синего неба пытливые очи?
> Долго ли чуять, что выше и краше
> Вас — ничего нет в храмине ночи?
> Может быть, нет вас под теми огнями —
> Давняя вас погасила эпоха...
> Так и по смерти лететь к вам стихами,
> К призракам звезд, буду призраком вздоха!

Таким образом, то, что умерло здесь, живет вдали, и когда время-смерть нагонит его и там, оно будет жить где-то еще дальше, и так — без конца.

V

Так боролся Фет с временем, так он спасался от него, но один раз он победил его. И этого он достиг простым, но гениальным приемом. Всем известную поэтическую фигуру, применяемую для придания стихотворению живости — употребление настоящего времени, так что, когда ни читай вещь, она будет относиться именно ко времени чтения, великий художник вывел из формы в содержание и написал вот какое, единственное в мире, стихотворение:

Мой прах уснет, забытый и холодный,
А для тебя настанет жизни май...
О, хоть на миг душою благородной
Тогда стихам, звучавшим мне, внимай!
И — вдумчивым и чутким сердцем девы —
Безумных снов волненья ты поймешь
И от чего в дрожащие напевы
Я уходил, — и ты за мной уйдешь.
Приветами, встающими из гроба,
Сердечных тайн бессмертье ты проверь:
Вневременной повеем жизнью оба,
И ты, и я, — мы встретимся... — Теперь!

Вот он —

Летит за облака Юпитера орел,
Сноп молнии неся мгновенный в верных лапах.

АННА АХМАТОВА

I

Первый сборник Анны Ахматовой «Вечер», изданный в начале 1912 года, был вскоре распродан. Затем её стихи появлялись в различных повременниках, а в марте 1914 года вышел новый сборник «Чётки», в который включена также значительная часть стихотворений из «Вечера». Среди неповторённых стихов есть казнённые с излишним жестокосердием[1].

По выходе первого сборника на стихах Ахматовой заметили печать её личной своеобычности, немного вычурной; казалось, она и делала стихи примечательными. Но неожиданно личная складка Ахматовой, и не притязавшая на общее значение, приобрела, через «Вечер» и являвшиеся после стихи, совсем как будто не обоснованное влияние. В молодой поэзии обнаружились признаки возникновения *ахматовской* школы, а у её основательницы появилась прочно обеспеченная слава.

Если единичное получило общее значение, то, очевидно, источник очарования был не только в занимательности выражаемой личности, но и в искусстве выражать её: *в новом умении видеть и любить человека*. Я назвал перводвижущую силу ахматовского творчества. Какие точки приложения она себе находит, что приводит в движение своею работою и чего достигает — это я стараюсь показать в моей статье.

II

Пока не было «Чёток», вразброд печатавшиеся после «Вечера» стихи ложились в тень первого сборника, и рост Ахматовой не осознавался вполне. Теперь он очевиден: перед глазами очень сильная книга властных стихов, вызывающих очень большое доверие.

Оно, прежде всего, достигается свободою ахматовской речи.

---

1 В конце мая 1915 г. вышло второе издание «Чёток». Выдержки из «Чёток», приводимые здесь, сверены со вторым изданием. — *Н. Н.*

Не из ритмов и созвучий состоит поэзия, но из слов;
из слов уже затем, по полному соответствию с внутренней
их жизнью, и из сочетания этих живых слов вытекают,
как до конца внутренностью слов обусловленное следст-
вие, и волнения ритмов, и сияния звуков — и стихотворение держится на внутреннем костяке слов. Не должно,
чтобы слова стихотворения, каждое отдельно, вставля-
лись в ячейки некоей ритмо-инструментальной рамы: как
ни плотно они будут пригнаны, чуть мысленно уберёшь
раму, все слова расскакиваются, как вытряхнутый типо-
графский шрифт.

К стихам Ахматовой последнее не относится. Что они
построены на слове, можно показать на примере хотя бы
такого стихотворения, ничем в «Чётках» не выдающегося:

> Настоящую нежность не спутаешь
> Ни с чем, и она тиха.
> Ты напрасно бережно кутаешь
> Мне плечи и грудь в меха,
> И напрасно слова покорные
> Говоришь о первой любви.
> Как я знаю эти упорные,
> Несытые взгляды твои!

Речь проста и разговорна, до того, пожалуй, что это и
не поэзия? А что, если ещё раз прочесть, да заметить, что
когда бы мы так разговаривали, то, для полного исчерпа-
ния многих людских отношений, каждому с каждым довольно было бы обменяться двумя-тремя восьмистишиями
— и было бы царство молчания. А не в молчании ли слово
дорастает до той силы, которая пресуществляет его в
поэзию?

> Настоящую нежность не спутаешь
> Ни с чем, —

какая простая, совсем будничная фраза, как она спокойно
переходит из стиха в стих, и как плавно и с оттяжкою
течёт первый стих — чистые анапесты, коих ударения
отдалены от концов слов, так кстати к дактилической
рифме стиха. Но вот, плавно перейдя во второй стих, речь
сжимается и сечётся: два анапеста, первый и третий,
стягиваются в ямбы, а ударения, совпадая с концами
слов, секут стих на твёрдые стопы. Слышно продолжение
простого изречения:

> нежность не спутаешь
>   Ни с чем, и она тиха, —

но ритм уже передал гнев, где-то глубоко задержанный, и всё стихотворение вдруг напряглось им. Этот гнев решил всё: он уже подчинил и принизил душу того, к кому обращена речь; потому в следующих стихах уже выплыло на поверхность торжество победы — в холодноватом презрении:

>   Ты напрасно бережно кутаешь...

Чем же особенно ясно обозначается сопровождающее речь душевное движение? Самые слова на это не расходуются, но работает опять течение и падение их: это *«бережно кутаешь»* так изобразительно и так, если угодно, изнеженно, что и любимому могло бы быть сказано; оттого тут и бьёт оно. А дальше уже почти что издевательство в словах:

>   Мне плечи и грудь в меха —

этот дательный падеж, так приближающий ощущение и выдающий какое-то содрогание отвращения, а в то же время звуки, звуки! *«Мне плечи и грудь...»* — какой в этом спондее и анапесте нежный хруст всё чистых, всё глубоких звуков.

Но вдруг происходит перемена тона на простой и значительный, и как синтаксически подлинно обоснована эта перемена: повторением слова *«напрасно»* с *«и»* перед ним:

>   И напрасно слова покорные...

На напрасную попытку дерзостной нежности дан был ответ жестокий, и особо затем оттенено, что напрасны и покорные слова; особливость этого оттенения очерчивается тем, что соответствующие стихи входят уже в другую рифмическую систему, во второе четверостишие:

>   И напрасно слова покорные
>   Говоришь о первой любви.

Как это опять будто заурядно сказано, но какие отсве-
ты играют на лоске этого щита — щит ведь всё стихотворение. Не сказано: и напрасны слова покорные, — но
сказано: *и напрасно слова покорные говоришь*...
Усиление представления о говорении не есть ли уже и
изобличение? И нет ли иронии в словах: покорные, о
первой? И не оттого ли ирония так чувствуется, что эти
слова выносятся на стянутых в ямбы анапестах, на ритмических затаениях?

В последних двух стихах:

> Как я знаю эти упорные,
> Несытые взгляды твои, —

опять непринужденность и подвижная выразительность
драматической прозы в словосочетании, а в то же время
тонкая лирическая жизнь в ритме, который, вынося на
стянутом в ямб анапесте слово «эти», делает взгляды, о
которых упоминается, в самом деле «этими», то есть вот
здесь сейчас видимыми. А самый способ введения последней фразы, после обрыва предыдущей волны, восклица-
тельным словом «как», — он сразу показывает, что в этих
словах нас ждёт нечто совсем новое и окончательное.
Последняя фраза полна горечи, укоризны, приговора и
еще чего-то. Чего же? — Поэтического освобождения от
всех горьких чувств и от стоящего тут человека; оно
несомненно чувствуется, а чем даётся? Только ритмом
последней строки, чистыми, этими совершенно свободно,
без всякой натяжки раскатившимися анапестами; в словах ещё горечь: *«несытые взгляды твои»*, но под
словами уже полёт. Стихотворение кончилось на первом
вздроге крыльев, но, если бы его продолжить, ясно: в
пропасть отрешения отпали бы действующие лица стихотворения, но один дух трепетал бы, вольный, в недосягаемой высоте. Так освобождает творчество.

В разобранном стихотворении всякий оттенок внутреннего значения слова, всякая частность словосочетания и
всякое движение стихового строя и созвучия — всё работает в сообразовании и в соразмерности с другим, всё к
общей цели, и бережение средств таково, что сделанное
ритмом уже не делается, например, значением; ничто,
наконец, не идёт одно вопреки другому: нет трения и
взаимоуничтожения сил. Оттого-то так легко и проникает
в нас это такое, оказывается, значительное стихотворение.

А если обратить внимание на его стройку, то придётся ещё раз убедиться в вольности и силе ахматовской поэтической речи. Восьмистишие из двух простых четырехстрочных рифмических систем распадается на три синтаксических системы: первая обнимает две строки, вторая — четыре и третья — снова две; таким образом, вторая синтаксическая система, крепко сцепленная рифмами с первой и третьей, своим единством прочно связует обе рифмические системы, притом хоть и крепкою, но упругою связью: выше я отметил, говоря о драматической действенности способа введения второго «напрасно», что смена рифмических систем тут и надлежаще чувствуется и производительно работает.

Итак, при разительной крепости стройки, какая в то же время напряжённость упругими трепетаниями души!

Стоит отметить, что описанный приём, то есть перевод цельной синтаксической системы из одной рифмической системы в другую, так, что фразы, перегиная строфы в средине, скрепляют их края, а строфы то же делают с фразами, — один из очень свойственных Ахматовой приёмов, которым она достигает особенной гибкости и вкрадчивости стихов, ибо стихи, так сочленённые, похожи на змей. Этим приёмом Анна Ахматова иногда пользуется с привычностью виртуоза.

III

Разобранное стихотворение показывает, как говорит Ахматова. Её речь действенна, но песнь ещё сильнее узывает душу.

В этом можно убедиться по стихотворению:

Углем наметил на левом боку
Место, куда стрелять,
Чтоб выпустить птицу — мою тоску
В пустынную ночь опять.

Милый, не дрогнет твоя рука,
И мне не долго терпеть.
Вылетит птица — моя тоска,
Сядет на ветку и станет петь.

> Чтоб тот, кто спокоен в своём дому,
> Раскрывши окно, сказал:
> «Голос знакомый, а слов не пойму»,
> И опустил глаза.

В песне, как прежде в речи, та же непринуждённость словорасположения — этих слов, без насилия над языком, не соединить иначе как в эти стихи: стихи выпелись из просто сказанных слов; оттого такими искренними и острыми они воспринимаются. Примечателен их песенный лад: он — свободный стих дактиле-хореического ключа, живой и впечатлительный; начинаясь чисто дактилической строкой и в последующих стихах то и дело, особенно в конце стихов, сменяя дактили на хорей, стихотворение особенную нежную томность приобретает от запевов (анакруз) третьего, четвёртого, шестого, девятого и десятого стихов, от этих лишних, до первого главного ударения, в начале стиха раздающихся слогов. Например, начало второй строфы:

> Милый, не дрогнет твоя рука,
> И мне не долго терпеть.

Стихотворение сложено в трёх строфах. Первая построена эподически: чётные стихи, трёхударные, короче нечётных, четырёхударных. Вторая строфа начинается такою же стройкою; второй стих трёударен; поэтому того же ждёшь и от четвёртого, но вдруг он оказывается, как нечётный, четырёхударным. Этот стих:

> Сядет на ветку и станет петь, —

на котором происходит перелом лирической волны — и значительность стиха ещё приподнимается именно ритмическим его перенасыщением, которое, таким образом, исполняет определённую и необходимую в целом стихотворении работу. Лирический перелом именно в конце второй строфы ещё яснее чувствуется по сопоставлению с песенною связью двух первых строф — с тем, как они скликаются между собою третьими своими, очень певучими стихами:

> **Чтоб выпустить птицу — мою тоску**

и

Вылетит **птица** — **моя тоска.**

Третья строфа, таким образом, как бы обособлена: она снова эподического строения, по образцу первой; только в последнем стихе первый, везде ударяемый (с необходимою оговоркою о строках с запевами) слог ударение теряет (тут — не запев, так как первое ударение ложится на четвёртом слоге), отчего стих становится особенно лёгким, совсем летучим. И не даром, а в полном соответствии с вызываемым им видением; ведь это стих:

И опустил глаза.

Какой он нежный и скромный, а самое верное — тающий. В чём же источник этого последнего ощущения? Конечные созвучия во всем стихотворении — рифмы, во всём, кроме одного созвучия, связующего именно последний стих с десятым: сказал — глаза. Оно — ассонанс, и несовпадение созвучия в том, что в откликающемся стихе не договорен, как тонкое облако растаял последний звук л, но, чтобы не убыло нежности, этот нежный звук вообще не пропал: созвучие начинается очень глубоко, и только первый звук слова: «сказал» — с оставлен без отклика; затем идёт созвучие гортанных к и г, созвучие а, з и опять а; а то л, которое в десятом стихе слышится в конце созвучного слова, в двенадцатом легло к началу, между гортанным и первым а: сказал — глаза.

В дальнейшем, когда мне случится касаться отдельных стихотворений, я уже не буду говорить о том, как волнующаяся душа творения выявляется в звучащей плоти слова.

IV

В разобранных стихотворениях и без подчеркивания поражает струнная напряженность переживаний и безошибочная меткость острого их выражения. В этом сила Ахматовой. С какой радостью, что больше уже не придется, хоть вот в этом, в затронутом ею, томиться невыразимостью, читаешь точно в народной словесности родившиеся речения:

> Безвольно пощады просят
> Глаза. Что мне делать с ними,
> Когда при мне произносят
> Короткое, звонкое имя?

Или такое:

> Столько просьб у любимой всегда
> У разлюбленной просьб не бывает.

Человек века томится трудностью речи о своей внутренней жизни: столького не выговорить за неустройством слов — и, прижатый молчанием, дух медлит в росте. Те поэты, которые, как древле Гермес, обучают человека говорить, на вольный рост выпускают внутренние его силы и, щедрые, надолго хранят его благодарную память.

Напряжение переживаний и выражений Ахматовой дает иной раз такой жар и такой свет, что от них внутренний мир человека скипается с внешним миром. Только в таких случаях в стихах Ахматовой возникает зрелище последнего; оттого и картины его не отрешенно пластичны, но, пронизанные душевными излучениями, видятся точно глазами тонущего:

> Рассветает. И над кузницей
> Подымается дымок.
> Ах, со мной, печальной узницей,
> Ты опять побыть не мог.

Или продолжение стихотворения о просящих пощады глазах:

> Иду по тропинке в поле
> Вдоль серых сложенных бревен.
> Здесь легкий ветер на воле
> По-весеннему свеж, неровен.

Иногда лирическая скромность заставляет Ахматову едва намекнуть на страдание, ищущее выражения в природе, но в описании все-таки слышны удары сердца.

> Ты знаешь, я томлюсь в неволе,
> О смерти Господа моля.
> Но все мне памятна до боли
> Тверская скудная земля.

Журавль у ветхого колодца,
Над ним, как кипень, облака,
В полях скрипучие воротца,
И запах хлеба, и тоска,

И те неяркие просторы,
Где даже голос ветра слаб,
И осуждающие взоры
Спокойных загорелых баб.

Однако слезы текут из глаз от этого безголосого ветра.

V

Уже по вышеприведенным стихам Ахматовой заметно присутствие в ее творчестве властной над душою силы. Она не в проявлении «сильного человека» и не в выражении переживаний, дерзновенно направленных на впечатлительность душ: лирика Ахматовой полнится противоположным содержанием. Нет, эта сила в том, до какой степени верно каждому волнению, хотя бы и от слабости возникшему, находится слово, гибкое и полнодышащее, и, как слово закона, крепкое и стойкое. Впечатление стойкости и крепости слов так велико, что, мнится, целая человеческая жизнь может удержаться на них; кажется, не будь на той усталой женщине, которая говорит этими словами, охватывающего ее и сдерживающего крепкого панциря слов, состав личности тотчас разрушится и живая душа распадется в смерть.

И надобно сказать, что страдальческая лирика, если она не дает только что описанного чувства, — нытье, лишенное как жизненной правды, так и художественного значения. Если ты все стонешь о предсмертном страдании и не умираешь, не станет ли презренною слабость твоей дрябло лживой души? — или пусть будет очевидным, что, в нарушение законов жизни, чудесная сила, не сводя тебя с пути к смерти, каждый раз удерживает у самых ворот. Жестокий целитель Аполлон именно так блюдет Ахматову. «И умерла бы, когда бы не писала стихов», — говорит она каждою страдальческою песнью, которая оттого, чего бы ни касалась, является еще и славословием творчеству.

VI

Жизнеспасительное действие поэзии в составе лирической личности Ахматовой предопределяет и круг ее внимания, и способ ее отношения к явлениям, в этот круг входящим.

Тот, кому поэзия — спаситель жизни, из боязни очутиться вдруг беззащитным, не распустит своих творческих способностей на наблюдательские прогулки по окрестностям и не станет писать о том, до чего ему мало дела, но для себя сохранит все свое искусство.

По той же основной причине не с исследовательским любопытством, в котором мне всегда чудится недоброжелательство к человеку, смотрит она на личную жизнь. Всегда пристрастно и порывисто ее осознание жизненного мгновения, и всегда это сознание совпадает с жизненной задачей мгновения; а не в этом ли источник истинного лиризма?

Я не хочу сказать, что лиризмом исчерпываются творческие способности Ахматовой. В тех же «Четках» напечатан эпический отрывок: белые пятистопные ямбы наплывают спокойно и ровно и так мягко запениваются.

> В то время я гостила на земле.
> Мне дали имя при крещенье — Анна,
> Сладчайшее для губ людских и слуха.

У этого стиха не та душа, что у лирического стиха Ахматовой. Судя по этому образцу, не лирические задачи будут разрешаться ею в пристойной тому форме: в поэме, в повести, в драме; но форма лирического стихотворения никогда не является у неё лишь ложным обличием нелирических по существу переживаний[1].

Творчество Ахматовой не стремится напечатлиться на душу извне, показывая глазам зрелище отчетливых образов или наполняя уши многотонной музыкой внешнего мира, но ему дорого трепетать своими созданиями в самой груди, у сердца слушателя, и ласкаться у его горла. Ее стихи сотворены, а не сочинены. Во всяком случае, она, не губя обаяния своей лирики, не могла бы позволить себе

---

1 В *Аполлоне* 1915 г., кн. 3, напечатана превосходная поэма Ахматовой «У самого моря», подтверждающая высказанные здесь соображения. — *Н.Н.*

того пышного красования сочинительскою силою, которое художнику, отличающемуся большею душевною остойчивостью, не только не повредило бы, но могло бы явиться в нем даже источником очарования.

Сказанным предопределяется безразличное отношение Ахматовой к внешним поэтическим канонам. Наблюдение над формою ее стихов внушает уверенность в глубоком усвоении ею и всех формальных завоеваний новейшей поэзии и всей, в связи с этими завоеваниями возникшей, чуткости к бесценному наследству действенных поэтических усилий прошлого. Но она не пишет, например, в канонических строфах. Нет у нее, с другой стороны, ни одного стихотворения, о котором бы можно было сказать, что оно написано исключительно, или главным образом, или хоть сколько-нибудь для того, чтобы сделать опыт применения того или этого новшества, или использовать в крайнем напряжении то или иное средство поэтического выражения. Средства, новые ли, старые ли, берутся ею те, которые непосредственно трогают в душе нужную по развитию стихотворения струну.

Поэтому, если Ахматовой в странствии по миру поэзии случится вдруг направиться и по самой что ни на есть езжалой дороге, мы и тогда следуем за нею с неослабно бодрой восприимчивостью. Целее не подражать ей, если в своих скитаниях руководствуешься картами и путеводителем, а не природным знанием местности.

Когда стихи выпеваются так, как у Ахматовой, к творческой минуте применимы слова Тютчева о весне:

> Была ль другая перед нею,
> О том не ведает она.

Естественное дело, что, обладая вышеописанными свойствами, ахматовские стихи волнуют очень сильно и не одним только лирическим волнением, но и всеми жизненными волнениями, возбудившими к деятельности творческую способность. Из двух взглядов на поэзию: из убеждения, что человеческие волнения должны быть переработаны в ней до полной незаразительности, так, чтобы воспринимающий лишь отрешенно созерцал их, а трепетал только одною эстетической эмоцией, и из предположения, что и самые жизненные волнения могут стать материалом искусства, которое тогда одержит всего человека, гармонизируя его вплоть до физических чувств, — я предпочитаю второй взгляд и хвалю в Ахматовой то, что может показаться недостатком иному любителю эстетических студней.

Вот эта действенность стихов Ахматовой вынуждает отнестись ко всему в них выраженному с повышенной степенью серьезности.

VII

Несчастной любви и ее страданиям принадлежит очень видное место в содержании ахматовской лирики — не только в том смысле, что несчастная любовь является предметом многих стихотворений, но и в том, что в области изображения ее волнений Ахматовой удалось отыскать общеобязательные выражения и разработать поэтику несчастной любви до исключительной многоорудности. Не окончательны ли такие выражения, как приведенное выше о том, что у разлюбленной не бывает просьб, или такие:

> Говоришь, что рук не видишь,
> Рук моих и глаз.

Или:

> Когда пришли холода,
> Следил ты уже бесстрастно
> За мной везде и всегда,
> Как будто копил приметы
> Моей нелюбви.

Или это стихотворение:

> У меня есть улыбка одна.
> Так, движенье чуть видное губ.
> Для тебя я ее берегу —
> Ведь она мне любовью дана.
> Все равно, что ты наглый и злой,
> Все равно, что ты любишь других.
> Предо мной золотой аналой,
> И со мной сероглазый жених.

Много таких же, а может быть, и еще более острых и мучительных выражений найдется в «Четках», и, однако, нельзя сказать об Анне Ахматовой, что ее поэзия —

«поэзия несчастной любви». Такое определение, будь оно услышано человеком, внимательно вникшим в «Четки», было бы для него предлогом к неподдельному веселью, — так богата отзвуками ахматовская несчастная любовь. Она — творческий прием проникновения в человека и изображения неутолимой к нему жажды. Такой прием может быть обязателен для поэтесс, женщин-поэтов: такие сильные в жизни, такие чуткие ко всем любовным очарованиям женщины, когда начинают писать, знают только одну любовь, мучительную, болезненно-прозорливую и безнадежную. Чтобы понять причину этого, надо в понятии поэтессы, *женщины*-поэта, сделать сначала ударение на первом слове и вдуматься в то, как много за всю нашу мужскую культуру любовь говорила о себе в поэзии от лица мужчины и как мало — от лица женщины. Вследствие этого искусством до чрезвычайности разработана поэтика мужского стремления и женских очарований, и, напротив, поэтика женских волнений и мужских обаяний почти не налажена. Мужчины-поэты, создавая мужские образы, сосредоточивались на общечеловеческом в них, оставляя любовное в тени, потому что и влеклись к нему мало, да и не могли располагать необходимой полярной чуткостью к нему. Оттого типы мужественности едва намечены и очень далеки от кристаллизованности, полученной типами женственности, приведенными к законообразной цельности. Довольно ведь назвать цвет волос и определить излюбленную складку губ, чтобы возник целостный образ женщины, сразу определимый в некотором соотношении к религиозному идеалу вечноженственности. А не через эту ли вечноженственность мужчина причащается горних сфер?

И если иной раз в различных изломах нашей мужской культуры берется под сомнение самая допустимость женщины в горние сферы, но не потому ли это, что для нее нет туда двери, соответствующей нашей вечной женственности?

В разработке поэтики мужественности, которая помогла бы затем создать идеал вечномужественности и дать способ определять в отношении к этому идеалу каждый мужской образ, — путь женщины к религиозной ее равноценности с мужчиною, путь женщины в Храм[1].

---

1 В довольно многочисленных статьях о «Четках» высказывались подобные же мысли и притом столь часто, что мои соображения

Вот жажда этого пути, пока не обретенного, — потому и несчастная любовь, — есть та любовь, которою на огромной глубине дышит каждое стихотворение Ахматовой, с виду посвященное совсем личным страданиям. Это ли «несчастная любовь»?

Теперь в том же понятии поэтессы, женщины-поэта, надо перенести ударение на второе слово и вспомнить Аполлона, несчастно влюблявшегося бога-поэта, вспомнить, как он преследовал Дафну и как, наконец, настигнутая, она обернулась лавром — только венком славы... Вечное колесо любви поэтов! Страх, который они внушают глубинностью своих поползновений, заставляет бежать от них: они это сами знают и честно предупреждают. Тютчев говорит деве, приглашая ее не верить поэтовой любви:

> Невольно кудри молодые
> Он обожжет своим венцом.

И дальше:

> Он не змеею сердце жалит,
> Но как пчела его сосет.

В составе любовной жажды, выражаемой в «Четках», живо чувствуется стихия именно этой пчелиной жажды, для утоления которой слишком мало, чтобы любимый любил. И не темная ли догадка о скудости просто любви заставляет мужчину как-то глупо бежать от женщины-поэта, оставляя ее в отчаянии непонимания.

> Отчего ушел ты?
> Я не понимаю...

Или, в другом стихотворении:

> О, я была уверена,
> Что ты придешь назад.

в настоящее время являются лишь обстоятельной формулировкой общего места. — *Н.Н.*

И что-то, хоть и очень мелко человеческое, но все-таки понимал тот, кто, как сообщается в одном стихотворении, в день последнего свидания

> ...говорил о лете и о том,
> Что быть поэтом женщине — нелепость.

Желание напечатлеть себя на любимом, несколько насильническое, но соединенное с самозабвенной готовностью до конца расточить себя, с тем, чтобы снова вдруг воскреснуть и остаться и цельным, и отрешенно ясным, — вот она, поэтова любовь. С путями утоления этой любви иногда нельзя примириться — так оскорбительны они для обыкновенного сердца:

> Оттого, что стали рядом
> Мы в блаженный миг чудес,
> В миг, когда над Летним садом
> Месяц розовый воскрес, —
> Мне не надо ожиданий
> У постылого окна
> И томительных свиданий,
> Вся любовь утолена.

Неверна и страшна такая любовь; но из нее же текут лучи, обожествляющие любимое, или, по крайней мере, делающие его видимым. Аполлоново томление по напечатлению на недрах личности сливается с женственным томлением по вечномужественному — и в лучах великой любви является человек в поэзии Ахматовой. Мукой живой души платит она за его возвеличение.

VIII

Но не только страдания несчастной любви выражает лирика Ахматовой. В меньшем количестве стихотворений, но отнюдь не с меньшею силою выпевает она и другое страдание: острую неудовлетворенность собою. Несчастная любовь, так проникшая в самую сердцевину личности, а в то же время и своею странностью и способностью мгновенно вдруг исчезнуть внушающая подозрение в выдуманности, так что, мнится, самодельный призрак до телесных болей томит живую душу, — эта любовь многое

поставит под вопрос для человека, которому доведется ее
испытать; горести, причиняющие смертельные муки и не
приносящие смерти, но при крайнем своем напряжении
вызывающие чудо творчества, их мгновенно обезврежива-
ющее, так что человек сам по себе являет зрелище вверх
дном поставленных законов жизни; неимоверные воспа-
рения души без способности спускаться, так что каждый
взлет обрывается беспомощным и унизительным паде-
нием, — всё это утомляет и разуверяет человека.

Из такого опыта родятся, например, такие стихи:

> Ты письмо мое, милый, не комкай;
> До конца его, друг, прочти.
> Надоело мне быть незнакомкой,
> Быть чужой на твоем пути.
> Не гляди так, не хмурься гневно,
> Я любимая, я твоя.
> Не пастушка, не королевна
> И уже не монашенка я —
> В этом сером будничном платье,
> На стоптанных каблуках...

Кажется, только мертвый с такою остротою мог бы
вспоминать о жизни, с какою Ахматова вспоминает о
времени, когда она не вошла еще в свой испепеляющий
опыт; а едва свойства этого опыта будут ею определены,
мы увидим, что в мечтах огромного большинства людей
он — лучшая доля. Вот что говорит она, вспоминая
Севастополь:

> Вижу выцветший флаг над таможней
> И над городом желтую муть.
> Вот уж сердце мое осторожней
> Замирает, и больно вздохнуть.

> Стать бы снова приморской девчонкой,
> Туфли на босу ногу надеть,
> И закладывать косы коронкой,
> И взволнованным голосом петь.

> Всё глядеть бы на смуглые главы
> Херсонесского храма с крыльца
> И не знать, что от счастья и славы
> Безнадежно дряхлеют сердца.

И еще — надобно много пережить страданий, чтобы обратиться к человеку, который пришел утешить, с такими словами:

> Что теперь мне смертное томленье!
> Если ты еще со мной побудешь,
> Я у Бога вымолю прощенье
> И тебе, и всем, кого ты любишь.

Такое самозабвение дается не только ценою великого страдания, но и великой любви.

IX

Эти муки, жалобы и такое уж крайнее смирение — не слабость ли это духа, не простая ли сентиментальность? Конечно, нет: самое голосоведение Ахматовой, твердое и уж скорее самоуверенное, самое спокойствие в признании и болей, и слабостей, самое, наконец, изобилие поэтически претворенных мук, — всё это свидетельствует не о плаксивости по случаю жизненных пустяков, но открывает лирическую душу скорее жесткую, чем слишком мягкую, скорее жестокую, чем слезливую, и уж явно господствующую, а не угнетенную.

Огромное страдание этой совсем не так легко уязвимой души объясняется размерами ее требований, тем, что она хочет радоваться ли, страдать ли только по великим поводам. Другие люди ходят в миру, ликуют, падают, ушибаются друг о друга, но всё это происходит здесь, в средине мирового круга; а вот Ахматова принадлежит к тем, которые дошли как-то до его края — и что бы им повернуться и пойти обратно в мир? Но нет, они бьются, мучительно и безнадежно, у замкнутой границы, и кричат, и плачут. Не понимающий их желания считает их чудаками и смеется над их пустячными стонами, не подозревая, что если бы эти самые жалкие, исцарапанные юродивые вдруг забыли бы свою нелепую страсть и вернулись в мир, то железными стопами пошли бы они по телам его, живого мирского человека; тогда бы он узнал жестокую силу там у стенки по пустякам слезившихся капризниц и капризников.

X

Конечно, биение о мировые границы — действие религиозное, и если бы поэзия Ахматовой обошлась без сильнейших выражений религиозного чувства, все раньше сказанное было бы не основательно и произвольно.

Но она сама указывает на религиозный характер своего страдальческого пути, кончая одно стихотворение такими словами:

> В этой жизни я не много видела;
> Только пела и ждала.
> Знаю: брата я не ненавидела
> И сестры не предала.
>
> Отчего же Бог меня наказывал
> Каждый день и каждый час?
> Или это ангел мне указывал
> Путь, неведомый для нас?

Как Ахматова знает упоение молитвы, можно судить по описанию молящихся перед мощами святой:

> И, согнувшись, бесслезно молилась
> Ей о слепеньком мальчике мать,
> И кликуша без голоса билась,
> Воздух силясь губами поймать.

Нельзя не отметить, как здесь живет напряжение чуть шевелящихся губ, свойственное немой молитве: все губные, так часто встречающиеся в этой строфе: *б, п,* и *м* стоят или в начале, или в конце слов, или смежны с ударяемым гласным, например: *губáми поймáть.* Примечательно, что ни одного *р* нет во всей строфе.

Наконец, весь вышеописанный жизненный опыт, в молитвенно покаянном осознании, приводит к такому смирению:

> Ни розою, ни былинкою
> Не буду в садах Отца.
> Я дрожу над каждой соринкою,
> Над каждым словом глупца.

Религиозный путь так определен в Евангелии от Луки (гл. 17, ст. 33): «Иже аще взыщет душу свою спасти, погубит ю: и иже аще погубит ю, живит ю». Еще в «Вечере» Ахматова говорила:

> Не печально,
> Что души моей нет на свете.

А стихи, кончающиеся упоминанием об указуемом ангелом пути, начинаются так:

> Пожалей о нищей, о **потерянной**,
> О моей живой душе...

Для такой души есть прибежище в Таинстве Покаяния. Можно ли сомневаться в безусловной подлинности религиозного опыта, создавшего стихотворение «Исповедь»:

> Умолк простивший мне грехи.
> Лиловый сумрак гасит свечи,
> И темная епитрахиль
> Накрыла голову и плечи.
> Не тот ли голос: «Дева! встань».
> Удары сердца чаще, чаще...
> Прикосновение сквозь ткань
> Руки, рассеянно крестящей.

Не дочь ли Иаира?

XI

При общем охвате всех впечатлений, даваемых лирикой Ахматовой, получается переживание очень яркое и очень напряженной жизни. Прекрасные движения души, разнообразные и сильные волнения, муки, которым впору завидовать, гордые и свободные соотношения людей, и все это в осиянии и в пении творчества, — не такую ли именно человеческую жизнь надобно приветствовать стихами Фета:

> Как мы живем, так мы поем и славим,
> И так живем, что нам нельзя не петь.

А так как описанная жизнь показана с большою силою лирического действия, то она перестает быть только личною ценностью, но обращается в силу, подъемлющую дух всякого, воспринявшего ахматовскую поэзию. Одержимые ею, мы и более ценной и более великой видим и свою, и общую жизнь, и память об этой повышенной оценке не изглаживается — *о ц е н к а   о б р а щ а е т с я   в   ц е н - н о с т ь*. И если мы, действительно, как я думаю, вплываем в новую творческую эпоху истории человечества, то песнь Ахматовой, работая в ряду многих других сил на восстановление гордого человеческого самочувствия, в какой бы малой мере то ни было, но не помогает ли нам грести?

В частности же лирика, так много занимающаяся человеком и притом не уединенным я, но его соотношениями с другими людьми: то в любви к другому, то в любви другого к себе, то в разлюблении, в ревности, в обиде, в самоотречении и в дружбе, — такая лирика не отличается ли глубоко гуманистическим характером? Способ очертания и оценки других людей полон в стихах Анны Ахматовой такой благожелательности к людям и такого ими восхищения, от которых мы не за года только, но, пожалуй, за всю вторую половину XIX века отвыкли. У Ахматовой есть дар геройского освещения человека. Разве нам самим не хотелось бы встретить таких людей, как тот, к которому обращены хотя бы такие, уже раз приведенные строки:

Помолись о нищей, о потерянной,
О моей живой душе,
Ты, в своих путях всегда уверенный,
Свет узревший в шалаше.

Или такого:

А ты письма мои береги
Чтоб нас рассудили потомки,
Чтоб отчетливей и ясней
Ты был виден им, мудрый и смелый.
В биографии славной твоей
Разве можно оставить пробелы?

Или такого:

Прекрасных рук счастливый пленник
На левом берегу Невы,

> Мой знаменитый современник,
> Случилось, как хотели Вы.

Или — тут уже нельзя отказать себе в приведении всего стихотворения; оно образец того, как надобно показывать героев:

> Как велит простая учтивость,
> Подошел ко мне; улыбнулся;
> Полуласково, полулениво
> Поцелуем руки коснулся —
> **И загадочных древних ликов**
> **На меня поглядели очи...**

(На какую вышину взлет, сразу, мгновенно — сила-то, значит, какая!)

> Десять лет **замираний и криков**,
> Все мои бессонные ночи
> Я вложила в **тихое** слово
> И сказала его напрасно.
> Отошел ты, и стало снова
> На душе и пусто, и ясно.

Не только умом, силою, славою и красотой (хоть и излюблены эти качества гуманистами) обильны люди Ахматовой, но и души у них бывают то такие черные, как у того, для кого берегутся лучшие улыбки, то такие умилительные, что одно воспоминание о них целительно:

> Солнце комнату наполнило
> Пылью желтой и сквозной.
> Я проснулась и припомнила:
> Милый, нынче праздник твой.
> Оттого и оснеженная
> Даль за окнами тепла,
> Оттого и я, бессонная,
> Как **причастница** спала.

Не должно говорить, чего стоит это сравнение, если только не напрасно я писал выше о другом Таинстве.

Я думаю, все мы видим приблизительно тех же людей, и, однако, прочитав стихи Ахматовой, мы наполняемся новою гордостью за жизнь и за человека. Большинство из нас пока ведь совсем иначе относится к людям; еще в умерших, так-сяк, можно предположить что-нибудь высокое, но в современниках? — как не пожать плечами...

Но вопрос, не оказываются ли именно стихи Ахматовой верным постижением настоящего; если так, то она не только помогает плыть к стране новой культуры, но уже завидела ее и возвещает нам: «Земля».

Еще недавно, созерцая происходившие в России события, мы с гордостью говорили: «Это — история». Что же, история еще раз подтвердила, что *крупные* ее события только тогда бывают *великими*, когда в прекрасных биографиях вырастают семена для засева народной почвы. Стоит благодарить Ахматову, восстановляющую теперь достоинство человека: когда мы перебегаем глазами от лица к лицу и встречаем то тот, то другой взгляд, она шепчет нам: «Это — биографии». Уже? Ее слушаешь, как благовест; глаза загораются надеждою, и полнишься тем романтическим чувством к настоящему, в котором так привольно расти непригнетенному человеконенавистничеством духу[1].

XII

После всего написанного мне странно предсказать то, в чем я, однако, уверен. После выхода «Четок» Анну Ахматову, «ввиду несомненного таланта поэтессы», будут призывать к расширению «узкого круга ее личных тем». Я не присоединяюсь к этому зову — дверь, по-моему, всегда должна быть меньше храмины, в которую ведет: только в этом смысле круг Ахматовой можно назвать узким. И вообще ее призвание не в растечении вширь, но

---

1   Надобно вспомнить, что это писалось весною 1914 г. С тех пор история снова заполнила всю жизнь человечества такими жертвенными делами и такими роковыми, каких и видано прежде не бывало. И слава Богу, что люди, действительно, оказались беспредельно прекраснее, чем о них думали; это в особенности относится к тому, столь оклеветанному до войны, русскому молодому поколению, к которому принадлежат почти все рядовые и младшие офицеры нашей армии и которое, таким образом, выносит на себе светлое будущее России и мира. К Ахматовой надо отнестись с тем большим вниманием, что она во многом выражает дух этого поколения и ее творчество любимо им. — *Н.Н.*

в рассечении пластов, ибо ее орудия — не орудия землемера, обмеряющего землю и составляющего опись ее богатым угодьям, но орудие рудокопа, врезающегося в глубь земли к жилам драгоценных руд.

Впрочем, Пушкин навсегда дал поэту закон; его, со всеми намеками на содержание строфы, в которую он входит, я и приведу здесь:

> Идешь, куда тебя влекут
> Мечтанья тайные.

Такой сильный поэт, как Анна Ахматова, конечно, последует завету Пушкина.

«МИЛЫЙ ГОЛОС» «НЕЗАБВЕННОГО ДРУГА»

(Николай Недоброво и Анна Ахматова)

> Мы стих твой вырвем из забвенья
> И в первый русский вольный день
> В виду младого поколенья
> Возобновим для поклоненья
> Твою страдальческую тень.

Н. Огарев

> И, исполненный жгучего бреда,
> Милый голос как флейта звучит...

Анна Ахматова

Еще в 1974 году виднейший исследователь творчества Анны Ахматовой Р.Д. Тименчик соотнес образ «страдальческой тени» у Ахматовой с образом Н.В.Недоброво. Строфу из ахматовского стихотворения «Вторая годовщина», написанного 1 июня 1946 года, Р.Д. Тименчик снабдил таким реальным комментарием:

> Но мнится мне: в сорок четвертом,
> И не в июня ль первый день,
> Как на шелку возникла стертом
> Твоя страдальческая тень.

«Теневой силуэт Недоброво был необычайно красив, — зная это, он повесил в кабинете, где принимал гостей, сбоку от рабочего стола, парчовую занавеску, на которую падало отражение его профиля»[1]. Р.Д.Тименчик основывает свой комментарий на рассказе Татьяны Модестовны Девель, хорошо знавшей Недоброво в молодости. По мнению Тименчика, «страдальческая тень» — это ремини-

---

1 Тименчик Р.Д. Ахматова и Пушкин. Заметки к теме // Учёные записки Латвийского государственного университета им. Петра Стучки. Т. 215: Пушкинский сборник. Рига, 1974. Вып. 2. С. 52.

сценция из Пушкина, из шестой главы «Евгения Онегина» (о Ленском).

Так-то оно так, но всё же «страдальческая тень» принадлежит к тем «крылатым цитатам», которые можно найти у многих поэтов XIX века. В частности, приведенная в эпиграфе цитата из стихотворения Николая Огарева «Памяти Рылеева» дает не менее важное наполнение образа «страдальческой тени», позволяя соотносить его не только с Недоброво, но и с Гумилевым, что для Ахматовой было, по-видимому, важным, если вспомнить о подобной же двойной соотносимости «царскосельского лирического отступления» в «Поэме без героя».

Но нынче, когда имя Н.С. Гумилёва давно «вырвано из забвенья», настало время «возобновить для поклоненья» и поэзию Н.В. Недоброво.

Николай Владимирович Недоброво родился 1 сентября 1882 года в имении Раздольное Харьковской губернии. «Род Недоброво очень древний, от родоначальника рода Злобы до меня 11 поколений», — записал Н.В. Недоброво в своем дневнике. А в родословном древе Злобы Ивановича Пушкина можно найти немало именитых личностей: Якун (Михаил) Ратмин, посадник Новгородский, в монашестве Митрофан, Алекса (Горислав) Якунович, боярин новгородский, в монашестве Варлаам, чудотворец Новгородский, основатель Хутынского монастыря (1191 г.), Гавриил Алексеевич, боярин при Александре Невском, прославившийся в Невской битве, Григорий Александрович Пушка, родоначальник рода Пушкиных. Несомненно, Н.В. Недоброво гордился своей родовой связью с А.С. Пушкиным, — не отсюда ли берет начало его пожизненное преклонение перед великим поэтом, тот культ Пушкина, который от Недоброво унаследовала и Анна Ахматова?

Прадед Недоброво, Василий Александрович, генерал-майор, прославился своим знаменитым конным заводом, он-то и получил от Павла и Александра I те вотчины, в числе которых было и имение Раздольное, где родился наш герой. И дед, и отец его были людьми военными, но «военной косточки» Николай Владимирович не унаследовал. Зато от коннозаводчика-прадеда мальчику досталась любовь ко всему живому, особенно к птицам. Самой большой страстью юного Коли была орнитология, его ученические тетради пестрят рисунками глухарей, рябчиков, куропаток и выписками из ученых трудов по орни-

тологии. Никакого особого пристрастия к литературе у
юного Николая мы не находим; гимназические сочинения
его полны орфографических ошибок и очень редко оце-
ниваются выше 4-х баллов. В архиве будущего поэта от
этой поры остались юношеские дневники, ученические
тетради и один любопытный документ под названием
«Замечательный человек» (характеристика в повествова-
тельном изложении). Написанный сестрой одного из его
друзей-гимназистов, этот «документ» живо доносит до нас
черты характера шестнадцатилетнего Николая. Мы узнаем, что «Коля отличается необыкновенным пристрастием
к «Старой Англии» и ее жителям, а высший авторитет его
Чарльз Дарвин. Поставив свое «я» в середине небольшого
мирка вопросов естественной истории, прибавив сюда
кое-что по истории, географии и политике, ко всему
прочему на свете, к мировым религиозным и нравствен-
ным вопросам он остается совершенно равнодушен. Он
живет, не мудрствуя лукаво, занимаясь изучением строения птиц»[1].

Ни слова о литературной одаренности Недоброво мы
здесь не найдем. Как видно, в 16 лет его занимали совсем
другие вопросы. Любовь к «Старой Англии» и ее жителям
он сохранит надолго, и во время Англо-бурской войны все
его симпатии будут на стороне англичан и герцога Вел-
лингтона. Тут еще далеко до предсказаний, однако как не
обмолвиться, что с Англией тесно суждено будет переплес-
тись судьбам двух самых близких ему людей — Бориса
Анрепа и Анны Ахматовой. Своеобразная «англизирован-
ность» сохранится в облике Недоброво навсегда; совре-
менники не раз будут отмечать его подчеркнутый дендизм,
внешнюю подтянутость и чопорность (и даже «мимоз-
ность») при внутренней теплоте и нежности. Вот увлечен-
ная юным гимназистом девушка описывает его внешность.
Что же прежде всего она выделяет? «Но что особенно
обращает внимание в его лице — это его глаза. Под
красиво очерченными бровями находятся щёлочки с глазами, положительно щёлочки, потому что, особенно когда
Коля смеется, у него совсем не видно глаз, а видны только
небольшие яркие точки. При внимательном наблюдении
оказываются и глаза, серо-зеленые, с неуловимым выра-
жением. Улыбка большей частью не слетает с его дыша-

1 РО ИРЛИ. Ф. 201. № 43. Архив Н.В.Недоброво.

щего свежестью лица, и только иногда любит он придавать ему то немного мрачное, то трагическое выражение». Эту улыбку стоит запомнить[1].

Хотя литература как будто и не стояла в центре умственных интересов Недоброво, уже в дневнике 1897 года, когда автору едва исполнилось 15 лет, встречаем такую запись: «Я недавно основал в гимназии литературное общество» (запись от 14 ноября). Тяга к основанию разного рода обществ будет присуща Недоброво и в дальнейшем. В юности Николай был живым, эмоциональным, спортивным. В тот же день, когда появляется запись об основании литературного общества, он отмечает в дневнике: «Теперь еще нельзя кататься на коньках. Жаль! Я очень люблю этот спорт, как вообще и все другие спорты». Когда я показал в 1976 году эту выписку Т.М.Девель, она сказала: «Теперь, когда я с огромным удовольствием смотрю по телевизору великолепные танцы Пахомовой и Горшкова, я думаю, что Недоброво в наши дни мог бы стать чемпионом в этом виде спорта. Он так великолепно выполнял испанский прыжок!»

Предоставленный самому себе, в сущности, очень одинокий, (в дневнике почти нет упоминаний ни о родителях, ни о трех братьях), Недоброво занят исключительно анализом своих сердечных привязанностей. В этом смысле дневники Недоброво разительно отличаются от дневников его современника Александра Блока. В них нет никаких следов увлечения мистикой, философией да и новое искусство пока что проходит мимо внимания харьковского гимназиста. Он был и навсегда остался приверженцем и поклонником русских поэтов XIX века, среди которых его любимцами были Пушкин, Тютчев и Фет. Еще менее его волнуют вопросы общественной жизни: если он о них и задумывался, то эти мысли остались за пределами его дневника. Зато дневник переполнен записями о его бесконечных увлечениях. Недоброво как бы поставил себе задачу: постичь искусство любви во всех его тонкостях. Предмет его страсти то и дело сменяет имена, но неизменной остается жажда любви, сжигающая этого необыкновенного юношу.

20 ноября 1900 года в дневнике встречается первое упоминание об Анрепе. Так как этот человек имел исклю-

1   Там же.

чительное влияние в судьбе Недоброво, в его отношениях с Ахматовой, о нем стоит поговорить поподробнее.

Борис Васильевич Анреп (1883-1969) был человеком разносторонних дарований и блестящих способностей. Поэт, художник, мозаичист, он с детства был баловнем судьбы, и то, что Недоброво приходилось добывать с большим трудом, Борису как бы само давалось в руки. Недоброво испытывал к нему чувство искреннего восхищения, смешанного с изрядной долей зависти. «Божьей милостью гений», «Боря — великий писатель», — такие оценки Анрепа то и дело мелькают на страницах дневника Недоброво. И в то же время для их отношений характерна такая запись (4. XII. 05): «И эта перспектива нового курса душевной жизни вообще настраивает меня в сторону переоценки ценностей, и я готов переоценить Анрепа, разумеется, только как своего друга и как человека, способного к установлению отношений в моем стиле. Я сам не могу уяснить себе, в чем дело, но я ему сказал вчера: "Ты вообще каждую минуту готов меня предать". — "Да, и в этом трагедия наших отношений", — ответил он. Правда, трагедия».

Т.М.Девель, подруга детства Анрепа, коротко знакомая с обоими друзьями, не зная этой дневниковой записи, вспомнила, что Недоброво сказал ей однажды: «Борис — очень способный человек. И несмотря на нашу дружбу, он всегда вставлял палки в колеса моим целям и побеждал». О дружбе и соперничестве Недоброво и Анрепа надо упомянуть потому, что они имели решающее значение в отношениях их с Анной Ахматовой. Но об этом позже.

30 августа 1903 года Недоброво приехал в Петербург. Об этом читаем в его дневнике: «Наконец! Сегодня утром я приехал сюда и почти целый день проходил с Володей (братом. — М.К.) по Петербургу. По приезде сюда нашел здесь карточку Анрепа. Завтра пойду к нему».

Недоброво приехал в Петербург, чтобы продолжать обучение на историко-филологическом факультете Петербургского университета (первые два курса он проучился в Харькове).

Поразительно, как быстро Недоброво почувствовал себя своим в этом городе, словно жил в нем всю жизнь. Петербург идеально подошел к его характеру, привычкам и наклонностям. В 1903 году литературная жизнь в Петербурге была оживленной, новое поколение поэтов смело торило себе дорогу. Выходили новые журналы,

такие как «Мир искусства», «Новый путь». Еще будучи
харьковчанином, Недоброво делает попытку напечататься
в столичном журнале: посылает шесть стихотворений в
журнал «Вестник Европы», однако эта попытка успехом
не увенчалась. Поэтический дебют его состоялся значительно позднее — в 1913 году. Этому предшествовала
долгая систематическая работа над стихами, которые
Недоброво любил, по его выражению, «отделывать», по
многу раз возвращаясь к одним и тем же текстам, как
правило, датируя каждую правку. Несмотря на то, что до
1913 года Недоброво печатался редко, он постепенно
становится известным в петербургских литературно-худо-
жественных кругах. Но первый его дружеский круг в
Петербурге — это семейство Анрепов и их друзей, имею-
щих весьма косвенное отношение к литературе. Среди них
недавний провинциал быстро завоевывает популярность,
его стихи пользуются успехом, в основном, у дам, обра-
щающих, впрочем, больше внимания на внешние данные
молодого человека. Татьяна Модестовна Девель, с которой Недоброво познакомился как раз в это время, вспоминала, что Николай Владимирович уже мечтал о доме,
о семье и среди окружающих дам искал подходящую
подругу для будущей семейной жизни. 30 октября 1904
года он познакомился с Любовью Александровной Ольхиной, пышной петербургской красавицей, имевшей большие связи в светских и артистических салонах города. К
весне 1905 года знакомство переходит в нежную дружбу,
хотя значительная разница лет между ними смущала
Недоброво, о чем можно догадаться по его дневниковым
записям этого времени, относящимся к Ольхиной: «Мате-
ринские чувства к любовнику, сыновье к любовнице. В
нем из кокотки просыпается человек умный и сложный.
Он несколько стыдлив, робеет перед связью (что вообще
предстоит нешуточный роман и что надо лишать невин-
ности, что ему прежде не случалось». (18. II. 05). Свадьба
их состоялась 2 декабря 1908 года в Михайловском дворце
и запомнилась современникам небывалой пышностью.
Любовь Александровна окружила своего «мальчика» тро-
гательной заботой и вниманием. Она послужила прообразом Юдифи — героини одноименной трагедии, которую
Недоброво начал писать в это время и которая стала
«семейным произведением» этой супружеской четы.

Точная дата знакомства Недоброво с Анной Ахматовой
остается неизвестной. Хотя в 1926 году на вопрос ее

биографа Павла Лукницкого «Когда знакомство с Недоброво», Ахматова ответила: «До 1910»[1], никакими до-
кументальными свидетельствами на этот счет мы не рас-
полагаем. Впервые имя Ахматовой возникает в письме
Недоброво к Борису Анрепу от 29 октября 1913 года:
«Источником существенных развлечений служит для меня
Анна Ахматова, очень способная поэтесса»[2]. Познакомились они всё же, вероятно, несколько раньше. 4 апреля
1913 года в Петербурге состоялось первое заседание «Общества поэтов», на котором Александр Блок читал драму
«Роза и Крест». Председательствовал Недоброво, бывший
одним из основателей «Общества». Вслед за Блоком он
выступал с докладом «О связи некоторых явлений русского стихотворного ритма с дыханием». Сохранилось письмо
поэта А.Д. Скалдина к Анне Ахматовой от 1 апреля 1913
года, в котором он просит ее принять участие в первом
заседании общества и сообщить о возможности стать его
членом. В этом письме Скалдин сообщил Ахматовой и
адрес Недоброво. Вероятно, Ахматова присутствовала на
вечере 4 апреля (Владимир Пяст в своих воспоминаниях
пишет, что Ахматова не пропускала ни одного заседания
«Общества поэтов»). Поэтическая версия знакомства с
Н.В.Недоброво отыскивается в стихотворении Ахматовой
«Ждала его напрасно много лет...».

Известно, что Анна Ахматова нередко перепосвящала
свои стихи. Стихотворение «Ждала его...», на мой взгляд,
являет собой пример именно такого «перепосвящения».
Среди планов ахматовских книг, сохранившихся в ее
архиве (РНБ. Ф. 1073), есть план-перечень датирован-
ных стихов из сборника «Подорожник». Некоторые стихи
перепланированы автором таким образом, что составляют
новые циклы, биографически связанные с теми или ины-
ми адресатами. Так, римской цифрой IV Ахматова выде-
лила цикл из 15 стихотворений, посвященных Б.В. Анрепу. Адресация цикла ясна из первого стихотворения
«Бывало, я с утра молчу», откровенно названного «Акро-
стих» (Борис Анреп). Под № 33 (в составе цикла № 6)
значится стихотворение «Ждала его (?) 1918».

1 Лукницкий П.Н. Acumiana. Встречи с Анной Ахматовой. Париж; Москва, 1997. Т. II. С. 33.
2 Струве Г.П. Анна Ахматова и Николай Недоброво // Анна
   Ахматова. Сочинения. Paris: YMCA-Press. 1983. Т. 3. С. 383.

Знак вопроса, поставленный Ахматовой после названия стихотворения, по-видимому, выражает некоторое авторское сомнение по поводу правомерности включения его в цикл посвященных Анрепу стихов. Причины для сомнений у Ахматовой были. В «Подорожнике», где это стихотворение было напечатано впервые, оно датировалось 1916 годом.

Если прочитать стихотворение, отталкиваясь от даты его написания, время событий, описанных в нем, следует отнести к 1913 году:

> Ждала его напрасно много лет.
> Похоже это время на дремоту.
> Но воссиял неугасимый свет
> Тому три года в Вербную Субботу.

Если считать стихотворение написанным в 1918 году, как это делает Ахматова в «анреповском» цикле, то Вербная суббота 1915 года приходилась на 14 марта, а между тем, далее в стихотворении есть строка «Слегка хрустел апрельский тонкий лёд». Если же датировать стихотворение 1916 годом, то Вербная суббота в 1913 году приходилась на 6 апреля, то есть через день, когда состоялось первое заседание «Общества поэтов». Возможно, что, воспользовавшись письмом Скалдина и указанным в нем адресом Недоброво (Кавалергардская, 20, кв. 7), Анна Ахматова зашла «к поэту в гости» вечером перед Светлым Воскресением. Во всяком случае, «народ», который «шел со свечками» «за окном», направлялся, скорее всего, в Смольный монастырь, находящийся неподалеку от Кавалергардской улицы. Следует упомянуть еще и то, что в этом стихотворении упоминаются «белые нарциссы на столе» — поэтический атрибут, обычно в стихах Ахматовой связанный с Н.В.Н.

Знакомство быстро переросло в самую тесную дружбу. В письме от 27 апреля 1914 г. Недоброво делится с Анрепом своими размышлениями о внешности Ахматовой: «Попросту красивой назвать ее нельзя, но внешность ее настолько интересна, что с нее стоит сделать и леонардовский рисунок и генсборовский портрет маслом, и икону темперой, а, пуще всего, поместить ее в самом значущем месте мозаики, изображающей мир поэзии»[1]. Б.В.

---

1 Там же. С. 384.

Анреп, бывший мозаичистом по основному роду своей деятельности, осуществил это пожелание друга много лет спустя. В 1953 году он выполнил для Национальной галереи в Лондоне мозаику «Compassion», изображающую его «мысли об Анне Ахматовой во время блокады Ленинграда».

Следующее письмо Недоброво к Анрепу от 12 мая 1914 года свидетельствует о всё возрастающей близости его с Анной Андреевной, о чем он откровенно пишет любимому другу: «Через неделю нам предстоит трехмесячная, по меньшей мере, разлука. Очень это мне грустно. Лето мое начнется в начале июня. Я, вероятно, полностью проведу его в Крыму: мне хочется не иметь никаких обязанностей, даже лечебных, не иметь новых впечатлений, а, отдыхая телом на старых местах, писать побольше для того, чтобы развлекать Ахматову в ее «Тверском уединеньи» присылкой ей идиллий, поэм и отрывков из романа под заглавием «Дух дышит, где хочет» и с эпиграфом:

> И вот на памяти моей
> Одной улыбкой светлой боле,
> Одной звездой любви светлей»[1].

Упоминаемый Недоброво роман до нас не дошел, но его заглавие Ахматова использовала через много лет, поставив эпиграфом к одному из вариантов «Поэмы без героя». К 1914 году относится ахматовское «Завещание», в котором тоже звучит мотив «звезды любви»:

> Моих друзей любовь, врагов моих вражду,
> И розы желтые в моем густом саду,
> И нежность жгучую любовника — всё это
> Я отдаю тебе, предвестница рассвета.
>
> И славу, то, зачем я родилась,
> Зачем моя звезда, как некий вихрь, взвилась
> И падает теперь. Смотри, ее паденье
> Пророчит власть твою, любовь и вдохновенье.

А в другом стихотворении, обращенном не к Недоброво, Ахматова использует тот же подсказанный им образ:

---

1   Там же. С. 384—385.

> Но в путаных словах вопрос зажжен,
> Зачем не стала я звездой любовной...

Вообще творческих перекличек у Анны Ахматовой и ее старшего и более опытного друга можно обнаружить немало. Вряд ли мы бы догадались, к кому обращалась Ахматова в своих «Стихах о Петербурге», если бы Недоброво не ответил ей. Анна Ахматова писала:

> Ты свободен, я свободна,
> Завтра лучше, чем вчера, —
> Над Невою темноводной,
> Под улыбкою холодной
> Императора Петра.

Ответное стихотворение Недоброво было напечатано в издании, представляющем ныне библиографическую редкость («Невский альманах. Жертвам войны — писатели и художники». Пг., 1915. С. 47), поэтому стоит привести его полностью:

СВЕТЛОЕ ВОСКРЕСЕНИЕ ЧЕТЫРНАДЦАТОГО ГОДА

> Господень день. Ликуя, солнце пышет
> И плавит около сверкающую твердь.
> Так чудесами Канны воздух дышит,
> Что вот прозябнет и сухая жердь.

> Свободна ото льда и пароходов,
> Вся в тонких струйках искрится Нева
> И, пышно поделясь на рукава,
> Объемлет и, колебля в чистых водах,
> Лелеет радостные острова!

> А сердце полным роздыхом природы,
> Овеянным благословенным днем,
> Во мне расширено до той свободы,
> Что ничему теперь не тесно в нем.

> И сердцем той, кто без того свободна,
> Так радостно свободу подтвердить!
> Господь сошел весь мир освободить,
> И никакая жертва не бесплодна.

В жизни Недоброво именно 1914 год наиболее связан
с именем Ахматовой. Весной этого года он работал над
статьей о ее творчестве, однако напечатана была статья
только в 7-м номере «Русской мысли» за 1915 год. Отме-
тив в статье, что «у Ахматовой есть дар геройского
освещения человека», далее Недоброво в примечании,
написанном уже в дни войны, прямо связывал поэзию
Ахматовой с исторической достоверностью эпохи: «Надобно вспомнить, что это писалось весною 1914 г. С тех пор
история снова заполнила всю жизнь человечества такими
жертвенными делами и такими роковыми, каких и видано
прежде не бывало. И слава богу, что люди действительно
оказались беспредельно прекраснее, чем о них думали; это
в особенности относится к тому, столь оклеветанному до
войны, русскому молодому поколению, к которому принадлежат почти все рядовые и младшие офицеры нашей
армии и которое, таким образом, выносит на себе светлое
будущее России и мира. К Ахматовой надо отнестись с
тем большим вниманием, что она во многом выражает дух
этого поколения и ее творчество любимо им». Ту же мысль
о бессмертии каждого, попадающего в орбиту ахматовского творчества, развивает Недоброво и в шуточном стихотворении, написанном в ходе работы над статьей на полях
ее черновика:

> Не напрасно вашу грудь и плечи
> Кутал озорник в меха
> И твердил заученные речи...
> И его ль судьба плоха!
> Он стяжал нетленье без раздумий,
> В пору досадивши вам:
> Ваша песнь — для заготовки мумий
> Несравненнейший бальзам.

Однако сам Недоброво тоже «стяжал нетленье», ока-
завшись адресатом многих стихов Ахматовой.

Роль Недоброво в поэтическом становлении Анны Ахматовой состоит не только в том, что он предсказал в
своей статье будущее ее поэзии. Его значение многообраз-
нее и шире. Недоброво заботливо опекал и ласково на-
ставлял Ахматову, он изменил самую суть ее лирического
характера, сделал этот характер серьезнее и глубже.
Недаром в дневниковых записях последних лет Ахматова
отметила как важный факт своей биографии «беседы с Х.

о судьбах России». А происходили эти беседы в июне 1914 года под Киевом, в Дарнице, где Ахматова гостила на даче у матери вместе с Недоброво. Можно почти наверняка считать, что под буквой «икс» она зашифровала Недоброво. В результате этих бесед Ахматова пишет стихотворение «И в Киевском храме Премудрости Бога...», которое в автографе, подаренном ею П. Лукницкому, имеет посвящение Н.В.Н. Переживания героини этого стихотворения многократно усиливаются оттого, что они «вписаны» в контекст древней, но вечно живой истории «матери городов русских»:

И в Киевском храме Премудрости Бога,
Припав к солее, я тебе поклялась,
Что будет моею твоя дорога,
Где бы она ни вилась.

То слышали ангелы золотые
И в белом гробу Ярослав.
Как голуби, вьются слова простые
И ныне у солнечных глав.

И если слабею, мне снится икона
И девять ступенек на ней.
И в голосе грозном софийского звона
Мне слышится голос тревоги твоей.

В свое время, оглядываясь на прошлое «с башни» тридцатых годов, Бенедикт Лившиц писал: «... я вижу убегающую вдаль колоннаду — двойной ряд кариатид в расчесанных до затылков проборах, в стояче-отложных воротничках и облегающих талию жакетах. Лица первых двух я еще узнаю: это Недоброво и Мосолов. Те же, что выстроились позади, кажутся совсем безликими, простыми повторениями обеих передних фигур.

Сколько их было, этих безымянных Недоброво и Мосоловых, образовавших позвоночник «Бродячей Собаки»? Менялись ли они в своем составе, или это были одни и те же молодые люди, функция которых заключалась в «церебрализации» деятельности головного мозга? Кто ответит на этот вопрос?»[1]. Приведенная цитата показывает, что

1 Лившиц Б. Полутораглазый стрелец. Л.: Советский писатель, 1989. С. 517.

спустя всего немного десятилетий зрение очевидца Б. Лившица уже было затуманенным, иначе он не написал бы, что Недоброво был завсегдатаем «Бродячей собаки»: как известно из более достоверных источников, он в ней почти не бывал. Но, вместе с тем, ведь именно «безымянность» Недоброво позволила Лившицу сделать такое заведомо неверное утверждение. И возражения Лившиц встретил лишь в устах хорошо его знавшей Анны Ахматовой, которая ответила на заданный Лившицем вопрос о «функции» Недоброво в его эпохе по-своему. Ответила — своим творчеством вплоть до последних лет ее жизни. Недаром, подводя итоги судьбы, не зная о том, сколько ей осталось гостить на земле, Анна Ахматова записала в больничном своем блокноте нечто, похожее на запоздалое признание давно умершему другу своей «мятежной юности»:

«Ты! Кому эта поэма принадлежит на $3/4$, так как я сама на $3/4$ сделана тобой, я пустила тебя только в одно лирическое отступление (царскосельское). Это мы с тобой дышали и не надышались сырым водопадным воздухом парков («сии живые воды») и видели там 1916 г. (нарциссы вдоль набережной)

> ...траурниц брачный полет...»[1]

«А он, может быть, и сделал Ахматову» — такую реплику находим в книге Анатолия Наймана[2].

Поскольку Анна Ахматова не оставила сколько-нибудь развернутых воспоминаний о Недоброво, книга Наймана представляет особый интерес, в частности, в передаче устных рассказов Анны Андреевны. Мемуарист не утруждал себя проверкой источников, что, по-своему, тоже любопытно, потому что он повторяет те сведения, которыми обладала Ахматова, включая и ее неточности. Так, например, Найман, ничтоже сумняшеся, повторяет вслед за Ахматовой: «Он (Недоброво. — *М.К.*) умер в Крыму в 1919 году, 35-ти лет»[3]. Это не ошибка Наймана, а распространенное мнение, которого придерживалась и

---

1   Записные книжки Анны Ахматовой (1958-1966). Москва; Torino, 1996. С. 190.

2   Найман А. Рассказы о Анне Ахматовой. М.: Художественная литература, 1989. С. 84.

3   Там же. С. 85.

Ахматова. В её рабочей тетради 1962 года мы встречаем
такую, на первый взгляд странную, запись:

«Стр. 61 — о Недоброво (1884-1919)

Статья Ю.Л.Сазоновой-Слонимской о Недоброво, который был известен в Петербурге до революции как прекрасный критик и теоретик литературы, но был и интересным поэтом с философским уклоном». Это не что иное
как сокращенная выписка из книги Г.П.Струве «Русская
литература в изгнании»[1]. Для сравнения приведем весь
абзац, касающийся Недоброво, целиком: «Особо заслужи-
вает быть отмеченной не обратившая на себя в своё время
достаточно внимания посмертная трагедия в стихах
Н.В.Недоброво (1884-1919) на библейскую тему —
«Юдифь» (в том же номере журнала была напечатана
большая статья Ю.Л.Сазоновой-Слонимской о Недоброво,
который был известен до революции в Петербурге как
прекрасный критик и теоретик литературы, но был и
интересным поэтом с философским уклоном)». Тут всё
крайне любопытно. Во-первых, то, что уже к 1962 году
Ахматова была знакома с книгой Струве, бывшей тогда
запрещенной, а значит, могла и познакомиться с тем
номером «Русской мысли», где были напечатаны и статья
Сазоновой, и трагедия «Юдифь». Однако начало абзаца,
где речь идет о «Юдифи», Ахматова опускает, как будто
«Юдифь» вовсе ее не интересует. Ее волнует в солидном
западном источнике, каким и был на то время труд Г.П.
Струве, упоминание о Недоброво как о «прекрасном кри-
тике» и «интересном поэте с философским уклоном».
Никаких поправок и возражений к выписанному куску
текста Ахматова не делает, вслед за Сазоновой и за Струве
повторяя неверную дату рождения Недоброво — 1884 год.
Это говорит о многом и, прежде всего, о действительной
степени близости Ахматовой и Недоброво. И невольно
закрадывается в голову мысль: а не преувеличиваем ли
мы, вслед за позднейшей ахматовской интерпретацией
роли Недоброво в ее жизни, то, что имело место в
действительности тогда? Известен пристальный интерес
Ахматовой к возрастам своих любовников: «А сколько Вам
лет?» — таким был первый вопрос, заданный ею Артуру

---

1   Струве Г.П. Русская литература в изгнании: Опыт исторического обзора зарубежной литературы. Нью-Йорк: Изд-во имени
Чехова, 1956. С. 61.

Лурье[1]. Возможно, такой же вопрос она задавала и Недоброво. Но если Артуру Лурье, который был, по крайней мере, на два года моложе Ахматовой, было не слишком выгодно обнаруживать свой истинный возраст, то какой смысл было «молодиться» Николаю Владимировичу Недоброво? Ведь это делало его положение еще более двусмысленным в виду его неотлучной жены, бывшей намного старее его летами? Так что в вопросе о дате рождения Недоброво (а он родился 1 сентября 1882 года), Ахматова, зная эту дату, сознательно об этом умалчивает из одной ей ведомых соображений. Поразительно, однако, другое. Выписка из литературоведческого труда Г.П. Струве написана поверх собственного ахматовского текста, который, таким образом, превращается в палимпсест. А в этой «подтекстовой» записи звучит очень многое: и осуждение слишком академического тона Струве, и собственное, очень личное отношение к человеку, о котором пишет литературовед: «Трудно писать о нем и не впасть в его тон, трудно думать о нем и не слышать его интонацию. Анна»[2]. В этой «зазеркальной» записи, может быть, и кроется разгадка того, почему Анна Андреевна так и не написала воспоминаний о Недоброво, хотя в то же самое время очень много писала о Гумилёве. Но там у нее присутствовали особые тактические соображения: воскресить «самого непрочтенного поэта», как она называла своего первого мужа, и дать свою трактовку его творчества. Но Гумилёв хоть не был прочтен по-настоящему, существовал в сознании современников как отдельная достаточно весомая поэтическая величина, уже давно отделившаяся от Ахматовой настолько, что ей приходилось отстаивать свои права на некоторые посвящения ей стихов Н.С. Гумилёва, ибо находились конкурентки. С Недоброво ничего подобного не происходило. Его попросту не существовало — нигде, кроме как в памяти Ахматовой. По-видимому, она внутренне всю жизнь боролась с этой тенью, с человеком, который ее «сделал», голос которого она продолжала слышать и через много лет, так что, думая о нем, могла ненароком «впасть в его тон». Поэтому, хотя создание очерка о Недоброво было одной

---

1 Кралин М. Артур и Анна. Томск: Водолей, 2000. С. 24.
2 Записные книжки Анны Ахматовой (1958 — 1966). Москва; Torino, 1996. С. 204.

из ее жизненных задач и план такого очерка несколько
раз упоминается в набросках ее мемуаров, ничего более
или менее цельного о нем она так и не написала. Ей было
трудно освободиться от его тона и через много лет, а
писать чужим, хотя бы и дружеским голосом, она не
хотела.

Оставался другой выход: так называемые «пластинки»,
которые она систематически «наговаривала» друзьям, в
надежде, что те запомнят и донесут до потомков прежде
всего факты, изложенные ее ахматовским неповторимым
голосом и ее непререкаемым тоном. Друзья выполнили ее
задание, изложив в дальнейшем ее устные рассказы на
бумаге (разумеется, после смерти Ахматовой). Беда в
том, что эти рассказы иногда напоминают детскую игру в
«испорченный телефон». Образец такого творчества (пишу это слово без всяких кавычек) являет собой уже
упомянутая книга Анатолия Наймана, которая носит точное название «Р а с с к а з ы о Анне Ахматовой». На страницах этой книги мы находим замечательные фрагменты
её устной мемуарной прозы, которые в то же время
содержат столь существенные неточности, что, прежде
чем говорить об истинной истории отношений Ахматовой
и Недоброво, следует исправить некоторые неточности у
Наймана.

«...Ахматова ... рассказала такой эпизод. «В середине
10-х годов возникло общество поэтов «Физа», призванное,
в частности — как и некоторые другие меры, — для того,
чтобы развалить «Цех». Осип, Коля и я шли в гору, а что
касается «Цеха», то он должен был кончиться сам собой.
«Физа» было название поэмы Анрепа, прочитанной на
первом собрании общества в отсутствие автора, он находился тогда в Париже. Я оттуда взяла эпиграф «Я пою,
и лес зеленеет». Однажды туда был приглашен Мандельштам прочитать какой-то доклад. После доклада мы с
Николаем Владимировичем Недоброво, который поселился в то время в Царском, чтобы быть ближе ко мне,
поехали на извозчике на вокзал. Дорогой Недоброво
произнес: «Бог знает что за доклад! Во-первых, он путает
причастия с деепричастиями. А во-вторых, он сказал:
«Все двенадцать муз», — их все-таки девять».

Про Недоброво ко времени рассказа о «Физе» я уже
много знал от нее, читал его статью о ней, его стихи, к
ней обращенные, уже слышал: «А он, может быть, и
сделал Ахматову», — но тогда, произнеся его имя, она

нашла нужным подчеркнуть: «Он был первый противник
акмеизма, человек с Башни, последователь Вячеслава
Иванова». В ее фотоальбоме был снимок Недоброво,
сделанный в петербургском ателье в начале века. Тщательно — как будто не для фотографирования специально, а всегда — причесанный; с высоко поднятой головой;
с чуть-чуть надменным взглядом продолговатых глаз, которые в сочетании с высокими длинными бровями и
тонким носом с горбинкой делают узкое, твердых очертаний лицо «портретным»; строго одетый — словом, облик,
который закрывает, а не выражает сущность, подобный
«живому» изображению на крышке саркофага. Он выгля-
дит крепким, хотя и изящным, человеком, но грудь пока-
залась мне слишком стянутой сюртуком, а может быть,
просто узкой, а может быть, я обратил на это внимание,
потому что знал, что через несколько лет после этой
фотографии он умер от туберкулеза. Он умер в Крыму в
1919 году, 35-ти лет. Ахматова увиделась с ним в последний раз осенью 1916 года в Бахчисарае, где кончались
столько раз бежавшие им навстречу по дороге из Петербурга в Царское Село каменные верстовые столбы, теперь
печально узнанные ими, —

> Где прощалась я с тобой
> И откуда в царство тени
> Ты ушел, утешный мой!

Ахматова говорила, что Недоброво считал себя одной
из центральных фигур в картине, которая впоследствии
была названа «серебряным веком», никогда в этом не
сомневался, имел на это основания и соответственно себя
вел. Он был уверен, что его письма будут изданы отдель-
ными томами, и, кажется, оставлял у себя черновики.
Ахматова посвятила либо адресовала ему несколько
замечательных стихотворений и лирическое отступление
в «Поэме без героя», кончающееся:

> Разве ты мне не скажешь снова
> Победившее
>   Смерть
>   Слово
> И разгадку жизни моей? —

с выпавшей строфой:

> Что над юностью стал мятежной,
> Незабвенный мой друг и нежный —
> Только раз приснившийся сон, —
> Чья сияла юная сила,
> Чья забыта навек могила,
> Словно вовсе и не жил он.

«Н.В.Недоброво — царскосельская идиллия», — начала она одну заметку последних лет.

В 1914 году Недоброво познакомил Ахматову со своим давним и самым близким другом Борисом Анрепом. Вскоре между ними начался роман, и к весне следующего года Анреп вытеснил Недоброво из ее сердца и из стихов. Тот переживал двойную измену болезненно и навсегда разошелся с любимым и высоко ценимым до той поры другом, частыми рассказами о котором он в значительной мере подготовил случившееся»[1].

Я не случайно привел эту пространную цитату: здесь последний секретарь Ахматовой с любовью вспомнил то наиболее существенное, что рассказывала ему Анна Андреевна о Недоброво. А поскольку книга Наймана числится среди надёжных биографических источников, с нее и следует начать разговор. Хорошо, что Найман не исправляет неточностей рассказчицы (например, относительно продолжительности жизни Недоброво), но плохо то, что, передавая рассказы Анны Андреевны, он вносит в них неточности, заимствованные из других источников (к примеру, неверная дата знакомства Ахматовой с Анрепом взята явно из воспоминаний последнего).

Наиболее существенное в записи Наймана — упоминание об ахматовской заметке последних лет, которая начинается так: «Н.В.Недоброво — царскосельская идиллия». Невольно возникает вопрос: а была ли «идиллия» и если была, то сколько времени она продолжалась?

Видимо, самой Анне Андреевне, совсем не идиллически описавшей Царское в ее «Царскосельской оде» 1961 года, всё же хотелось представить свою царскосельскую молодость в виде идиллии. Вначале это словосочетание — «царскосельская идиллия» было определением ее отношений с Н.С.Гумилёвым. Она не противилась, когда ее

---

1 Найман А. Рассказы о Анне Ахматовой. М.: Художественная литература, 1989. С. 83—85.

ближайшая подруга В.С.Срезневская назвала свои воспоминания о ней и о Гумилёве «Дафнис и Хлоя». Но потом Ахматова, видимо, поняла, что осталось слишком много свидетелей их отношений, вроде С.К. Маковского, которых невозможно было заставить подчиниться даже ее, Ахматовой, воле. И тогда она решила перенести желанную для ее женского сердца идиллию на отношения с Недоброво, который, хотя и жил в одно время с Гумилёвым, но был забыт современниками столь прочно, «словно вовсе и не жил он». Недостаточность документальных свидетельств, связанных с именем Недоброво, давала Ахматовой большую свободу в обращении с фактами. Подчеркивая неоднократно важную роль Недоброво в становлении ее как поэта, Ахматова, похоже, мало заботилась о сохранении документов, связанных с его именем. Во всяком случае, письма Недоброво, к ней обращенные, она сожгла в 1949 году, когда в этом как будто не было особой надобности. Что касается ее собственных писем к нему, об их судьбе достоверно ничего не известно. По-видимому, они, как и большая часть архива Недоброво, оставались в его царскосельской квартире. Квартира не была разграблена, как думала Л.А.Недоброво: во всяком случае, немалая часть архива была спасена, взята на учет и впоследствии составила фонд Недоброво в Пушкинском Доме. Но в этом фонде отсутствуют важнейшие материалы, связанные именно со временем дружбы Недоброво с Ахматовой, в частности, его переписка и дневник последних лет. Сама Анна Андреевна подозревала, что к исчезновению этих документов приложил руку Э.Ф. Голлербах; так это или не так, сказать трудно. Во всяком случае, Ахматова, по-видимому, не слишком стремилась к сохранению того, что можно было еще сохранить. Что мешало ей предпринять попытки к спасению царскосельского архива Недоброво?

Ведь после того, как в 1920 году Ахматова узнала о его смерти, она не раз бывала в Царском, жила там подолгу и могла бы навестить опустевшую квартиру Николая Владимировича. Но ни о чем подобном нам не известно. Не странно ли, что, ценя Недоброво, как автора лучшей статьи о ее творчестве, она никогда не упоминала о его стихах. Что касается трагедии «Юдифь», то от знакомства с ней она уклонялась, похоже, вполне сознательно. Да и саму знаменитую статью она не всегда держала в поле зрения. По свидетельству Л.К.Чуковской, она перечитывала ее в 1940 году, непосредственно перед началом работы над «Поэмой без героя». Но следующее ее «знакомство» с этой статьей произошло только в 1963 году. Тогда С.К. Островская подарила ей экземпляр статьи, перепечатанной на машинке, и запомнила такой благодарственный отзыв Ахматовой: «Спасибо, Вы подарили мне кольцо с алмазом». Именно тогда, в последние годы жизни, она заново оценила Недоброво, признала, что он ее «сделал» как поэта. Видимо, тогда она и обдумывала концепцию «царскосельской идиллии». Но дальше отдельных заметок о Недоброво в ее рабочих тетрадях и «пластинок», наговоренных друзьям, дело не пошло, — что-то ей, видимо, мешало. Но что? Может быть, недостаток документальных свидетельств? А может быть, те, что всё же обнаруживались время от времени, вызывали чувство досады? В.А. Знаменская вспоминала о том, что, когда она решилась в 1965 году познакомить Ахматову с личными письмами Николая Владимировича, обращенными к ней, она почувствовала, что в Анне Андреевне шевельнулось что-то вроде ревности. Вдова племянника Николая Владимировича, известного сценариста В.В. Недоброво, актриса В.С. Бужинская рассказывала мне о том, что когда, безутешная от тоски по умершему мужу, зашла к Ахматовой, она ей сказала: «Я жду из-за границы архив Николая Владимировича». Это было уже после встречи Анны Андреевны с Б.В. Анрепом в Париже, встречи, мучительной для обоих, несомненно, всколыхнувшей память об их общем друге. Возможно, Б.В. Анреп тогда пообещал передать Ахматовой имевшиеся у него материалы о Недоброво, в частности, рукописный сборник его стихов. Но смерть помешала Ахматовой осуществить ее замысел — написать мемуарную новеллу о Недоброво. Вот почему мы вынуждены опираться на записи Наймана, конспективно передающие неосуществленный замысел Ахматовой.

Не все друзья Анны Андреевны верили в «царскосельскую идиллию». Так, Надежда Яковлевна Мандельштам весьма язвительно написала в своей «Второй книге» об устных мемуарах Ахматовой, которые казались ей старческими фантазиями: «Ахматова говорила, что, не будь революции, она скорее всего не развелась бы с Гумилёвым, но заняла бы флигель во дворе и там собирала у себя друзей и активно вела «литературную политику». Для меня, подруги неистовой бродячей Ахматовой, эта дама

во флигеле гумилевского дома почти невообразима. Боюсь, что там бы заправлял Недоброво, который отучил бы
ее от возмутительного жеста рукой о коленку...»[1].

Интересно, что в этой цитате имена Гумилева и Недоброво опять перекрещиваются. Видимо, каждый из них
был по-своему дорог Ахматовой, но чаемой «царскосельской идиллии» не случилось ни с тем, ни с другим.
Почему? Ответ на этот вопрос в какой-то мере дают
записи разговоров П.Н.Лукницкого с Ахматовой. Они
были сделаны в 20-х годах, когда события, связанные с
Гумилевым и Недоброво, не были еще сглажены в душе
поэта неумолимым «бегом времени». Старые раны не были
еще залечены, и порой Ахматова позволяла себе откровенности, приподымающие завесу над ее глубоко интимной жизнью. Так, в записи от 15.03.1925 года в «долгом
разговоре о ненависти» Ахматова, не называя имени,
рассказала о главном предмете своей ненависти:

«Рассказывает, что сама только раз в жизни ненавидела, но эта ненависть была полной, всезахватывающей.
Предметом ненависти была дама положения общественного такого — на грани буржуазии и аристократии. Вид
у нее был вдовствующей императрицы, она в военное
время была сестрой милосердия, была богата. Очень
любила говорить, что в нее влюблен миллиардер и что она
ему отказала. Миллиардер такой действительно был, после революции он ее даже устроил за границу (?). Кажется, этот миллиардер заведовал картонным заводом что
ли... Ненависть была обоюдной и одинаково острой как с
той, так и с другой стороны. Но они целый год встречались...

У этой дамы были причины ненавидеть А.А.»[2]. Хотя
эта запись никак не комментирована, позволю себе высказать предположение, что в ней речь идет о Любови
Александровне Недоброво. Жена Николая Владимировича была на 7 лет старше своего мужа и на 14 лет старше
Ахматовой. Перед этой великолепной светской дамой
Ахматова выглядела девчонкой. Анна Андреевна говорила
Найману, что «Недоброво поселился в Царском, чтобы
быть ближе ко мне». Так-то оно может и так, но поселил-

1 Мандельштам Н. Вторая книга. 4-е изд. Париж, 1987. С. 509.
2 Лукницкий П.Н. Acumiana. Встречи с Анной Ахматовой. 1924-
   1925 гг. Paris: YMCA-Press, 1991. Т. I. С. 60.

ся ведь не один, а с женой, которую он нежно любил и, как вспоминает Ю.Л.Сазонова-Слонимская, «полушутя называл «императрицей». В разговорах с Лукницким Ахматова обронила такую фразу: «Недоброво две зимы в Ц.С. жили»[1]. Заметим, что Ахматова сказала «жили», а не «жил». Недоброво и его жена для нее неразделимы, и это одно уже делало «царскосельскую идиллию» невозможной.

Любовь Александровна была женщиной что называется с большими связями, имела широкий круг знакомств в артистическо-художественной среде. На ее царскосельской квартире регулярно устраивались светские рауты, где бывала и Ахматова (на одном из таких раутов в 1914 году с ней познакомилась В.А.Знаменская). Последняя вспоминала, возможно, со слов Любови Александровны, что Ахматова говорила: «Как может быть женой такого человека, как Николай Владимирович, женщина, литературные вкусы которой не идут дальше Надсона?» В свою очередь жена Недоброво со страшным возмущением говорила ей, что Ахматова не дает прохода ее мужу и даже заразила его туберкулезом. Надо сказать, что Недоброво, любя Ахматову, оставался глубоко преданным своей жене, и этого она никогда не могла ему простить. Ревность, доходящая до взаимной ненависти, проникала даже в стихи:

> Прекрасных рук счастливый пленник...
>
> (1913)

> Один и сейчас живой,
> В свою подругу влюбленный...
>
> (1914)

> И на медном плече кифареда
> Красногрудая птичка сидит...
>
> (1915)

За этими, внешне вполне невинными строчками, крылся намек, понятный Николаю Владимировичу: противоестественная любовь матери к сыну, отраженная в трагедии Анненского «Фамира Кифаред», проецировалась в

---

1 Там же. С. 209.

этом стихотворении, адресованном Н.В.Н., на его отношения с женой, в тайну которых имел неосторожность посвятить Ахматову Недоброво. В.А. Знаменская вспоминала, что Любовь Александровна со страшным возмущением говорила ей о том, что Ахматова интересуется подробностями ее интимных отношений с Николаем Владимировичем... Даже в поминальном стихотворении 1936 года Ахматова не могла удержаться от ревнивого воспоминания:

> Одни глядятся в ласковые взоры...
>
> (1936)

Не от этой ли неугасимой ревности родилось негативное отношение Ахматовой ко всем женам поэтов, включая и Наталью Гончарову? Она все-таки вынуждена была соблюдать видимость приличий и «целый год» встречаться с Любовью Александровной. «Две зимы» — это зимы 1914/15 и 1915/16 годов. Если вспомнить страницы из книги Наймана, то получается, что «в 1914 году Недоброво познакомил Ахматову со своим давним и самым близким другом Борисом Анрепом. Вскоре между ними начался роман, и к весне следующего (то есть 1915. — *М.К.*) года Анреп вытеснил Недоброво из ее сердца и из стихов». Тут для «царскосельской идиллии», о которой Найман упоминает чуть ранее, и вовсе не остается места. А на самом деле всё было не так. В первую зиму Ахматова и вовсе не была знакома с Анрепом. Недоброво познакомил ее со своим ближайшим другом только год спустя, о чем свидетельствует запись Ахматовой в одной из ее рабочих тетрадей: «С Анрепом я познакомилась в Великом Посту в 1915 в Царском Селе у Недоброво (Бульварная)»[1]. «Вытеснил ли Анреп из ее сердца Недоброво», как о том пишет Найман? Сказать это трудно — для этого надо было бы знать, что тогда творилось в ее сердце. Думаю, что Ахматова просто устала бороться с Любовью Александровной, вернее, поняла бесполезность этой борьбы. Для Недоброво, и всегда-то слабого здоровьем, страдающего малокровием, осложненным начавшимся в 1915 году процессом в легких, жена была всем: матерью, сиделкой,

---

1 Записные книжки Анны Ахматовой (1958-1966). Москва; Torino, 1996. С. 285.

спутницей в его частых поездках по заграничным курортам.

К тому же, с началом войны 1914 года Недоброво, по свидетельству Сазоновой-Слонимской, наложил на себя «мораторий до окончания войны, т.е. отказавшись от всякой личной жизни, ото всякой личной радости». В сложившейся ситуации Ахматовой оставалась лишь интеллектуальная дружба с человеком, который в ее «донжуанском списке», продиктованном Лукницкому, числился как любовник[1]. Этого было для нее мало, и она в лице Анрепа рассчитывала, видимо, найти себе замену, но просчиталась. По его собственному признанию, Анреп, относясь к Ахматовой коленопреклоненно, как к иконе, был совершенно равнодушен к ней как к женщине. Вытеснил ли Анреп Недоброво из ее стихов? Достаточно перелистать страницы лучшего сборника Ахматовой «Белая стая» (1917), чтобы убедиться, что это не соответствует действительности. «*Есть в близости людей заветная черта...*» (2 мая 1915); «*Нам свежесть слов и чувства простоту...*» (23 июня 1915); «*Как невеста получаю...*» (октябрь 1915); «*Ведь где-то есть простая жизнь и свет...*» (23 июня 1915); «*Всё мне видится Павловск холмистый...*» (осень 1915); Царскосельская статуя (октябрь 1916); «*Вновь подарен мне дремотой...*» (октябрь 1916); «*И в Киевском храме Премудрости Бога...*» (1915). Может быть, количественно они уступают стихам, посвященным Анрепу, но качественно, пожалуй, превосходят их, — каждое из них — шедевр русской лирики и просится на страницы антологии.

С Анрепом в 1915 году Ахматова виделась всего три дня, П.Н. Лукницкий записал с ее слов: «1915, Вербная суббота. У друга (Недоброво. — *М.К.*) — офицер Бор. Вас. Анреп. Импровиз. стихов. Вечер; потом еще два дня, на третий день он уехал. Его провожала на вокзал. Стихотворение в «Белой стае». Осенью пятнадцатого года приезжал, но не виделся с А.А.».

Уже на третий день Ахматова написала стихотворение, в котором без малейшего самообмана предсказала развитие событий в этом затеянном ею, но явно неудавшемся романе:

---

1 Лукницкий П.Н. Acumiana. Встречи с Анной Ахматовой. Париж: YMCA-Press; Москва: Русский путь, 1997. Т. II. С. 285.

Я улыбаться перестала,
Морозный ветер губы студит,
Одной надеждой меньше стало,
Одною песней больше будет.
И эту песню я невольно
Отдам на смех и поруганье,
Затем, что нестерпимо больно
Душе любовное молчанье.

Повышенное внимание Ахматовой к его другу не могло остаться незамеченным Недоброво. Анреп и раньше нередко оказывался его счастливым соперником.

Впрочем, в данном случае условия игры, похоже, диктовал сам Недоброво. Целый год в письмах к другу он на все лады расхваливал Ахматову и ее поэтический талант, послал Анрепу «Четки», словом, всячески разжигал интерес друга к его поэтическому кумиру. В свою очередь, он показывал письма Анрепа Анне Андреевне, и на нее произвела большое впечатление фраза из письма Бориса Васильевича, которую она запомнила на всю жизнь. («О "Четках" (1914 г.) Борис Васильевич Анреп написал своему другу Николаю Владимировичу Недоброво: "Она была бы — Сафо, если бы не ее православная изнеможденность"»)[1]. Впоследствии Анреп подарил Ахматовой «старинное издание Сафо», и эту книгу с его надписью Анна Андреевна очень берегла».

Порой создается впечатление, что Недоброво, прекрасно зная страстную натуру своего друга и еще более пылкий темперамент Ахматовой, заранее готовил почву для их сближения. Для чего? Уж не для того ли, чтобы сознательно умалиться, перейдя из роли любовника на роль «друга»? Может быть, двусмысленность положения обожаемого мужа и не менее обожаемого любовника в узком царскосельском кругу его тяготила. Или Ахматова не могла понять и принять его «мораторий»? Всё это остается пока в области догадок, но, во всяком случае, с 1915 года он перестает посвящать ей стихи, хотя она продолжает это делать.

Могут задать вопрос: а как могла Анна Ахматова променять «аристократа до мозга костей» (по ее собственному определению), тонкого и нежного Недоброво на

1 Записные книжки. С. 285.

брутального, не блещущего ни красотой, ни аристократическими манерами мужлана Анрепа?

О Борисе Васильевиче Анрепе мы знаем и того меньше, чем о Недоброво. Пример неточного и вульгарного портрета этого человека дает Алла Марченко в своем труде, именуемом в аннотации «автобиографическим романом»: «Борис Васильевич фон Анреп, правовед по образованию, увлекся живописью и, чтобы переменить судьбу, в 1908 году уехал из Петербурга в Париж на постоянное жительство. Овладев секретами византийских мозаик, стал профессиональным художником. Добился признания, а со временем и крупных заказов. Писал Анреп и стихи, правда, весьма топорные, умом не блистал, зато умел значительно молчать, не скупясь тратил командировочные червонцы и на лихачей, и на рестораны. Необычайно высоким ростом, жизнерадостностью, неистребимым донжуанством, странной смесью беззаботной отваги и практичности Борис Васильевич фон Анреп напоминал Анне отца, такого, каким Андрей Антонович Горенко был в ее ранние детские годы...»[1]

Лихость Аллы Марченко, дописывающей за Ахматову ее несуществующий «автобиографический роман», граничит с пошлостью.

Во-первых, Анреп отказался от приставки «фон» задолго до встречи с Ахматовой (эту приставку сохранила до конца жизни его жена, Юния Павловна фон Анреп, а вот ее-то приставки «фон» А. Марченко почему-то лишает, да еще пишет: «Юния Анреп — первая (оставшаяся в России) жена Б.В. фон Анрепа»[2]. На самом деле Юния Павловна вскоре после Октябрьской революции навсегда покинула Россию. Стихи Анрепа Марченко именует «весьма топорными». А вот сама Анна Ахматова и Вячеслав Иванов, высоко оценивший поэму Анрепа «Физа», думали иначе. Алле Марченко откуда-то известно, что Анреп «умом не блистал, зато умел значительно молчать». Всё поведение Бориса Васильевича в жизни и его титаническая работа в искусстве свидетельствуют о беззаветной храбрости, рыцарстве и благородстве. Человек, который сумел обрести европейскую известность как мастер моза-

1 Ахматова А. Серебряная ива / Сост. А. Марченко. М.: ЭКСМО-Пресс, 1999. С. 211.
2 Там же. С. 226.

ичного портрета, прожить в XX веке 86 лет и на закате
жизни написать пронзительные до боли воспоминания о
двух самых дорогих для него людях — Анне Ахматовой и
Николае Недоброво, был не просто умен, он был умудрен
жизнью.

Алла Марченко усматривает в отношениях Ахматовой
к Анрепу скрытый эдипов комплекс. Она обнаружила
сходство Анрепа с отцом Анны Андреевны на основании
общего для них «необычайно высокого роста» (заметим,
однако, что Недоброво был ничуть не ниже). Но Андрей
Антонович Горенко на дух не переносил стихов дочери,
насмешливо дразня ее «декадентской поэтессой», а Борис
Васильевич Анреп полюбил в ней прежде всего ее Музу,
что перевело их отношения в совершенно особый план. В
письме к В.А. Знаменской от 14 мая 1967 года он так
вспоминал об этом: «Преклонение перед ней, стремление
к ее близости было полно счастья религиозно-эротическо-
го чувства, она остается в моем существе неприкосновен-
ной — как икона — верующему. И это не являлось для
меня препятствием близости, но проникало в самую суть
моих отношений к ней и одевалось в упоительную радость
— в ее поэзию. Полное отсутствие каких-либо желаний
телесной близости с моей стороны сохранило мои чувства
к А.А. на особом плане, отчасти литературном»[1]. Кто
знает, может быть именно такое отношение и было для
Ахматовой (во всяком случае, для поэтической части ее
натуры) «великой земной любовью».

Поток стихов, обращенных к Анрепу, как будто под-
тверждает нашу догадку. «Царевич», нагаданный в поэме
«У самого моря», наконец-то воплотился в образ реального
человека, отодвинув тех, кто был до него, на вторые роли
(Гумилева — на роль «товарища», Недоброво — на роль
«друга»).

> Широк и желт вечерний свет,
> Нежна апрельская прохлада.
> Ты опоздал на много лет,
> Но все-таки тебе я рада.
>
> Сюда ко мне поближе сядь,
> Гляди веселыми глазами:

1 РНБ. Ф. 1088. Оп. 1. № 4.

Вот эта синяя тетрадь —
С моими детскими стихами.

Прости, что я жила скорбя
И солнцу радовалась мало.
Прости, прости, что за тебя
Я слишком многих принимала.

(Июль 1915)

Последние строки говорят о многом. За чаемого «жениха» она действительно принимала многих, в том числе и Недоброво. В стихотворении «Милому», написанном 27 февраля 1915 года (за две недели до встречи с Анрепом), она называет «женихом» Н.В.Н., которому это стихотворение было посвящено:

Серой белкой прыгну на ольху,
Ласочкой пугливой пробегу,
Лебедью тебя я стану звать,
Чтоб не страшно было жениху
В голубом кружащемся снегу
Мертвую невесту поджидать.

В другом стихотворении, посвященном Н.В.Н., написанном уже после встречи с Анрепом, в октябре 1915 года, слово «невеста» повторяется (но уже в сравнении), а «жених» становится «другом»:

Как невеста получаю
Каждый вечер по письму,
Поздно ночью отвечаю
Другу моему.

Кульминация романа с Анрепом — 1916 год. Об этом Ахматова рассказывала Лукницкому так: «Следующая встреча в конце января шестнадцатого года, январь-февраль. Обеды в ресторанах, возил, катался. (Приехал так: телефон друга, пришли. 10 марта — «Pirato» и по дороге назад — стихотворение»[1]. А сам Анреп в своих воспоминаниях «О черном кольце» нарисовал правдивую картину

---

1 Лукницкий П.Н. Acumiana. Встречи с Анной Ахматовой. Т. I. С. 82.

того, что произошло 13 февраля 1916 года, когда все
участники этой драмы в последний раз собрались вместе.
Позволю себе процитировать это место из мемуаров Анрепа полностью, потому что оно, на мой взгляд, имеет
исключительно важное значение:

«В начале 1916 года я был командирован в Англию и
приехал с фронта на более продолжительное время в
Петроград для приготовления моего отъезда в Лондон.
Недоброво с женой жили тогда в Царском Селе, там же
жила А.А. Николай Владимирович просил меня приехать
к ним 13 февраля слушать только что законченную им
трагедию «Юдифь». «Анна Андреевна тоже будет», добавил он. Вернуться с фронта и попасть в изысканную
атмосферу царскосельского дома Недоброво, слушать
«Юдифь», над которой он долго работал, увидеться опять
с А.А. было очень привлекательно. Н.В.приветствовал
меня, как всегда, радушно. Я обнял его и облобызал и тут
же почувствовал, что это ему неприятно: он не любил
излияний чувств, его точеная, изящная фигура съежилась
— я смутился, Любовь Александровна (его жена) спасла
положение, поцеловала меня в щеку и сказала, что пойдет
приготовлять чай, пока мы будем слушать «Юдифь». А.А.
сидела на диванчике, облокотившись, и наблюдала с
улыбкой нашу встречу. Я подошел к ней, и тайное волнение объяло меня, непонятное болезненное ощущение. Я
их испытывал всегда при встрече с ней, даже при мысли
о ней, и даже теперь, после ее смерти, я переживаю
мучительно эти воспоминания. Я сел рядом с ней.

Н.В. открывал рукопись «Юдифи», сидя за красивым
письменным столом чистого итальянского ренессанса, с
кручеными фигурными ножками: злые языки говорили,
что Н.В. женился на Л.А. из-за ее мебели. Правда, Н.В.
страстно любил всё изящное, красивое, стильное, техни-
чески совершенное. Он стал читать: Н.В. никогда не пел
своих стихов, как большинство современных поэтов; он
читал их, выявляя ритм, эффектно модулируя, ускоряя и
замедляя меру стихов, подчеркивая тем самым смысл и
его драматическое значение. Трагедия развивалась медленно. Несмотря на безукоризненное стихосложение и его
прекрасное чтение, я слушал, но не слышал. Иногда я
взглядывал на профиль А.А., она смотрела куда-то вдаль.
Я старался сосредоточиться. Стихотворные мерные звуки
наполняли мои уши, как стуки колес поезда. Я закрыл
глаза. Внезапно что-то упало в мою руку: это было черное

кольцо. «Возьмите, — прошептала А.А. — Вам». Я хотел что-то сказать. Сердце билось. Я взглянул вопросительно на ее лицо. Она молча смотрела вдаль. Я зажал руку в кулак. Недоброво продолжал читать. Наконец кончил. Что сказать? «Великолепно». А.А. молчала, наконец промолвила с расстановкой: «Да, очень хорошо».

Н.В. хотел знать больше. «Первое впечатление замечательной силы».

Надо вчитаться, блестящее стихосложение, я хвалил в страхе обнаружить, что половины я не слыхал. Подали чай. А.А. говорила с Л.А. Я торопился уйти. А.А. осталась»[1].

Как все-таки замечательно, что Борис Анреп не унес с собой этих воспоминаний, а оставил их нам! При всей их непритязательности они дают очень точную психологическую картину происходящего, позволяют заметить в нем то, что, возможно, не замечал тогда и он сам, занятый в основном собой и своими переживаниями. Надо думать, что этот день, тринадцатое февраля, был не слишком счастливым для Анны Ахматовой. Ведь она должна была присутствовать на торжестве своей соперницы, жены Недоброво, которую смертельно ненавидела. Любовь Александровна в воспоминаниях Анрепа проходит на заднем плане (разливает чай), но на самом деле — именно она торжествует, это её день, ведь Николай Владимирович читает их семейное произведение, их совместное литературное дитя, трагедию, прообразом героини которой послужила она, Любовь Александровна. А она, Ахматова, вынуждена присутствовать при этом торжестве соперницы да еще и хвалить злосчастную трагедию! Что для нее могло быть унизительней!

Надо отдать должное ее выдержке: она мужественно терпит эту пытку и даже ведет с Любовью Александровной светскую беседу и чай пить остается со счастливыми супругами. Николай Владимирович, положим, ничего не понимал в тонкостях этой психологической дуэли, но тем хуже для него! Анна Андреевна в целях самозащиты делает ответный ход — дарит кольцо его ближайшему другу Анрепу, дарит ему свою душу, истерзанную пыткой ревности. Это ее женская месть Николаю Владимировичу.

1 Анреп Б. О черном кольце // Анна Ахматова: Сочинения. Paris: YMCA-Press, 1983. Т. 3. С. 441.

А чтобы он не сомневался в поэтической реальности ее поступка, она пошлет ему, уже больному и обреченному, в 1917 году, свою «Сказку о черном кольце», заставив его пережить примерно те же чувства, которые пришлось испытать ей при чтении «Юдифи». Оценить поэтические достоинства последней ей помешала ненависть к прообразу героини трагедии. Даже почти полвека спустя, во время последнего разговора с Анрепом в Париже опять всплывают старые счеты и открываются казалось бы зажившие раны. «А где похоронена Любовь Александровна?» — «Похоронена на кладбище в Сан-Ремо». — «Вы знаете, — сказала А.А. после минуты молчания, — я никогда не читала «Юдифи» Недоброво»[1]. Вслед за вопросом о могиле ненавистной ей женщины Ахматова переключается на посвященную ей трагедию «Юдифь» и считает нужным уведомить Анрепа, что она никогда ее не читала. Никогда? Позволим себе не поверить Анне Андреевне в данном случае — уж слишком часто в ее стихах встречаются переклички с «Юдифью» и даже цитаты из трагедии. Например, в стихотворении 1925 (?) года, посвященном тому же Анрепу, первая строка — «Я именем твоим не оскверняю уст» — это цитата из «Юдифи». Конечно, Анна Ахматова могла запомнить какие-то строчки в процессе того слишком памятного ей чтения Недоброво 13 февраля 1916 года, но, зная характер их отношений и степень их духовной близости, трудно себе представить, что Николай Владимирович не познакомил Ахматову с рукописью своего любимого литературного детища.

Вернемся еще раз к воспоминаниям Наймана. Он пишет о Недоброво (якобы со слов Ахматовой): «Тот (Недоброво. — *М.К.*) переживал двойную измену болезненно и навсегда разошелся с любимым и высоко ценимым до той поры другом...»[2] Однако сам Анреп, как явствует из его воспоминаний о Недоброво, опубликованных много лет спустя после его смерти, думал иначе. Вот как он закончил свой очерк: «В последний мой приезд в Петроград я с глубокой скорбью узнал, что Недоброво

---

1 Анна Ахматова: Сочинения. Paris: YMCA-Press, 1983. Т. 3. С. 451.
2 Найман А. Рассказы о Анне Ахматовой. М.: Художественная литература, 1989. С. 85.

заболел туберкулезом и что он увезен в Крым. Я был в отчаянии и написал ему дикое письмо, из которого помню только одну фразу. Дикую, непростительную, «беззащитную», как сказал бы Вячеслав Иванов, который позже виделся с Н.В. в Крыму:

— Дорогой, не умирай, ты и А.А. для меня вся Россия.

Уехав обратно в Англию с английскими генералами, я позже узнал о ранней смерти Н.В. в Крыму, а также о кончине Любови Александровны в Сан-Ремо.

Смерть Недоброво потрясла меня. От лица, близко знавшего Н.В., я в дальнейшем и через много лет узнал, что в последние годы своей жизни Недоброво перестал чувствовать дружеское расположение ко мне из-за ревности к А.А.А. Я никогда не подозревал этой перемены в нем, не имевшей никаких оснований. Мое преклонение перед Ахматовой было исключительно литературное и платоническое»[1].

Никаких документальных свидетельств об охлаждении дружеских отношений Недоброво к Анрепу в 1915-1916 годах не сохранилось. Да и было ли оно в действительности? Может быть, Анна Ахматова свое охлаждение к Анрепу, которое проявилось и в стихах, выдала за отношение Николая Владимировича? Последний, если и страдал, то ни в стихах, ни в письмах своих страданий не обнаружил. Похоже, в это время его занимали совсем другие проблемы. Но мы имеем в 1916 году надежный документальный источник, свидетельствующий скорее о дружеских чувствах, объединяющих всех троих, нежели об обратном. Я имею в виду «Альманах Муз», на страницах которого были напечатаны стихи Ахматовой, Анрепа и Недоброво. «Альманах» был издан Евгением Лисенковым, идейным противником акмеизма, однако это не помешало Ахматовой поместить стихи в чужом ей, в общем-то издании. Поэма Анрепа «Человек», напечатанная в «Альманахе», была дорога Ахматовой — эпиграф из этой поэмы взят ею для цикла «Эпические мотивы». Недоброво среди прочих стихов опубликовал и адресованное Ахматовой «С тобой в разлуке от твоих стихов» — без посвящения и без даты. Стихотворение это, как известно, кончается строкой «Ты, для меня не спевшая ни звука».

---

1 Из ахматовских материалов в архиве Гуверовского института / Публикация Лазаря Флейшмана // Ахматовский сборник 1. Париж, 1989. С. 178.

Но если для 1913 года, когда это стихотворение было
написано, эта строка была, возможно, и оправданной, то
в 1916 она звучала для Ахматовой, по меньшей мере,
обидно. Ведь на самом-то деле она систематически, год за
годом писала ему стихи и продолжала писать и в 1916,
несмотря на роман с Анрепом. Недоброво, после того как
он «сдал» ее Анрепу, ни одного стихотворения ей как
будто не посвятил. Для сравнения скажем, что Анреп в
том же 1916 году адресовал Ахматовой три стихотворения. Что касается Недоброво, то он потчевал Анну Анд-
реевну подарками из прошлого — ведь и его так ценимая
Ахматовой статья о ее творчестве, напечатанная в «Русской мысли» в июле 1915 года, была написана в 1914. Тут
видится даже некий расчёт в действиях Николая Владимировича: кто знает, может быть, не случайно он так
долго и так тщательно «обрабатывал» друга, всеми силами
стараясь привить тому любовь к стихам Ахматовой. Перед
ним стояла проблема выбора: будучи человеком слабого
здоровья, заразившись туберкулезом, осложненным малокровием, он просто не мог работать сразу на два «фронта».
Прекрасно изучив за два года самой тесной близости
характер Ахматовой, он предпочел остаться с женой,
которая была для него и сиделкой, и матерью, и нежной
подругой. Анна Ахматова, видимо, не сразу разобралась
в этой сложной ситуации: уверенная в безграничной власти своих женских чар, она еще в 1916 году, во всяком
случае, в его начале, продолжала воспринимать Николая
«второго» как своего мистического жениха, упорно не
желая считаться с тем, что он на эту роль совсем не
подходит. В это время она пишет стихотворение «Ждала
его напрасно много лет...», которое, спохватившись, она
позднее переадресовала Анрепу, поменяв дату на 1918, но
воспоминания о первой встрече с Н.В.Н. в апреле 1913
года остались в стихотворении нетронутыми.

Только 13 февраля 1916 года, во время чтения «Юдифи» Николаем Владимировичем, Анна Андреевна поняла,
что проиграла в этом «поединке роковом» — и отдала
Борису Анрепу «черное кольцо».

В этой ситуации Николай Владимирович поступил как
искусный режиссер. В «репетиционном» периоде он не
только чуть ли не год расписывал другу все чудесные
качества Ахматовой, но и ей рассказывал немало хороше-
го о своем друге. Так что к моменту встречи почва была
уже взрыхлена и хорошо подготовлена. У Недоброво,

кстати, не было оснований для «охлаждения» к Анрепу: ведь отношения между ним и Ахматовой сложились чисто платонические. Вряд ли ее это могло устроить, но до поры до времени она терпела. Обиду на Недоброво тщательно скрывала своей показной холодностью:

> Теперь ты понял, отчего мое
> Не бьётся сердце под твоей рукою.

Он никак не реагировал на эти поэтические признания в нелюбви. Его час был еще впереди. Он наступил осенью 1916 года, когда они встретились с Ахматовой в последний раз в Бахчисарае. Он был уже безнадежно больным; ожидание предстоящей вечной разлуки сгладило обиду, а разочарование в Анрепе, наступившее к этому времени у Анны, разбудило в ней ностальгию по былой любви к Недоброво. Она пишет два стихотворения, связанные с их общими царскосельскими воспоминаниями. В одном из них она опять ревнует его — на этот раз не к жене, а к статуе «Девушка с кувшином»:

> И как могла я ей простить
> Восторг твоей хвалы влюбленной...
> Смотри, ей весело грустить
> Такой нарядно обнаженной.

В другом стихотворении она сравнивает Крым, куда уехал Недоброво из Царского Села, с «царством тени», т.е. с загробным миром. Образ этот мог быть подсказан самим Недоброво, который много размышлял о смерти и вполне мог сказать Ахматовой о себе как о «заживо погребенном». Однако пройдет еще три года, и рискованная метафора обернется его слишком ранней смертью 3 декабря 1919 года. О ней Ахматова узнает не сразу, а только год спустя от вернувшегося из Крыма в Петроград Осипа Мандельштама. Тогда-то и придет в ее сознание ощущение непоправимой греховности ее творчества:

> Я гибель накликала милым
> И гибли один за другим.
> О горе мне! Эти могилы
> Предсказаны словом моим.

В поминальных стихах 1921 года образ Недоброво приобретает уже ангельские черты:

> Ангел, три года хранивший меня,
> Взвился в лучах и огне,
> Но жду терпеливо сладчайшего дня,
> Когда он вернется ко мне.

Или в другом стихотворении:

> На пороге белом рая,
> Оглянувшись, крикнул: «Жду!»
> Завещал мне, умирая,
> Благостность и нищету.
>
> И когда прозрачно небо,
> Видит, крыльями звеня,
> Как делюсь я коркой хлеба
> С тем, кто просит у меня.

Наконец, в самом важном стихотворении «Пока не свалюсь под забором...» она окончательно примиряется с дорогим ей усопшим:

> Войдет он и скажет: «Довольно,
> Ты видишь, я тоже простил».

Это — самые значимые строки во всем стихотворении. Короткое слово «тоже» говорит о том, что она простила его еще раньше. Всё познается в сравнении. Она никогда не простила Анрепу его не традиционно мужского отношения к ней.

> Он строен был и юн и рыж,
> Он женщиною был...

Этот ахматовский укол достиг сердца Анрепа уже после её смерти, но оттого был ничуть не менее болезненным.

Стихи же, посвященные Недоброво, напротив, пронизаны мотивами раскаяния, жаждой посмертного общения с любимым:

> Не прислал ли лебедя за мною,
> Или лодку, или черный плот? —

Он в шестнадцатом году весною
Обещал, что скоро сам придет.
Он в шестнадцатом году весною
Говорил, что птицей прилечу
Через мрак и смерть к его покою,
Прикоснусь крылом к его плечу.
Мне его еще смеются очи
И теперь, шестнадцатой весной.
Что мне делать! Ангел полуночи
До зари беседует со мной.

Это стихотворение, написанное в 1936 году, самой неповторимостью тона своего, нежного и ласкового, говорит о том, кого вспоминала Анна Ахматова, когда писала эти строки:

Он в шестнадцатом году весною
Говорил, что птицей прилечу
Через мрак и смерть к его покою,
Прикоснусь крылом к его плечу.

В этих понятных только им двоим строках Ахматова вспоминает «Сказку о птице», написанную Николаем Владимировичем специально для нее. К сожалению, эта сказка дошла до нас не в полном виде, но даже те фрагменты, которые сохранились, говорят о том, что это произведение было написано Недоброво в расчете на стихотворный диалог с Ахматовой:

«Видит Бог, не убивал я птицы».
«Так скажи, куда она девалась?
На беду тебя я полюбила,
На беду тебя в мой сад впустила!
Пенье птицы я любила больше
Самой птицы и, конечно, больше,
Чем любви усладный плен любила...
Ты пришел в мой сад, и нету птицы...
Да, ты понял, как люблю я птицу.
Потому из ревности унылой
В сумерки у круглого колодца
В мирный час, когда уж село солнце,
Но еще светло и против зорьки
Видны очертанья всех листочков.
Только песни смысл невнятен деве,

Птичьих слов она не понимала —
Ну а ангелы горе — те знали,
Полукругом рея в горнем небе.

И заслушиваясь песней птицы,
Что подруга их поет о сердце,
О любви усопшего и молит,
Молит Господа и славит, молит,
Чтобы вся любовь его свершилась,
И Господь любимую им принял,
В несказанный рай и дал ей счастье,
На которое у юноши немого
Не хватило благодатной силы,
Но любовь его была угодна
Божьей птице, посланной на землю.

«Сказку о птице», написанную в 1914 году, Недоброво пытался восстановить по памяти в последние годы жизни. Фрагмент, приведенный выше, перебелен им в последнем альбоме; остальной текст остался в черновой редакции. Но сквозь некоторое техническое несовершенство всё же прочитываются заветные мысли Николая Владимировича, мысли, которые Ахматова не только усвоила, но и творчески перекликалась с которыми и много лет спустя после смерти ее «незабвенного друга». Уже в «Сказке о птице» Недоброво говорит как бы устами героини, прообразом которой, несомненно, послужила Ахматова. Самого же себя в этой сказке он соотносит с образом «юноши немого», у которого «не хватило благодатной силы» на «счастье», то есть на собственное творчество. Эпитет «благодатной» тут не случаен. Вспомним, что с «благодатью» в древнееврейском языке соотносится значение имени «Анна», о чем сама Ахматова знала («Пускай я не сон, не отрада / И меньше всего благодать», говорится в одном из поздних ее стихотворений). Недоброво говорит о том, что у него «не хватило» силы Анны для собственного творчества. Но в последних своих стихах, напечатанных в журнале «Северные записки» в конце 1916 года, он продолжает свой «старинный спор» с друзьями. Эти перенасыщенные психологическим подтекстом стихи, в силу ряда не зависящих от автора причин, остались тогда не услышанными и не оцененными. Но они очень важны как последние слова поэта, предчувствующего свой близкий конец. В этих стихах содержится, на мой взгляд самое убедительное опровержение легенды об «охлаждении» Недоброво к Анрепу.

Жаль, что Борис Васильевич, скорее всего, не видел этого журнала и не прочел стихотворения, в котором подводится итог их многолетней дружбы-вражды:

> Твои следы в отцветшем саду свежи —
> Не всё, года, дыханьем своим смели вы, —
> Вернись ко мне на пройденный путь счастливый,
> Печаль с печалью моей свяжи.
>
> Пусть я не тот, что прежде, и ты не тот,
> Бывалых дней порадуемся удачам,
> А об ином, чего не сказать, поплачем,
> Ведь горечь слез о прошлом мягчит, не жжет.
>
> Пока закат твой ярый не стал томней,
> Пока с дерев ветрами убор не согнан,
> Пока твой взгляд, встречаясь с моим, так огнен, —
> Вернись ко мне, любимый, вернись ко мне...

А другие два стихотворения в этой журнальной подборке написаны как бы от лица Ахматовой. Ей дает право голоса умирающий поэт Недоброво, преподнося тем самым свой последний урок ее «благодатной силе». Первое стихотворение напоминает о странном романе Недоброво с «мученицей» Lise Хохлаковой, — выразившемся в целом ряде стихотворений, посвященных этой героине Достоевского. Но о том, что черты героинь Достоевского нашли дальнейшее выражение в складе характера Анны Ахматовой, говорил не только Недоброво, но и Артур Лурье, который находил в Ахматовой сходство с «Хромоножкой» из «Бесов», да и другие.

Интересен и прием, который применил в этом стихотворении Недоброво: то, что оно написано от лица женщины, читатель узнаёт только в последней строке:

> Снова на профиль гляжу я твой крутолобый,
> И печально дивлюсь странно-близким чертам твоим.
> Свершилося то, чего быть не могло бы:
> На пути, на одном, нам не было места двоим.
>
> О, этих пальцев тупых и коротких сила,
> И под бровью прямой этот дико упорный глаз,

Раскаяния, скажи, слеза оросила,
Оросила ль его, затуманила ли хоть раз?

Не оттого ли вражда была в нас взаимней,
И страстнее любви, и правдивей любви стократ,
Что мы свой двойник друг в друге нашли? Скажи мне,—
Не себя ли казня, казнила тебя я, мой брат?

В другом стихотворении, написанном опять же как бы
от лица Ахматовой, поэт Недоброво утверждает конечную
правоту поэта Анны Ахматовой, несмотря на «зло» ее
«дней» и, более того, даже благодаря этому «злу». «Поэт
всегда прав» — мысль чрезвычайно дорогая Анне Ахматовой, не раз ею повторенная, была впервые высказана
именно Недоброво в чеканных, великолепных стихах,
едва ли не лучших в его наследии. Это воистину его
«последнее слово:

Я вспомню всё. Всех дней в одном, безмерном миге
Столпятся предо мной покорные стада.
На пройденных путях ни одного следа
Не мину я, как строк в моей настольной книге
И злу всех дней моих скажу я тихо: «да».

Не прихотью ль любви мы вызваны сюда, —
Любовь, не тщилась я срывать твои вериги!
И без отчаянья, без страсти, без стыда
Я вспомню всё.

Пусть жатву жалкую мне принесла страда.
Не колосом полны, — полынью горькой, риги,
И пусть солгал мой Бог — я верою тверда,
Не уподоблюсь я презренному расстриге
В тот страшный миг, в последний миг, когда
Я вспомню всё.

ПРИМЕЧАНИЯ

В этой книге впервые сделана попытка собрать избранные произведения Н.В.Недоброво под одной обложкой. Попытки такого рода делались и раньше: сразу же после смерти Недоброво его друзьями и поклонниками, но тогда, из-за разрухи и гражданской войны, дело ограничилось публикацией в газетах и журналах отдельных, нередко весьма ценных, воспоминаний о поэте (Ю.Л.Сазоновой-Слонимской, А.А.Кондратьева и др.). В уже перекочевавшем за границу журнале «Русская мысль» в 1923 году была напечатана трагедия Недоброво «Юдифь». Этим дело и ограничилось, и казалось, имя Недоброво безвозвратно будет забыто. Редкие упоминания в мемуарах Б. Лившица, В. Пяста, О. Мандельштама, выходивших в Советской России, носили фрагментарный и не всегда достоверный характер.

По мере того как рос интерес к русскому Серебряному веку на Западе, имя Н.В.Недоброво стало всё более претендовать на обретение своего истинного значения в поэзии и в истории. Глеб Петрович Струве, предпринявший героические усилия по изданию на Западе собраний сочинений Гумилёва, Мандельштама, Ахматовой, под конец жизни мечтал и об издании отдельного тома произведений Н.В.Недоброво, куда хотел включить как его поэтические произведения, так и критические и стиховедческие статьи и исследования, драматургические опыты, а также избранные письма. Для осуществления своего замысла Г.П.Струве вел интенсивную переписку с людьми, помнящими Недоброво: прежде всего, с Б.В.Анрепом, а также с Ю.Л.Сазоновой-Слонимской и с В.А.Знаменской. Свои научные разыскания Г.П.Струве обнародовал в специальных очерках, посвященных отношениям Анны Ахматовой и Н.В.Недоброво, Анны Ахматовой и Б.В.Анрепа, он же способствовал тому, чтобы Б.В.Анреп на склоне лет написал воспоминания «О черном кольце». Все эти материалы вошли в 3-й том Собрания сочинений Анны Ахматовой под редакцией Г.П.Струве. Однако выпустить отдельный том произведений Н.В.Недоброво Глеб Петрович Струве так и не смог. С другой стороны, за последнее десятилетие, отмеченное особым вниманием мировой славистики к творчеству Анны Ахматовой, имя ее «незабвенного друга» должно было привлекать всё более пристальный интерес. Отчасти этот интерес был подогрет появлением новых, до определенного времени закрытых материалов, включающих ранее неизвестные тексты Н.В.Недоброво в РГАЛИ. Этапной для изучения наследия Н.В.Недоброво стала обширная публикация «Биография и филологическая деятельность Н.В.Недоброво» в «Шестых Тыняновских чтениях» (Рига, 1992), где даны обзоры архива Н.В.Недоброво, рассредоточенного по различным хранилищам. Вслед за статьями Р.Д.Тименчика, А.В. Лаврова, М.М.Кралина, за последнее время были опубликованы насыщенные богатым фактическим материалом и концептуально значимые исследования Е.И.Орловой, О.Федотова. Стихи Н.В.Недоброво (как известные, так и забытые) публиковались в советских и российских газетах и журналах, печатались в многочисленных антологиях, посвященных поэзии Серебряного века.

Однако факт остается фактом — произведения Н.В. Недоброво — и прежде всего стихи — до сих пор не собраны в одной книге.

Наше издание, не претендуя на полноту, в настоящее время едва ли и достижимую, ставит задачей познакомить современного читателя с основным дошедшим до нас поэтическим корпусом Недоброво.

Совершенно очевидно, что творческое наследие Николая Владимировича Недоброво, а особенно его поэтическая часть, сохранилось далеко не полностью. Находки в государственных архивах и в частных собраниях новых поэтических текстов, в принципе, конечно, возможны, но, по-видимому, следует признать и тот факт, что некоторая (и достаточно немалая) часть наследия поэта погибла. Причины драматизма творческой судьбы Недоброво двоякие. С одной стороны, он сам отнюдь не стремился печатать всё написанное, а отдавал в журналы стихи с большим отбором, руководствуясь одному себе положенными правилами поэтического совершенства. Поэтому в журналах десятых годов было напечатано немногим более 30 его стихотворений. Всё остальное оставалось в рукописных тетрадях, альбомах, изредка даримых друзьям, на страницах дневников, да и просто в виде записей на отдельных листах.

Н.В.Недоброво умер своей смертью, но в разлуке со своим архивом, остававшимся в его квартире в Царском Селе. «<...> дом наш в Царском разграблен и его бумаги и тетради уничтожены <...>» — писала жена поэта Любовь Александровна М.А. Волошину 22.I.1920 из Ялты. Эти сведения оказались не совсем верными. Часть бумаг из царскосельского архива Н.В.Недоброво была спасена и передана на государственное хранение. Из этих материалов составился фонд 201 в ИРЛИ (Пушкинском Доме). Бумаги, сохранявшиеся в царскосельской квартире поэта, подверглись, скорее, не разграблению, а отбору. Чья-то опытная рука (А.А.Ахматова подозревала руку Э.Ф.Голлербаха), разбирая архив, оставив в его составе для видимости полноты даже ученические тетради Недоброво, изъяла важнейшие документы позднего, собственно, царскосельского периода Недоброво, в составе которых были тетради со стихами и другими литературными опытами, относящимися к 1913-1916 гг., дневники этих лет, письма, фотографии и пр. Обращает внимание то, что «изъяты» как раз те документы, которые касались отношений Недоброво и Анны Ахматовой. Очевидно, были лица, заинтересованные в том, чтобы эти документы были удержаны в их руках для каких-то иных целей. Не исключено, конечно, что они со временем могут быть обнаружены, хотя эти надежды с каждым годом становятся всё более призрачными.

Последние три года жизни Недоброво прошли на Кавказе и в Крыму. Они были полны страданий духовных и физических. Усиливающаяся болезнь препятствовала творчеству: в рабочей тетради, которая была при нем до последнего часа его жизни, Недоброво уже не писал новых стихов, а только вносил поправки к написанным прежде. Как раз эта тетрадь, к счастью, сохранилась и может служить наиболее авторитетным источником для публикации текстов, поскольку в ней выражена последняя авторская воля поэта.

Другим источником текстов для публикации в настоящем издании являются ксерокопии листов из альбома, принадлежащего Б.В.Анрепу. Этот альбом объемом в 75 листов включает автографы стихотворений Н.В.Недоброво, по большей части недатированные, среди которых встречаются и такие тексты, которых нет в других тетрадях. Интересна история этого альбома. Подаренный Недоброво его ближайшему другу Борису Анрепу, альбом долгое время находился в СССР, на хранении у подруги молодости Анрепа Татьяны Модестовны Девель. По-видимому, в 50-х годах Т.М.Девель нашла возможность переправить альбом в Лондон его законному хозяину. Б.В.Анреп, в свою очередь, незадолго до кончины в 1969 году, подарил альбом Г.П.Струве; в настоящее время этот альбом находится в коллекции Г.П.Струве в Гуверовском архиве (Калифорния), работники которого любезно предоставили мне эти материалы для работы. Г.П.Струве, как и Б.В.Анреп, всегда мечтали опубликовать труды Н.В.Недоброво, которого они оба высоко ценили. Выражаю сердечную благодарность господам Чарльзу Палму и Анне Ван Кэмп за помощь в работе.

Четвертым источником публикации стихотворных текстов послужила тетрадь акад. А.И. Белецкого, озаглавленная «Н.В.Недоброво. Материалы для собрания стихотворений. Черновой список». Академик А.И. Белецкий, в числе других почитателей Недоброво, после смерти последнего, предполагал принять участие в собрании его стихотворений, так и не осуществленном. В тетради Белецкого собраны стихотворения разных лет, как датированные, так и не имеющие дат. Особенно интересны «Материалы» Белецкого тем, что в них записаны ранние стихи и наброски Недоброво, извлеченные из писем Недоброво к Белецкому, впоследствии, видимо, утраченных. Копии, сделанные Белецким, с присущей ему высочайшей добросовестностью, вполне могут служить основой для публикации тех текстов, автографы которых в настоящее время неизвестны. Разночтения и варианты, то и дело встречающиеся в разных рукописных источниках, объясняются особенностями творческого поведения Недоброво, который непрерывно, в течение многих лет возвращался к одним и тем же стихам, отделывая их и нередко отмечая даты, когда были сделаны те или иные исправления. Нередко тексты в разных рукописных источниках носят вариативный характер. Поскольку наше издание не претендует на академичность, а является первой попыткой собрать стихи Недоброво под одной обложкой, мы не учитываем всех вариантов и разночтений, а приводим в примечаниях только наиболее интересные.

Что касается датировок стихотворений, то, коли таковые имеются, мы берем за основу ту дату, когда поэт начинал и в основном заканчивал работу над стихотворением. Позднейшие доделки и исправления учитываются в датировках, но не могут служить основанием, чтобы переносить стихотворение в хронологическом ряду, опираясь на последнюю по времени, добавочную дату.

В рабочих тетрадях Недоброво, хранящихся в его фонде в ИРЛИ, содержатся стихи, имеющие, по большей части, черновой характер, а также многие редакции и варианты одних и тех же стихотворений. Как правило, мы выбирали не более двух вариантов одного и того же стихотворения, да и то в том случае, если они разнились хронологической дистанцией и художественными достоинствами, стремясь, тем самым, показать особенности поэтической работы Н.В.Недоброво.

Как правило, мы стремились сохранить особенности авторских написаний слов и знаков препинания.

Комментарий не претендует на полноту и рассчитан на то, чтобы сократить временную и эстетическую дистанцию между автором и современным читателем. Стихотворные тексты, известные нам к настоящему времени, представлены в данном издании с возможной полнотой и вариативностью, разумеется, не исчерпывающей, но дающей более или менее полное представление о поэзии Н.В. Недоброво.

Сокращения

АБВА — Альбом Бориса Васильевича Анрепа со стихами
Н.В. Недоброво (Гуверовский архив. Стэнфорд,
Калифорния, США)

АНВН — Альбом Николая Владимировича Недоброво,
хранящийся ныне в РГАЛИ

ИРЛИ — Рукописный отдел Института русской литературы РАН

РГАЛИ — Российский Государственный архив литературы и искусства

РНБ — Отдел рукописей и редких книг Российской
национальной библиотеки (бывш. Гос. публичной библиотеки им. М.Е.Салтыкова-Щедрина)

ТАНБ — Тетрадь А.И. Белецкого с его записями стихов
Н.В. Недоброво (Архив М.М.Кралина)

МГПС — материалы по творчеству Н.В.Недоброво, соб-
ранные Г.П.Струве (Гуверовский архив. Стэнфорд, Калифорния, США)

Письма БВА — Письма Б.В.Анрепа Г.П.Струве (Гуверовский архив. Стэнфорд, Калифорния, США)

СТИХОТВОРЕНИЯ

«О, как я вами очарован!» Печ. впервые по автографу
— ИРЛИ. Ф. 201. №27. 3-я тетрадь произведений Н.В.
Недоброво. К этому стихотворению существует авторское
примечание: «Стихотворение это первое из моих стихотворений — посвящено оно Елизавете Ивановне Касперовой,
которой тогда было 18 лет — моей первой любви. Мне
было 8 лет». Мы не решились вносить правку в эту первую
стихотворную попытку юного поэта — стихотворение
печатается с сохранением особенностей авторской пунк-
туации.

Б.В.Анрепу («Плоды твоего вдохновенья...»). Печ.
впервые по ксерокопии из АБВА. Дружеские отношения
Николая Владимировича Недоброво и Бориса Васильевича Анрепа, продолжавшиеся в течение многих лет, нача-
лись в 1899 году, когда отец Анрепа, профессор Василий
Константинович Анреп, был назначен попечителем Харьковского учебного округа, и семья Анрепов переехала в
Харьков, где Н.В.Недоброво учился в 6-м классе 3-й
Харьковской гимназии на Кокошкинской улице. Они быс-

тро подружились. Б.В.Анреп вспоминал: «Разговор перешел на литературные темы. За все время нашего знакомства и последующей дружбы это был наш главный предмет разговоров. Я стал искать его дружбы, и мне льстило, когда я почувствовал, что и он ищет моей. Мы становились неразлучны. Он читал свои стихи, я робко читал свои, а он ободрял меня:

— В Ваших стихах есть самое ценное: — простота, искренность, «безответность», а я ее потерял» (Из Ахматовских материалов в архиве Гуверовского института. Публикация Лазаря Флейшмана (Стэнфорд) — Ахматовский сборник 1.Париж, 1989. С. 166-169)

Б.В.Анрепу («Читаю я твои стихи...»). Печ. впервые по автографу — ксерокопии из АБВА.

«Или в руки взяв бокал...». Печ. впервые по автографу (ИРЛИ. Ф. 201.№28. Л.1).

Vieux saxe («Гирляндой алых роз я связан осторожно...»). Печ. впервые по автографу в АНВН (РГАЛИ. Ф. 1811. № 1. Л. 73).

Сонет («В твоих объятиях я счастье познавала...»). Печ. впервые по списку А.И. Белецкого в ТАИБ, где имеет порядковый номер «LXI». В АБВА — другой, недатированный вариант этого сонета, значительно переработанный. Приводим этот текст:

ЖАЛОБА ИНЕССЫ

В объятьях у тебя я счастье познавала.
Ты новый, длинный мир открыл передо мной.
С надеждой без конца я вся в него вступала,
А для тебя ничто не вечно под луной.

И для чего, зачем судьба меня послала,
Мучитель дорогой, на путь твой неземной!
О негу и тепло ласкалась я сначала,
Теперь измучилась покорностью больной.

Не тронуть уж тебя ни страстью, ни любовью.
Ты холоден... далек... Я пищею злословью
Служу, покинута, поругана, слаба.

Но ты по-прежнему, изящный и прекрасный.
Светлеешься в душе и темной, и несчастной...
Ты разлюбил меня, но я твоя раба.

К А.И. Белецкому («*Тебя на благо мира постигают...*»). Печ. впервые по копии рукой Белецкого из
ТАИБ. Александр Иванович *Белецкий* (1884-1961) —
крупнейший советский литературовед, академик. По-видимому, Белецкий познакомился с Недоброво еще в Харькове. Их объединяла общая любовь к поэзии (Белецкий
писал стихи всю жизнь, и они еще ждут своего открытия).
Будучи всего двумя годами старше, Недоброво восприни-
мался Белецким как величайший авторитет во всех вопро-
сах, касающихся поэзии. Впоследствии А.И.Белецкий написал повесть «Против тоски о добром старом времени»
(полностью до сих пор не опубликована; фрагменты из
нее со вст. статьей И.Я. Айзенштока опубл. в сб.: Искусство слова. М.: Наука, 1973. С.401-402). Название повести, возможно, связано с сонетом Недоброво, в котором
дважды подчеркнуты мотивы тоски («*гнет тоски*», «*когти злой тоски*»), как определяющие черты характера
Белецкого в молодости, от которых он пытался избавиться
своим творчеством. В этой повести Недоброво, лишь
сравнительно недавно поменявший Харьков на Петербург, рисуется как завзятый столичный житель, показы-
вающий юному провинциальному поэту красоты Петербурга: «Не исчерпать изобилия зеркальных витрин: но
спутник, Друг и поэт, глашатай красот Петербурга, нетерпеливо влечет прочь от них, к живым расцвеченным
гравюрам, где красный цвет зданий сочетается с черными
штрихами садовых решеток и голых веток, увешанных
гирляндами снежных пушин — вдоль по строгим, струною
вытянутым набережным, переулкам и улицам. Девятисо-
тые годы уступили вдруг восьмисотым: не друг-поэт, а сам
Пушкин водит приятеля, приезжего из какой-нибудь Чер-
ниговщины, по просторнейшим площадям, скандируя с
металлической четкостью:

> Люблю, надменная столица,
> Твоей твердыни блеск и гром —

и чудо! Столица снова становится <u>надменной</u> (подчеркну-
то А.И.Белецким), словно не ворочается шумно под нею,
ежась от боли и злости, вконец измотанная мужицкая
страна» (цитируется по копии, хранящейся в архиве
составителя).

Вероятно, Белецкий знал о том, что Недоброво имел
общую родословную с А.С. Пушкиным; во всяком случае,

пушкинское начало, сознательно культивируемое Николаем Владимировичем, впоследствии станет обыгрываться в стихах Анны Ахматовой.

Хотя переписка между Недоброво и Белецким, по-видимому, не сохранилась, но стихи Недоброво из писем к нему Белецкий переписал в своей тетради. В рукописной тетради стихов самого А.И.Белецкого (архив П.А.Белецкого) сохранилось одно, написанное им в соавторстве с Н.В.Недоброво. Приводим этот плод коллективного творчества:

А.И.Белецкий

(В Крыму, совместно с Н.В.Недоброво)

Какие б выдумать азарты,
Чтоб ими вытеснились карты,
Уделом став шести старух?
Азарт сидячий им потребен
Сей долгий дьяволу молебен,
К которому и дьявол глух.

Сюжет для жалостнейшей драмы!
Ведь лучшие отбиты дамы
И молча преют за столом.
И души их для нас бесплодны,
На что они теперь пригодны,
Быть разве отданными в лом?

Княжна, забыв былую резвость,
На губы напустила трезвость,
И за столом торчит, как пень.
Елисавета же Петровна
Пасует сдержанно и ровно,
Пока лежит ночная тень.

А вместе с ними и ученый,
В ста семинариях толченный,
Бездельно светлый дух томит,
И тщетно ждет средневековье,
Чтоб он, храня свое здоровье,
Стряхнул с души сей доломит.

Зевотой не сломать бы ребер,
Пока их тошнотворный роббер
Колодой липкой шевелит.

Каким постигнуты мы пленом!
Как он разит могильным тленом
Сей долгий винт гробовых плит!

А.И.Белецкий откликнулся на смерть друга некрологом «Памяти Н.В.Н.» (1919) и всю жизнь относился к нему с благоговением. Тетрадь А.И.Белецкого с материалами для собрания стихотворений Н.В.Недоброво была обнаружена мною в домашнем архиве Белецких и подарена мне его сыном, Платоном Александровичем Белецким.

Храм Любви. Печ. впервые по ТАИБ. Борис Васильевич *фон Анреп* (1883-1969), которому посвящено это стихотворение, происходил из богатого и знатного рода прибалтийских немцев, но в его внешности и манерах не было ничего немецкого, что даже позволило позднее Анне Ахматовой назвать его «лихим ярославцем». Сестра матери Анрепа Прасковьи Михайловны Зацепиной (в первом браке Шуберской) владела имением «Основа» в Ярославской губернии, на правом берегу Волги, напротив города Романово-Борисоглебска. Возможно, по имени этого городка Прасковья Михайловна назвала своих сыновей (в честь святых благоверных князей Бориса и Глеба). Б.В.Анреп еще в начале 1900-х годов отказался от приставки «фон», но его жена Юния Павловна продолжала носить ее до своей смерти в январе 1973 года.

Обвал. Печ. впервые по ТАИБ.

«День тянется за днем так скучно и уныло...». В АНВН (РГАЛИ. Ф. 1811. №1. Л.57) автограф этого стихотворения датируется «13.II.02. Харьков», но в ТАИБ список Белецкого дает иную, на наш взгляд, более достоверную дату. Свой последний рукописный сборник Недоброво составлял в разлуке с ранними тетрадями, полагаясь только на свою память, — отсюда и возможные разночтения в текстах и датировках. Сомнительно, что такую совершенную и немалую по количеству строк элегию юный поэт мог написать за один день. Печ. впервые по ТАИБ.

«Тебя с улыбкою приветствует весна...». Печ. впервые по автографу (РГАЛИ. Ф. 1811. №1. Л.47). Другой автограф -- в АБВА не датирован.

В альбом («Я чужд уже очарований...»). Печ. впервые по ТАИБ. Среди ранних, далеко не в полном объеме сохранившихся стихотворений Недоброво, немало откровенно подражательных и ученических, как это, в котором чувствуется хорошее знакомство автора с Лермонтовым. Такое напутствие мог написать, например, Арбенин в альбом Нине.

Но, помещая в этом сборнике ранние и даже откровенно слабые стихи Н.В.Недоброво, мы хотим тем самым показать его своеобычность, несоответствие тем литературным веяниям, которые были модными для первых лет нового века, но не имели в себе привлекательности для Недоброво, всегда отдававшего предпочтение классическим образцам.

Поэту («Поэт! В тебе живут все люди, все века...»). Печ. впервые по автографу (ИРЛИ. Ф. 201. № 28. Л. 28).

«Я вновь могу писать. Давно не прикасался...». Печ. впервые по автографу в АНВН (РГАЛИ. Ф. 1811. №1. Л. 26). Авторская датировка, как и в большинстве других подобных случаев, не означает, что Недоброво работал над этим стихотворением в течение 10 лет. Скорее, ранний вариант, созданный в 1902 году, показался ему недостаточно отделанным и в 1912 он внес некоторые, не оговоренные в данном случае, поправки. Хотя они могли иметь существенный характер, но общий хронологический ряд, основываясь на них, нарушать не следует: стихотворение должно относиться к тому году, когда было написано, а не дописано. Хотя элегии, писанные александрийским стихом, встречаются у Недоброво в разные годы, но именно в 1902 году происходит «овеществление образов», прежде заимствованных «из мира чудных снов» поэзии начала XIX века.

«Не забывай меня, когда враждебной силой...». Печ. впервые по ТАИБ.

Октавы (I—VI). В ТАИБ цикл состоит из шести пронумерованных октав. В АНВН из всего цикла сохранились только две октавы, без нумерации. Печатается впервые по ТАИБ; вторая и третья октавы — по автографу в АНВН (РГАЛИ. Ф. 1811. № 1. Л.40); датируется по этому автографу. В ТАИБ дата — «14.IX.1902». Приводим ранние редакции II и III октав по списку Белецкого:

II

Ты помнишь ночь, прошедшую без сна
Над сползшими в долины облаками,

Лежавшими, как пенная волна,
Замерзшая неровными грядами...
С небес лила спокойная луна
Свой ровный свет холодными лучами,
И этот свет дробился в облаках,
Блестя, искрясь, играя как в снегах.

III

Всех сон объял. Лишь мы одни не спали,
То берегли пылающий костер,
То говорить о чем-то начинали,
Но угасал и рвался разговор...
То мы глаза друг к другу обращали
И я встречал глубокий, нежный взор...
Я в эту ночь почувствовал впервые,
Что близки мы друг другу, как родные.

Из Горация («Роскошь Персов мне ненавистна, мальчик!»). Печ. впервые по автографу (РГАЛИ. Ф. 1811. № 1. Л. 41). Н.В. Недоброво не раз обращался к переводу оды 38 (последней) I книги од Горация. В ИРЛИ (Ф. 201. №1. Л. 54 об.) — более ранний вариант перевода:

Hor. Lib. I, XXXVIII

Ненавижу я, мальчик, роскошь персов,
Не люблю венков, заплетенных лыком;
Перестань искать, где еще осталась
      Поздняя роза.
К мирту ничего прибавлять не надо.
Он, простой, идет и к тебе, прислужник.
Он и мне, кто пьет под густой лозою,
      Не неприличен.

18.X.1902

И ранний, и поздний переводы выполнены мастерски, так что трудно отдать предпочтение какому-то из них. Для сравнения приведем перевод той же оды признанного мастера С.В.Шервинского:

К ПРИСЛУЖНИКУ

Ненавистна, мальчик, мне роскошь персов,
Не хочу венков, заплетенных лыком.
Перестань искать, где еще осталась
    Поздняя роза.
Мирт простой ни с чем не свивай прилежно,
Я прошу: тебе он идет, прислужник,
Также мне пристал он, когда под сенью
    Пью виноградной.

Хотя перевод Недоброво не был опубликован, он мог быть известен Анне Ахматовой, которая именно из этой оды взяла эпиграф к стихотворению «Ты — верно, чей-то муж и ты любовник чей-то...» (1963) — «Rosa moritur». Возможно, в воспоминании о «медлящей розе» содержится (через Горация) намек и на Недоброво, когда-то «поймавшего одну из сотых интонаций», которая потом стала называться «ахматовской».

«О как мучительны мгновения свиданий...». Впервые — в статье И.Г. Кравцовой, Г.В. Обатнина «Материалы Н.В.Недоброво в Пушкинском Доме» — Шестые Тыняновские чтения. Рига, 1992. С. 92. Печ. по автографу (ИРЛИ. Ф. 201. № 28. Л.4). В автографе стихотворение имеет порядковый номер «XCIX».

Экспромт («Дикий приговор над судьбой боярства...»). Печ. впервые по автографу (ИРЛИ. Ф. 201. № 28. Л.61 об.). Н.В. Недоброво гордился древностью своего боярского рода; родословное древо, вычерченное им собственноручно, сохранилось в его дневнике. В настоящее время герб рода Недоброво хранится в ИРЛИ. Б.В.Анреп вспоминал, что «раз, когда разговор коснулся древней России, он (Недоброво. — *М.К.*) сказал, что его предок, боярин Недоброво, был казнен Иваном Грозным и что опричники разграбили все имение этого боярина и что род Недоброво с тех пор обеднел» (Ахматовский сборник 1. Париж, 1989. С. 169). Однако о гонениях на род Недоброво со стороны Петра Первого ничего не известно; очевидно, стихотворение носит не «личностный», но классовый (от лица всего боярства) характер. «Табель о рангах», резко ограничившая права русских бояр, была издана Петром 24 января 1722 года.

К Юлии Павловне Ханайченко («Коль милосердия сестрою...»). Печ. впервые. В автографе (ИРЛИ. Ф.

201.№ 28. Л.4) стихотворение имеет порядковый номер «CIII».

«Болью сердце изнывает...». Печ. впервые. В автографе (ИРЛИ. Ф. 201. № 28. Л.4) стихотворение имеет порядковый номер «CIV». К сожалению, большинство ранних стихотворных опытов Недоброво до нас не дошло.

«Дух изможденный, дух усталый...» Печ. впервые по автографу (ИРЛИ. Ф. 201. № 28. Л.3).

15 сентября («Не блистал давно над нами...»). Печ. впервые по списку Белецкого в ТАИБ. В этом стихотворении уже чувствуется влияние Тютчева, столь мощно сказавшееся на всем творчестве Недоброво.

К корсету («Когда ты Дину облекаешь...»). Печ. впервые по списку Белецкого в ТАИБ. В этом списке стихотворение имеет порядковый номер «XCV». Об адресате стихотворения Б.В.Анреп писал в мемуарном очерке о Недоброво, созданном незадолго до смерти:

«Мы ждали гимназического бала, мой первый общественный бал; он сыграл большую роль в моих двух годах в Харькове. Мы познакомились («мы» — это Недоброво и я) с очаровательной девицей Диной Ждановой, дочерью собственника котельного завода, и оба влюбились в нее. Недоброво прекрасно танцевал и по окончании своего танца передавал ее мне. Мы встречали ее у выхода из женской гимназии и долго гуляли вместе, и вместе провожали ее до ее дома. Разговоры с ней главным образом велись Недоброво. Философия и поэзия заменились с его стороны анализом ее красоты, ее характера, во что она превратится через десять лет. Я горел внутренним огнем и поддакивал или дополнял недосказанное им, но, обыкновенно, молчал. Она, по природе, говорила мало и раз сказала ему:

— Зачем вы всё это говорите?

Он любил задавать ей вопросы, на которые она не знала что ответить. Как-то раз я ему сказал:

— Зачем вы мучаете Дину?

— Мучаю? — ответил он. — Вы, Борис Васильевич, мало знаете женщин.

Ревности не возникало. Один день она выражала предпочтение мне, другой день — ему. О нашем «романе» стали говорить. На нескольких гимназических балах мы были всегда вместе; об этом узнали родители.

Наш «роман» продолжался около двух лет» (цит. по: Ахматовский сборник 1. Париж, 1989. С. 169-170).

Между тем сам Недоброво именует Диной совсем другую женщину — Надежду Петровну Юдину, называя ее своей «юношеской любовью». Но и эта Дина была предметом обоюдной любви Недоброво и Анрепа. Приводя в одной из юношеских тетрадей свое двустишие

> Не меня, а другого поэта,
> Я советую, Дина, любить,

Недоброво делает к нему такое примечание: «Здесь имеется в виду Б.В.Анреп, передавший 1-го декабря m-lle Юдиной свое стихотворение, посвященное ей» (ИРЛИ. Ф. 201. №27. Л. 13).

Интересно, что в этом раннем любовном треугольнике уже «проигрывается» та ситуация, которая повторится в отношениях Недоброво, Анрепа и Анны Ахматовой: Николай Владимирович как бы сам советует любимой женщине предпочесть его другу, выступающему в едва ли не навязанной ему роли счастливого соперника.

Демерджи. Впервые — Альманах Муз. Пг.: Фелана, 1916. С. 119. Печ. по этому изданию с уточнением даты по АНВН (РГАЛИ. Ф. 1811. № 1. Л. 112).

Самый известный сонет Недоброво. Неоднократно перепечатывался во мн. изданиях, напр.: Сонет серебряного века. М.: Правда, 1990. С. 356; Русская поэзия «серебряного века». 1890-1917: Антология. М.: Наука, 1993. С. 475; Там шепчутся белые ночи мои: Избр. стихи поэтов серебряного века. Л.: Детская литература, 1991. С. 159 и др.

Над сонетом «Демерджи» Недоброво работал с необыкновенным упорством (в его рабочих тетрадях, хранящихся в ИРЛИ, имеется не менее десяти вариантов сонета). И достиг желаемого результата: «Демерджи» стал одним из самых совершенных сонетов Серебряного века и по праву входит едва ли не во все антологии. Однако совершенство формы далось поэту далеко не сразу: для сравнения приведем два ранних варианта, показывающих, как шла работа над сонетом. Вот один из первых, датируемых по списку Белецкого «11.II.1903» (порядковый номер «CXIX»), (впервые опубликован в сб.: Поэзия серебряного века: Антология. Составление, статья и примечания М.М. Кралина. СПб.: Лениздат, 1996. С. 129):

Не бойся... подойди поближе, стань у края,
Дай руку... Вниз взгляни... Как чувство высоты
Сжимает душу! Как причудливы черты
Огромных скал! Вкруг них, друг друга обгоняя,

Внизу, у наших ног, орлов летает стая...
Прекрасный гордый вид, вид дикой красоты!
И тишина кругом... Лишь ветер — слышишь ты?
Из горных деревень доносит звуки лая...

А ниже чудные долины и леса
Слегка подернуты дрожащей дымкой зноя.
И море кажется исполненным покоя,

Сияет, ровное, блестит, как небеса,
Но вон вдоль берега белеет полоса —
То пена грозного, ревущего прибоя.

В иной, более отделанной редакции, записал Недоброво «Демерджи» в альбом Б.В.Анрепа (публикуется впервые):

Не бойся. Подойди поближе... стань у края...
Дай руку... вниз взгляни... Как чувство высоты
Сжимает душу... Как причудливы черты
Огромных скал. Вкруг них, друг друга облетая,

Вон — глубоко внизу, орлов повисла стая.
Как дико, странно всё... как полно красоты!
И тишина кругом... Лишь ветер — слышишь ты? —
Из горных деревень доносит звуки лая.

А дальше, складками, долины и леса
Дрожат, подернуты струистой дымкой зноя,
И море кажется исполненным покоя,

Синеет, ровное, блестит, как небеса...
Но вон — вдоль берега белеет полоса.
То пена грозного, неслышного прибоя.

Орион. Печ. впервые по списку Белецкого в ТАИБ. В списке стихотворение имеет порядковый номер «CXIV». Оно открывает собой ряд стихов поэта, свидетельствующих об интересе к Космосу, возможно, сознательно ориентированных на традиции Тютчева, наследником кото-

рого Недоброво выставлял себя едва ли не демонстратив-
но. По воспоминаниям О. Мандельштама, «язвительно-
вежливый петербуржец, говорун поздних символистских
салонов, непроницаемый, как молодой чиновник, храня-
щий государственную тайну, Недоброво появлялся всюду
читать Тютчева, как бы представительствовать за него».
(Мандельштам О. Египетская марка. М., 1991. С. 162-
163).

«Грязный снег повсюду тает...». Печ. впервые по
списку Белецкого в ТАИБ.

Лето 1900 года. Впервые — Знамя. 1997. № 2. С.
158 (публикация Е.И.Орловой). Автограф в АНВН
(РГАЛИ. Ф. 1811. № 1. Л. 43). *И угасал огонь в глуби
морских зеркал.* Возможно, этот образ нашел отражение
у Ахматовой в стихотворении «Тот город, мной любимый
с детства...» (1929), связанном с памятью о Недоброво:
«Всё унеслось прозрачным дымом, / Истлело в глубине
зеркал...».

Весенний сонет («Я телу вечной жизни не хочу...»)
Печ. впервые по автографу в АНВН (РГАЛИ. Ф. 1811.
№1. Л. 17). В списке А.И.Белецкого (ТАИБ) текст имеет
незначительные пунктуационные различия и дату «7.VIII.
1914».

В рабочей тетради Недоброво (ИРЛИ. Ф. 201. №78.
Л. 15) сохранился ранний, еще без посвящения, вариант
этого сонета, начатый еще в Харькове:

CXXV

ВЕСЕННИЙ СОНЕТ

Я не хочу бессмертия, о нет!
Ребенком, помню, с чутким восхищеньем
Следил я за весенним возрожденьем,
Ловил его живительный привет.

Теперь везде сияет тот же свет,
Всё дышит тем же теплым упоеньем
И воздух полон тем же птичьим пеньем.
Восторг же мой исчез в потоке лет.

Так повторенье прежних ощущений
Уничтожает в душах живо
И как была

Жизнь вечных стариков, слепых, глухих
И как без чувств, без всех своих волнений
Они б влеклись безжизненно у них!

8.III.1903. Харьков

«*В тиши, в покое уединенья...*». Впервые — Северные записки. 1913. № 3. С. 53. Печатается по списку Белецкого в ТАИБ, где имеет порядковый номер «CXXVI». Автограф в АБВА не датирован, хотя и явно более позднего происхождения, но по содержанию не отличается от списка Белецкого. Автограф в АНВН (ГРАЛИ. Ф. 1811. № 1. Л. 12) имеет даты: «9.VI.1903 — 15.I.1912». Приводим текст журнальной публикации, совпадающий с автографом в АНВН:

В тиши, в покое уединенья,
Зарывшись в груду книг,
Искал я жадно успокоенья —
И близится желанный миг:
Уже тревожно смятенные волны
Широкой ровной зыбью сменились,
И складки зыби, неги полны,
Разнеженные, утомились.
Моя душа утихнет вскоре,
Как под вечер стихает море,
И дремлет, серо-золотое,
И гаснет, розово-стальное...

«*Всё дождь и дождь! Какая скука!*». Печ. впервые по списку Белецкого в ТАИБ, где имеет порядковый номер «CXXIX».

«*Мир спит в тиши, во тьме ночной...*» Печ. впервые по автографу в АНВН (РГАЛИ. Ф. 1811.№1. Л. 44). Приводим раннюю редакцию, значительно отличающуюся от окончательной, по списку Белецкого в ТАИБ, имеющему порядковый номер «CXXVII»:

Всё спит в тиши, во тьме ночной,
Лишь я бессонницей томлюсь,
По ложу жаркому мечусь,
Во мрак вперивши взор больной.

Я спать хочу, а сон нейдет,
И мысли кружатся гурьбой,

И я один, один с собой,
И сам я свой ужасный гнет.

Ах... от себя уйти бы прочь!
О если б только отдохнуть!
Увы, бессилен я заснуть...
Ночь так темна, безмолвна ночь...

Спустись, надвинься, сна покров!
О как сознанье тяготит,
Как душу давит и томит...
Ах... я хоть умереть готов...

13-14.VI.1903

«Светят солнца лучи золотые...». Печ. впервые по списку Белецкого. В ТАИБ имеет порядковый номер «CXXVIII».

«Здравствуй, здравствуй, синева небесная!». Печ. впервые по списку Белецкого в ТАИБ. Автограф в АБВА — без разделения на строфы, с измененной пунктуацией и без даты.

«В тишине, луной облитый...». Печ. впервые по автографу в АНВН (РГАЛИ. Ф. 1811. №1. Л.56). В ТАИБ — список более ранней редакции, с разделением на строфы и некоторыми разночтениями, с датой «25.VII. 1903. Раздольное».

Это стихотворение показывает, как плодотворно освоил Недоброво традиции Тютчева и Фета, продолжающие свою линию и в поэзии начала XX века. Будь это стихотворение опубликовано своевременно, оно могло бы найти своего музыкального истолкователя и стать заметным романсом.

Б.В.Анрепу («Как я рад! Призыв твой задушевный...»). Печ. впервые по автографу в АБВА. В ТАИБ — другая редакция, где имеется еще одно, заключительное четверостишие:

И тогда с обычным упоеньем
вновь с тобой делиться мы начнем —
и души трепещущим огнем,
и ума холодным размышленьем.

Он залог бессилия разлуки. — После окончания 7-го класса Харьковской гимназии Б.В.Анреп уехал в Англию, а из Англии вернулся в Петербург, «потеряв из виду Недоброво, получая от него редкие письма». В 1902 г. Анреп поступил в Императорское училище правоведения. «И какова была моя радость получить письмо от Недоброво с сообщением, что он приезжает в Петербург, в Университет» (Ахматовский сборник 1. Париж, 1989. С.170). Вероятно, получив это письмо, Б.В.Анреп пригласил друга по приезде в Петербург остановиться у него на Лиговском, 3. В ответ на это приглашение и было, возможно, написано это дружеское послание. Уже 30.VIII. 03 в дневнике Недоброво появляется первая запись, сделанная в Петербурге: «Наконец! Сегодня утром я приехал сюда и почти целый день проходил с Володей (братом. — *М.К.*) по Петербургу. По приезде сюда нашел здесь карточку Анрепа. Завтра пойду к нему» (ИРЛИ. Ф. 201. № 37).

Дневной бриз («Море в светло-голубом покое...»). Впервые — Знамя. 1997. № 2. С. 160 (публикация Е.И. Орловой). Печ. по автографу в АНВН (РГАЛИ. Ф. 1811. №1. Л.75). Ранняя редакция (без названия и без даты), вероятно, «7.VIII.1903» по списку Белецкого в ТАИБ звучит так:

> Море в светло-голубом покое,
> Но вдали уже синеют волны
> И заропщут скоро уж в прибое
> Струи, камни, брызги, гнева полны.
>
> Я плыву всё дальше, дальше в море,
> И вот-вот меня волненье встретит,
> Я зову его, но в шумном споре
> Чем-то на привет оно ответит?

В АБВА автограф не датирован, но скорее всего эта редакция относится к 6.VII.1912. В ней исправлены последние две строки:

> И на мой привет в веселом споре
> Плеском ласковым и мощным мне ответит.

28.VII.1912 стихотворение «исправлено по совету Ю.Н. Верховского после того, как я жаловался ему на дубоватость в третьей и четвертой строке» (примечание Н.В.Недоброво). Этот вариант записан в одной из рабочих тетрадей (ИРЛИ. Ф. 201. №78. Л.40):

Море в светло-голубом покое,
Но вдали уже синеют волны —
Значит, скоро струи брызг в прибое
Загудят о камни, гнева полны.
Уплываю дальше, дальше в море
И вот-вот меня волненье встретит
И на мой привет, в веселом споре,
Белопенным всплеском мне ответит.

Однако и на этом работа над стихотворением закончена не была. 17.XI.1913 Недоброво озаглавил его, а также исправил 4-ю и 8-ю строки. Во всех редакциях «спор» был «веселым», так что появление эпитета «весенний», скорее всего, ошибка публикатора.

«Накануне моего отъезда лунным вечером...». Печ. впервые по автографу в АНВН (РГАЛИ. Ф. 1811. № 1. Л. 61). Другой автограф — в АБВА — не датирован. Первый известный нам опыт «стихотворений в прозе» Недоброво. 8.IX. 1905 г. он записал свои мысли по этому поводу в дневнике: «Есть образы, настроения и наблюдения — стихи по существу, совершенно не приемлющие стихотворной формы. Поэтому изобретение «стихотворений в прозе» было одним из величайших вздохов искусства. Для настроений промежуточных служат шатающиеся размеры, вроде «Сентиментального стихотворения» (см. с. 86). Я часто чувствую своими образами давление форм — это для меня признак, что скоро должны быть изобретены новые формы. Я ли изображу их? Скорее Анреп». (ИРЛИ. Ф. 201. № 39. С. 114).

К Е.П. Магденко («Нельзя вам видеть, как вижу я...»). Печ. впервые по автографу в АНВН (РГАЛИ. Ф. 1811. № 1. Л. 36). Ранние редакции (без посвящения и без даты) — в ТАИБ и в АБВА. *Магденко* Елизавета Петровна — близкий друг Н.В.Недоброво, в то время была женой А.А. Смирнова (1883-1962), знакомого Недоброво, впоследствии видного шекспироведа и переводчика.

«Зову тебя, приди сюда...». Печ. впервые по автографу (ИРЛИ. Ф. 201. № 28. Л. 2).

При виде звезд. Печ. впервые по списку Белецкого в ТАИБ.

«Стеснилось сердце болью сладкой...». Печ. впервые по автографу в АНВН (РГАЛИ. Ф. 1811. № 1. Л. 39).

Ранняя редакция по списку Белецкого в ТАИБ имеет разночтения, разделения на строфы, дату «1903» и порядковый номер «CXLVI».

«Под ребрами коньков похрустывает лед...». Впервые — Поэзия серебряного века: Антология / Составление, статья и примечания М.М.Кралина. СПб.: Лениздат, 1996. С. 129. Другая публикация по автографу РГАЛИ. Ф. 1811. № 1. Л. 37 — Знамя. 1997. № 2. С. 159 — Е.И. Орловой. Печатается по списку Белецкого в ТАИБ, в котором стихотворение имеет порядковый номер «CXLVII». В АБВА автограф без разделения на строфы и без даты, не имеет разночтений со списком Белецкого. Очевидно, что основная редакция стихотворения была сделана 3.XII.1903 в Петербурге, а исправления, внесенные в АНВН, — 6.I.1914. Мне кажется, что ранняя редакция не только ничем не уступает позднейшей, но и превосходит ее по точности образов. Что касается сохранения авторского написания деепричастия «блистя», сохраненного Е. Орловой, то оно не представляется мне необходимым, так как в произношении оно так и звучит, и это не нуждается в орфографическом подтверждении.

О Н.В.Недоброво как о замечательном мастере катания на коньках, вспоминала в беседе со мной Т.М. Девель. Она же сделала для меня выписку из своего письма Б.В. Анрепу от 20.VI. 1967: «О Н. Вл. я вспоминаю, когда слежу за состязаниями по фигурному катанью на льду. Он чертовски хорошо катался на коньках, легко и элегантно, и я охотно с ним вальсировала вечером под музыку у нас на «Прудках» (выписка хранится в моем архиве. — *М.К.*). Ср. также запись Недоброво в дневнике от 27.XII.1903: «Она (Т.М.Девель. — *М.К.*) выражала желание кататься со мной на коньках, что я, впрочем, отношу не на счет своей личности, а на счет той рекламы, которую Боря и Глеб (Анрепы. — *М.К.*) делают моему искусству на льду» (ИРЛИ. Ф. 201. № 39.).

К М.Н. Лисовской («Я долго, долго ждал с томленьем...»). Печ. впервые по списку Белецкого в ТАИБ. После романа с Диной «Недоброво в Крыму увлекся девицей Лисовской, петербургской гимназисткой, дочерью профессора Лисовского», — писал в своих воспоминаниях Б.В.Анреп. «За год до его приезда в Петербург в своем письме он просил меня приложить старанья, чтобы встретиться с M-lle Лисовской с целью поддержать в ней некоторое пламя, которое он сумел зажечь в ее сердце в Крыму...» (Об этой истории и ее продолжении — Ахматовский сборник 1. Париж, 1989. С. 170-172).

«Длинной вереницею...». Печ. впервые по автографу в АНВН (РГАЛИ. Ф. 1811. № 1. Л. 54).

«Хочу тебя из сердца вынуть...». Впервые — Альманах Муз. Пг.: Фелана, 1916. С. 120. Печатается по АНВН (РГАЛИ. Ф. 1811. № 1. Л. 108). Стихотворение в его первой редакции (18.I.1904) Недоброво послал А.И.Белецкому в письме от 5.II.1904. Воспроизводим этот вариант по ТАИБ:

К М.Н.ЛИСОВСКОЙ

Хочу тебя из сердца вынуть
Без боли, без тоски, нежней,
Хочу нежней, ровней остынуть,
С тобой расстаться подружней.

Несознанной любви ты скромно
Дала мне первые цветы...
Как думать о тебе мне томно,
Как дорога для сердца ты!

Ты мне мила... И пусть такою
Ты остаешься навсегда,
Такой в мечтах я успокою
Тебя, предсветная звезда!

Из дымных волн воспоминанья
Мягка, задумчива, бела,
О, перейди в мои созданья
И в них живи! Ты мне мила...

В этом стихотворении угадываются некоторые черты, предвосхищающие поэтику ранней (да и не только ранней) Анны Ахматовой. Ср., напр., образы «Из дымных волн воспоминанья» — «Из мглы магических зеркал» («Надпись на книге» (1940), а также образы «предсветной звезды» у Недоброво и «предвестницы рассвета» у Ахматовой в ст. «Завещание» (1914). Возможно, имея в виду, в частности, это стихотворение, Недоброво писал Б.В.Анрепу 27 апреля 1914 г.: «Я всегда говорил ей (Ахматовой. — *М.К.*), что у нее чрезвычайно много

общего, в самой сути ее творческих приемов, с Тобою и
со мною, и мы нередко забавляемся тем, что обсуждаем
мои старые, лет 10 тому назад писанные стихи, с той
точки зрения, что, под Ахматову или нет, они сочинены»
(цит. по: Анна Ахматова. Сочинения. Paris, YMCA-Press.
1983. Т. 3. С. 384).

«Не воротить... Так терпеливо...». Печ. впервые по
автографу (ИРЛИ. Ф. 201. № 78. Л. 33). В рукописи
имеет порядковый номер «CLV». Одно из самых сокровен-
ных признаний поэта. Петербургский климат не был
полезным для Недоброво, страдающего с ранних лет малокровием, от которого ему приходилось регулярно ле-
читься на курортах Германии и в Крыму.

«Ты помнишь камни над гладью моря...». Впервые —
Альманах Муз. Пг.: Фелана, 1916. С. 117. Републикация
О. Клинга (с ошибкой в первой строке «камыш» вместо
«камни») — в кн.: Русская поэзия «серебряного века»
1890-1917. М.: Наука, 1993. С. 475). Печ. по автографу
(ИРЛИ. Ф. 201. №78. Л. 7). На этом же листе —
наброски продолжения стихотворения:

> И если б прямо из этой дали
> Ко мне ты вышла, вся розовея,
> Глаза спокойно тебя б увидали,
> Сон мира с ресниц овея.

> И если б ангелом из этой дали
> Ты вышла, милая, вся розовея
> Глаза спокойно тебя б увидали
> Завесы мира с ресниц овея...

27.IV.12

> И если б прямо из этой дали
> Ко мне ты вышла, вся розовея,
> Глаза спокойно тебя б увидали,
> Сон мира с легких ресниц овея.

27.IV.12.

Но это четверостишие так и не вошло в основной текст.
На этом же листе — варианты строк 11-12-й, вошедшие
в публикацию в «Альманахе Муз»:

В глазах виденья всё той же дали
И сердце полно всё той же боли. (зач.)

16.III.15

Когда вся нежность розовой дали
Теперь воскресла в блаженной боли.

25.III.15.

В списке Белецкого в ТАИБ вариант строк 11-12-й:

Всё ж в нас всё нежно, как в розовой дали
И полно сладкой, блаженной боли.

В АНВН (РГАЛИ. Ф. 1811. № 1. Л. 111) текст соответствует публикации в «Альманахе Муз», но имеет даты: «22.I.04-25.III.15».

Анрепу («Мы дружбу мерим уж годами...»). Впервые — Русская мысль. 1914. № 11. С. 190). Печ. по автографу в АНВН (РГАЛИ. Ф. 1811. № 1. Л. 3).

К Б.В.Анрепу («Не надобно света... При слабом мерцаньи...»). Впервые — Северные записки. 1914. № 4. С. 107, под названием «Б.В.Анрепу»). Републикация Р.Д.Тименчика — в кн.: Анна Ахматова. Поэма без героя. М.: Изд. МПИ, 1989. С. 249. Печ. по автографу в АНВН (РГАЛИ. Ф. 1811. № 1. Л. 11). В АБВА — автограф этого стихотворения в другой редакции:

Нам света не надо... При слабом мерцаньи
Понятливей сердце, душа откровенней,
И в темном сознаньи ясней, совершенней,
Забытое тянется в новом созданьи.
Давай говорить... Мы не знаем и сами
Всех тайн у себя — смутен, странен их лепет,
Но душу до дна взволновал грозный трепет
И выйти им надо, сказаться словами.

«Всё впереди... О, так довольно...». Печ. впервые по списку Белецкого в ТАИБ. Стихотворение было послано А.И.Белецкому в письме от 15.II.1904 г. с заметкой: «Это длинно, шумно и пусто» (Цит. по ТАИБ).

«О, страсти, споря со словами...». Впервые — Русская мысль. 1913. № 4 в цикле «Девять стихотворений»,

под № I. С. 175. Печ. по АНВН (РГАЛИ. Ф. 1811. № 1. Л. 115).

«*Когда ты, голая, лежишь передо мной...*». Печ. впервые по автографу в рабочей тетради (ИРЛИ. Ф. 201. № 29. Л. 29). Стихотворение открывает собой цикл эротических стихов Недоброво, видимо, самим автором соотносимых с лицейской лирикой А.С.Пушкина и русской «барковианой». Недоброво, по-видимому, не придавал стихам этого рода большого значения; все они созданы «в один присест», в дальнейшем к работе над ними поэт не возвращался. Тем не менее эротические стихи молодого Недоброво, в отличие, например, от его стилизаций под средневековье, имеют более реалистический характер и приближают к нам его человеческий облик, резко контрастирующий с уже изрядно канонизированным «ликом».

«*Я, слава Богу, здесь здоров...*». Печ. впервые по автографу в рабочей тетради (ИРЛИ. Ф. 201. №29. Л. 29 об. — 32 об.). Это «послание к самому себе», написанное залпом, за один день (если верить дате 11.III. 1904), живо передает черты характера 22-летнего поэта: самовлюбленность и, одновременно, неуверенность в своем таланте, чувство юмора, направленное по отношению к самому себе, прикрывающее врожденную стыдливость. Возможно, этот стихотворный опыт Недоброво не прошел мимо внимания Ахматовой (которая могла слышать его из уст автора) и отразился в некоторых приемах, которыми она пользовалась при написании своего «Последнего письма» (1913), адресатом которого мог быть и Недоброво, сыгравший, как обычно, роль незримого посредника между Пушкиным, манера которого бросается в глаза в «Последнем письме», и Ахматовой.

«*Провидеть? — Лживое стремленье!*» — Впервые — Русская мысль. 1913. № 4. С. 178 в цикле «Девять стихотворений», под № VI. Печ. по автографу в АНВН (РГАЛИ. Ф. 1811. № 1. Л. 13). Приводим другую редакцию этого стихотворения по автографу (без даты) в АБВА:

> Предвидеть? Как бы всё ни ныло
> Стремленьем в будущие тьмы,
> Но только то, что было, было,
> Вперед выносим мыслью мы.
> Чиста последняя страница
> У начатого дневника.

> Какие сны, какие лица
> На ней отпечатлит рука?
> Смотрю — и всё бела бумага.
> Накрыты плотно письмена.
> Но тянет ум в упорство мага
> Прозреть слова сквозь времена...

Излюбленная будущими акмеистами (Мандельштамом, Ахматовой) мысль о «непоправимо-белой странице» будущего как о трагической динамике каждого подлинного художника уже предвосхищена в этом стихотворении Недоброво. Еще раньше в дневнике он записал свои мысли на эту же тему:

«Петербург. 4.XI.03. Вт<орник>.
Начинаю новую, уже пятую тетрадь дневника. Да, моя жизнь имеет историю и даже писанную. Как приятно перечитывать старые письма! И еще приятнее читать собственные записи о прошедшем, сделанные для самого себя, для единственного человека, с которым можно и должно быть вполне откровенным. Пусть сюда попадают пустяки, пусть важные события жизни проходят, не оставляя здесь, по той или иной причине, следа, но записи дневника являются вехами, цепляясь за которые, память воссоздает в представлении всю суть прошедшего.

А сколько скрыто загадок на следующих белых страницах этой тетради! Когда, где и чем будет заполнена ее последняя страница? Будет ли там описание поэтического триумфа, будет ли там рассказано, с дрожью писавшей руки, о блаженных волнениях любви, или может быть там будут страницы скорби, тоски и мучительного сомнения в себе, и самоотчаяния. Или, может быть, эта последняя страница ничем не будет заполнена? Сколько бы я дал, чтобы теперь прочитать ее!» (ИРЛИ. Ф. 201. № 38).

«Как не чужда прогнившему болоту...». Печ. впервые по автографу в АБВА. Дата — по списку Белецкого в ТАИБ, где стихотворение разделено на строфы, имеет порядковый номер «CLXIII», первая строка читается «Как не чужда прогнувшему болоту», 10-я строка — «И он, во мне меняя сочетанье».

По сути дела, известное четверостишие Ахматовой

> Когда б вы знали, из какого сора
> Растут стихи, не ведая стыда,

Как желтый одуванчик у забора,
Как лопухи и лебеда   (1940)

не что иное как парафраз этого стихотворения Недоброво.

«Разрушив себя, я познал человека...». Печ. впервые по автографу (ИРЛИ. Ф. 201. № 29. Л. 41 об.).

«Сколько у меня воспоминаний...». Печ. впервые по автографу в АНВН (РГАЛИ. Ф. 1811. № 1. Л. 52). В ТАИБ — без даты, имеет порядковый номер «CLXV».

«Постылый путь... ненужное движенье...». Печ. впервые по автографу в АНВН (РГАЛИ. Ф. 1811. № 1. Л. 51). В ТАИБ — без даты, имеет порядковый номер «CLXVI».

«Вернулся... Всё в Неве блестело...». Впервые — Русская мысль. 1915. № 6. С. 30, под названием «5 апреля 1904 года». Печ. по автографу в АНВН (РГАЛИ. Ф. 1811. № 1. Л. 2).

Ранняя редакция — в ТАИБ (без даты, с порядковым номером «CLXVII»). Ход работы над стихотворением виден в рабочей тетради (ИРЛИ. Ф. 201. № 78. Л. 3-5), где последовательно представлены три редакции стихотворения.

Время («Часы стучат... Секунда выходит из мрака...»*).* Печ. впервые по автографу в АНВН (РГАЛИ. Ф. 1811. № 1. Л. 22). В ТАИБ — дата «1904» и порядковый номер «CLXVIII».

«Я стоял позади... Ты сидела и вдруг...». Печ. впервые по автографу (ИРЛИ. Ф. 201. № 29. Л. 46-46 об.).

Летний сад. Печ. впервые по автографу в АБВА. Дата — по автографу в АНВН (РГАЛИ. Ф. 1811. № 1. Л. 30).

Дидактическая элегия о пристойном описанию Летнего сада стихе. Впервые — в сб.: Шестые Тыняновские чтения. Рига; Москва, 1992. С. 130, публикация С.В.Шумихина (по автографу в АНВН, без даты). Повторено в ст. Е. Орловой «Николай Недоброво: судьба и поэзия» — Вопросы литературы. 1998. №1. С. 148-149. Печ. по автографу (РГАЛИ. Ф. 1811. № 1. Л. 79). В автографе после названия зачеркнут подзаголовок «Перед сочинением идиллии «Летний сад». (Оба стихотворения были написаны начерно в один день — 14 апреля 1904 года). В АБВА — другая редакция под названием «Этюд к «Летнему саду».

Разночтения:

Строки:
2: мой изогнувшийся, изнеженный язык.
4: чтоб верно передать всё настроенье сада.
5: Французский «Летний сад»... к нему — французский
стих...
15: И шестистопный ямб, он, также ущемленный.
Комментарий к стихотворению см. в указ. статье Е.Орловой, с.149.

«Волненья, упреки, самолюбивые муки...». Печ. впервые по автографу в АНВН (РГАЛИ. Ф. 1811. № 1. Л. 50). В ТАИБ — дата «6.V.1904. Петербург» поставлена над стихотворением, что означает, скорее, дату письма, в котором было послано стихотворение, написанное 3 мая.

«Петропавловский шпиц и дворец рококо...». Печ. впервые по автографу (ИРЛИ. Ф. 201. № 29. Л. 50).

Лебяжья канавка («Белая ночь. В неподвижной воде Лебяжьей канавки...») Впервые — Аничков Мост. 1992. № 1 (53). Январь (публикация Михаила Кралина по автографу в АБВА, без названия и даты). Другая публикация — в статье Е. Орловой «Николай Недоброво: судьба и поэзия» — Вопросы литературы. 1998. № 1. С. 152, по автографу РГАЛИ. Ф. 1811. № 1. Л. 83. Печ. по этому изданию.

К Lise Хохлаковой («Там где явишься ты на страницы романа...»). Печ. впервые по автографу (ИРЛИ. Ф. 201. № 29. Л. 51 об.). Первое из целого ряда стихотворений, обращенных к любимой литературной героине Н.В.Недоброво Лизе Хохлаковой из романа Ф.М.Достоевского «Братья Карамазовы». Недоброво посвятил изображению ее характера и положения в творчестве писателя незаконченное эссе под названием «Мученица» (июль 1904 года), то есть накануне цикла стихотворений о ней. Он писал: «Lise Хохлакова — это синтез женских типов Достоевского, самая милая, самая художественная и единственная безупречно-художественная женская картина нашего автора, и не ошибемся, если скажем, что самая любимая. По крайней мере, ни одного из своих типов великий романист не рисует такими тонкими, такими тщательными и бесконечно художественными штрихами, иногда с чисто тургеневским изяществом намеков. Несомненно, она наиболее полно, наиболее художественно очерченное в романе лицо, а между тем как редко и на какое короткое время появляется она перед глазами читателя. Но Достоевский знал, что делал. Известно, что

то, что мы читаем под заглавием «Братья Карамазовы»,
— только половина романа, только экспозиция главных
действующих лиц второго романа, в котором Достоевский, судя по всему, хотел писать идеалы. И, читая
«Братьев Карамазовых», всякий художественно чуткий
человек с болью наслаждения чувствует, как увеличива-
ется напряжение, а следовательно, и тонкость творчества,
когда на сцену выходят эти будущие герои. Это — Алексей
Карамазов, мальчики, а из женщин — Lise Хохлакова»
(ИРЛИ. Ф. 201. № 9. Л. 1-2).

«Этот палец, придавленный дверью...». Печ. впервые по автографу (ИРЛИ. Ф. 201. № 29. Л. 52).
Записано в рабочей тетради вслед за предыдущим стихотворением. Другая редакция, возможно, более поздняя, в
АБВА (автограф без даты):

Этот палец, прищемленный дверью,
почерневший, с каплями крови под ногтем, и шепот:
«подлая, подлая, подлая, подлая».
Для меня в них слились все стремленья,
все стремленья, позывы черных волнистых полос,
черных с красными искрами, с серою мглою,
выходящих в сознанье из крови,
из крови и пропастей тела.
Блещут... тянутся... Хочешь дыхнуть... соскользнуть...
Но возможность дает только палец,
только палец, прищемленный дверью, и шепот:
«подлая, подлая, подлая, подлая».

В этом стихотворении Недоброво предстает как мастер
психологического письма (с особой ролью художественной детали), идущего от постижения художественной
системы Достоевского. «Стремление через текст выйти на
глубинные уровни писательской психологии», как пишут
авторы статьи «Материалы Н.В.Недоброво в Пушкинском
Доме» И.Г. Кравцова и Г.В. Обатнин (Шестые Тыняновские чтения... С. 88) приводит поэта к созданию внутреннего монолога героини романа Достоевского Лизы Хохлаковой. Возможно, Ахматова, определенно знавшая эти
стихи, в pandant к ним сочинила внутренний монолог
Алеши Карамазова — стихотворение «Бисерным почерком
пишете, Lise...» (1913). Мысль О. Мандельштама о том,
что «Ахматова принесла в русскую лирику всю огромную
сложность и психологическое богатство русского романа

девятнадцатого века. Не было бы Ахматовой, не будь...
всего Достоевского...» нуждается в уточнении: в отношении Ахматовой к Достоевскому немалую посредническую
роль сыграл Н.В.Недоброво.

*В широкой степи («На зеленой траве в широкой
степи...»).* Печ. впервые по автографу в АНВН (РГАЛИ.
Ф. 1811. № 1. Л. 31). Другая, более ранняя редакция —
(ИРЛИ. Ф. 201. №29. Л. 56-56 об.):

> На зеленой траве, в широкой степи
> лежа, мальчик пускает бумажного змея.
> он лежит и глядит, как, высоко белея,
> змей занёсся...
> Яркое солнце его согревает,
> в воздухе жаворонки реют.
> В небе, от зноя как будто бы дымном,
> тихо стоят облака, распластавшись...
> Мальчик за змеем следит.
> Тепло, стоят облака, распластавшись,
> жавронки звонко щебечут, поднявшись...
> Мальчик глядит и недвижно лежит...

8.VI.04

Сличение двух редакций в данном случае особенно
интересно, как показатель наглядной творческой работы
поэта. Это стихотворение могло подсказать Ахматовой ее
знаменитый образ, ставший знаменем акмеизма. См. об
этом, напр., в воспоминаниях Вл. Пяста: «Года через два
«ахматовское» направление стало определять чуть ли не
всю женскую лирику России. Ее «беличья распластанная
шкурка», — как правильно говорил когда-то В. Шкловский, — стала «знаменем» для пришедшей поэтической
поры, — послужив ключом для некоего возникающего
направления...» (Пяст Вл. Встречи. С. 110).

Но первоначально, в «Вечере», у Ахматовой было:

> Высоко в небе облачко серело,
> Как беличья расстеленная шкурка.

Вариант «распластанная» появился в одном из изданий
«Четок» (1922. С. 93), возможно, как бы в память о
Н.В.Недоброво, который, по ее собственному признанию,
«может быть, и сделал Ахматову» (Найман А. Рассказы о

Анне Ахматовой. М., 1989. С. 84). Кстати, этот вариант
сохранился и в сборнике «Из шести книг» (1940), по
которому, следуя авторскому указанию, следует печатать
«Вечер».

«Еду. Деревья, столбы у дороги...». Впервые — Северные записки. 1914. № 4. Печ. по автографу в АНВН
(РГАЛИ. Ф. 1811. № 1. Л. 15). В ТАИБ дата над
стихотворением «13.VI. 1904. Раздольное»; список с мелкими разночтениями и пробелом после 6-й строки.

«Надо идти совсем тихо...». Печ. впервые по автографу в АНВН (РГАЛИ. Ф. 1811. № 1. Л. 58).

*К Lise Хохлаковой («В раздраженной праздности
недуга...»).* Печ. впервые по автографу в АНВН (РГАЛИ.
Ф. 1811. № 1. Л. 29).

«Иногда я люблю и невинность...». Печ. впервые по
списку Белецкого. В ТАИБ дата — над стихотворением,
что говорит о том, что оно было послано в письме.
Автограф стихотворения неизвестен.

«За чувственным расчетом...». Печ. впервые по автографу в АНВН (РГАЛИ. Ф. 1811. № 1. Л. 48).

«Почему, увидавши тебя...». Печ. впервые по автографу (ИРЛИ. Ф. 201. № 29. Л. 46 об. — 47).

«Меня опутали лень, скука и томленье...». Печ.
впервые по автографу в АНВН (РГАЛИ. Ф. 1811. № 1.
Л. 24). В АБВА другая редакция (автограф без даты):

> Меня опутали лень, скука и томленье...
> Ты морщишься? — ведь пошлые слова!
> Но вникни в их ужасное значенье,
> Когда свежа бывает голова.
> Они звучат привычно, равнодушно —
> И диво, длясь века, не удивляет глаз!
> Но, чтоб увидела меня ты, простодушно
> Взгляни на них, как будто в первый раз!

Первый вариант стихотворения был послан Белецкому
в письме от 14.IX.1904 из Петербурга и записан им в
ТАИБ:

> Лень, скука, пустота, бесцельность и томленье —
> Привычные, небьющие слова,
> Но вникни в их ужасное значенье,
> Когда свежа бывает голова.
> Я сам в устах других их слышу равнодушно
> И не темню участьем гордых глаз,

Но, чтоб понять меня, взгляни ты простодушно
На них, как будто в первый раз.

Бабочки над гранитом («В синеве речной и небесной дали...»). Впервые — Аничков Мост. 1992. № 1 (53). Январь (публикация Михаила Кралина). Печ. по автографу в АНВН (РГАЛИ. Ф. 1811. № 1. Л.21).

К Е.А.Татаринцовой («Пролейся в кровь струящимся огнем...»). Впервые — в ст. Е. Орловой «Николай Недоброво: судьба и поэзия» — Вопросы литературы. 1998. № 1. С. 150 (с некоторыми неточностями). Печ. по автографу в АНВН (РГАЛИ. Ф. 1811. № 1. Л. 38). Более ранняя редакция — автограф в АБВА (без даты) и список Белецкого в ТАИБ с датой «26.X.1905» над стихотворением, вероятно, посланным в письме.

Приводим стихотворение по этому списку (посвящение в нем отсутствует):

Пролейся сквозь меня струящимся огнем,
Огнем страстей, бессильных утомиться,
Дай пропитаться им, дай сжечь безумно в нем
Всё затхлое души, всё бывшее, что длится.

О величайшая из всех моих потерь,
Ты — мысль мелькнувшая, забытая сознаньем,
И как ее ловлю с внимательным страданьем,
Твоей души я так хочу теперь.

Мне твой огонь, блестящий, распаленный,
И красный, он не страшен, хоть далек —
В сознаны у меня свой ползает, зеленый,
Извилистый холодный огонек.

Тобою одержим, гоним беззвучным страхом,
Как ветер ледяной, в палящий жар песков,
Я рвусь в пожар... а то рассыплюсь прахом
Под вспышками болотных огоньков.

Об адресате стихотворения сведений установить не удалось.

<Балерине Кякшт> («Ваши ножки...»). Печ. впервые по списку Белецкого в ТАИБ. Вероятно, было послано в письме от 22.X.1904 с указанием адресата этого шуточного стихотворения.

Кякшт Лидия Георгиевна (1885-1959), русская балерина, классическая танцовщица. Обладала виртуозной техникой. В 1902-1908 гг. — на сцене Мариинского театра. Автор книги «Романтические воспоминания» (Romantic Recollections. London, 1929).

План Петербурга «Огромная река, широкие каналы...»). Впервые — Аничков Мост. 1992. № 1 (53). Январь, публикация М.Кралина — по автографу (без названия и даты) в АБВА. Печ. по автографу в АНВН (РГАЛИ. Ф. 1811. № 1. Л. 80).

На новый 1905 год. Печ. впервые по автографу в АНВН (РГАЛИ. Ф. 1811. № 1. Л.28). Одно из немногих у Недоброво стихотворений — непосредственных откликов на общественно-политические события в России. *Грозный год морозов, войны и подземного гула / Недовольства народной воли...* Имеется в виду первый год Русско-японской войны, начавшейся в 1904 году и приведшей к поражению русской армии и событиям первой русской революции 1905-1907 годов. Интересно, что Анна Ахматова в «Поэме без героя» явно использовала образную цепь из стихотворения Недоброво в строках:

> И всегда в духоте морозной,
> Предвоенной, блудной и грозной,
> Жил какой-то будущий гул...

Отсылка к стих. Недоброво разъясняет смысл, таящийся в «непонятном» гуле, — это «гул недовольства народной воли».

Интересно, что эта параллель возникает в главе третьей Первой части поэмы, непосредственно перед Лирическим отступлением, посвященным Н.В.Недоброво.

Нева зимой («На Неве полыньи, замерзая, дымятся...»). Впервые — Аничков Мост. 1992. № 1 (53). Январь, публикация Михаила Кралина, по автографу в АБВА, без названия и без даты. Другая публикация — в ст. Е. Орловой «Николай Недоброво: судьба и поэзия» — Вопросы литературы. 1998. № 1. С. 151-152. Печ. по автографу в АНВН (РГАЛИ. Ф. 1811. № 1. Л. 82).

В автографе АБВА 5-я строка: «А темно-серая густая вода», в более позднем, входящем в АНВН, вода сделалась уже «пустой». Эту замена эпитетов в поисках большей точности могла привлечь внимание Ахматовой, которая использовала ее в авторизации цитаты из Н. Клюева в эпиграфе к «Поэме без героя». (У Клюева: «Где Данте шел, и воздух густ», у Ахматовой: «Где Данте шел и воздух пуст»).

«Не рви... дай вытянуть мучительную нить!». Впервые — Русская мысль. 1913. № 4. С. 177 в цикле «Девять стихотворений», под № IV. Печ. по автографу в АНВН (РГАЛИ. Ф. 1811. № 1. Л. 113).

«Солнце мне светит и, может быть, миру». Печ. впервые по автографу (ИРЛИ. Ф. 201. № 30. Л. 12 об.). Это единственный известный на сегодняшний день моностих поэта.

«Мы стояли друг против друга и смотрели...». Печ. впервые по автографу (ИРЛИ. Ф. 201. № 30. Л. 16-16 об.). *Ван Дик* (Ван Дейк) Антонис (1599-1641), фламандский живописец. Виртуозные по живописи, парадные аристократические и интимные портреты его отличаются тонким психологизмом и благородной одухотворенностью. Недоброво говорит как бы от лица породистой русской аристократии, к которой он причислял и себя, противопоставляя классическое искусство новым живописным исканиям, даже в лучших образцах (Сомов, Врубель, Малявин) допускавших отступления от канонов гармонии и сообразности в искусстве.

«Дрожащий, приподнятый с луга...». Печ. впервые по списку Белецкого в ТАИБ. Возможна связь *лунного круга* из этого стихотворения со строкой из «Реквиема» Ахматовой «Что мерещится им в лунном круге?», хотя не исключено, что среди источников этого образа и строка Ал. Блока «Дух пряный марта был в лунном круге...», тем более, что Ахматовское «Посвящение» датируется «мартом 1940 г.».

(К Lise Хохлаковой) (*«Я тебя провожал сегодня во сне...»*). Печ. впервые по списку Белецкого в ТАИБ. Стихотворение не датировано, но находится в тетради среди стихов 1904 года, поэтому условно датируется нами этим годом, когда было создано большинство стихотворений, посвященных Лизе. Под стихотворением приписка А.И.Белецкого: «Из серии стихов к Lise. «Это из средних, так 6-ая 9-ая». Стихотворение представляет собой внутренний монолог Алексея Карамазова.

Сентиментальное стихотворение для Т.М.Девель. Впервые — Северные записки. 1913. № 3. С. 52, под названием «Сентиментальное стихотворение». Печ. по ав-

тографу в АБВА. В том же альбоме — еще две редакции
этого стихотворения; приводим одну из них:

Пожелтела, поникла, сжалась увядшая ветка
Белой, еще вчера похожей на воск, тепличной сирени...
На нее из сухого сердца слезы падают редко,
И из былого не оживить им и тени.
Ея цветки подмерзли, некрасиво обвисли,
Но шепчут о прошлом мило, сердечно
Дорогие, мне одному понятные мысли...
И зачем ей нельзя всегда так остаться... вечно.
Если б умел, я б нарисовал ее акварелью,
Как она есть, со всеми пожелтелыми лепестками,
И повесил бы ее в грустную, чистую келью,
В узкой рамке с круглыми углами.

                              15-17.I.05. Петербург

Н.В.Недоброво записал в дневнике 17.I.1905: «Это
стихотворение в сущности начато в голове еще 15-го у
Девель. Спорили о сентиментализме, у меня была в руках
подвялая белая сирень, читались мои стихи и я сказал,
что надо или что мне ничего не составит написать на
сирень прекрасное сентиментальное стихотворение. Что-
то меня подзадорило и вот — я написал!» (ИРЛИ. Ф. 201.
№ 39).

Татьяна Модестовна *Девель* (1888-1981), подруга юности Б.В.Анрепа и Н.В.Недоброво. В то время занималась
в «Обществе поощрения художеств», впоследствии была
заведующей фотоархивом Ленинградского отделения Академии наук. Всю свою долгую жизнь прожила в доме,
адрес которого (Лиговский пр., д. 3 / Озерной пер., д.
9) должен остаться в истории литературы: в нем жил
Б.В.Анреп и часто бывал Н.В.Недоброво. Я несколько раз
бывал у Т.М.Девель в ее комнате по этому адресу и,
между прочим, передал ей мои выписки из дневниковых
записей Недоброво, хранящихся в ИРЛИ. Теперь они
опубликованы в «Шестых Тыняновских чтениях», с. 121-
122. Как справедливо пишет опубликовавшая их Н.И.
Крайнева, «некоторые из дневниковых записей Недоброво
Т.М.Девель использовала в своих мемуарах, написанных
ею на 91-м году жизни. Татьяна Модестовна вспоминала:
«...Поэт Н.В.Недоброво, начисто выбритый и с нежной,
почти женской кожей лица и высоким писклявым голосом
охотно и часто пользовался мною, как слушательницей

его «гениального» (как ему казалось) стихосложения. Полагал еще достойными и читал стихи Анны Ахматовой...» (РНБ. Ф. 1168. № 9. Л. 22). О Т.М.Девель см. также: Тименчик Р.Д. Ахматова и Пушкин. Заметки к теме // Ученые записки Латвийского гос. ун-та. Т. 215. Пушкинский сборник. Рига, 1974. Вып. 2. С. 52. Прим. 51; Кралин М. «...А потом архив попал в Гуверовский институт» — Аничков Мост. 1992. № 1. С. 4 (в статье опубликовано и «Сентиментальное стихотворение» по автографу в АБВА, переданному Б.В.Анрепу самой Т.М.Девель).

<К Е.П. Магденко> («Наконец и вы по мерзлым ступеням...»). Печ. впервые по автографу в АНВН (РГАЛИ. Ф. 1811. № 1. Л. 55). В списке Белецкого в ТАИБ другая дата — «16.I.1905». В АБВА — другая редакция (автограф без даты, в конце еще 4 строки):

Наконец и вы, когда вдруг стемнело
В три часа, заскучали боязливо,
И растерянно съежилось ваше тело,
И вы сказали: «Как несносно... тоскливо».

В архиве А.И.Белецкого хранился портрет Е.П.Магденко работы художника К.Е.Костенко (около 1910 г.), подарен его сыном П.А.Белецким М.Кралину.

«Это оно... и опять... и как хорошо!..». Печ. впервые по автографу в АНВН (РГАЛИ. Ф. 1811. № 1. Л. 33).

В автографе над стихотворением в скобках помета — «Парчовая книга». По-видимому, обращено к жене поэта, Любови Александровне Ольхиной (1875 — 1924).

Царское Село («Чужды преданьям и народу...»). Впервые — в статье Р.Д.Тименчика «Ахматова и Пушкин. Заметки к теме» — Ученые зап. Латвийского гос. ун-та. Т. 215. Вып. 2. Рига, 1974. С. 45-46, по автографу (ИРЛИ. Ф. 201. № 41. Л. 18). Автограф в АБВА (не датирован) представляет собой более законченную редакцию:

ЦАРСКОЕ СЕЛО

Чужды преданьям и народу
Дворцы и церкви рококо,
Сады, которые природу
Преобразили далеко,
И генералы в римских тогах,
И гладь искусственных озер,

И желтый гравий на дорогах,
И трав остриженный ковер.
Нас — было время — легкокрылой
Европой замутил угар,
И вырос из болот унылый
И стройный каменный кошмар.
Не видно нив и слез отсюда
И мысль, возникнувшая здесь,
Туманится над жизнью люда —
Бессилия и яда смесь.

Печ. по автографу в АНВН (РГАЛИ. Ф. 1811. № 1. Л. 46).

Последняя правка, отличающая этот текст от редакции в АБВА, сделана 11.III.1910, эту дату Недоброво проставил на полях, но общая датировка осталась прежней.

В 1914-1916 годах Н.В.Недоброво жил в Царском Селе по адресу: ул. Бульварная, дом 54. В стихах Ахматовой образ Н.В.Н. неотъемлемо связан с Царским («Царскосельская статуя» (1916), «Одни глядятся в ласковые взоры» (1936), «Если плещется лунная жуть» (1928), Царскосельское лирическое отступление в «Поэме без героя»).

Постоянство («Когда я говорю, что в жизни одного б...»). Впервые — Северные записки. 1913. № 3. С. 52. Печ. по автографу в АНВН (РГАЛИ. Ф. 1811. № 1. Л. 109). В ТАИБ — ранняя редакция, под названием «Сонет» и с датой «15.IV. 1905». Тот же вариант, но без даты, в АБВА. В ИРЛИ. Ф. 201. № 78. Л. 54 — другая редакция, в которой этот же сонет написан не шестистопным, а пятистопным ямбом:

СОНЕТ

(К Л.Хохлаковой)

Когда я говорю, что одного б
Хотел достичь — тебя, о дорогая,
Других девиц и дам припоминая,
Ты, улыбаясь, клонишь белый лоб.

Но странник вдаль от северного края
Идет, взалкав узреть Господень Гроб,
И, сбросив чешую страстей и злоб,
Там предстоять, как у преддверья рая.

Гроб — цель его в пустыне бытия,
Но свет далек — и кто ему укоры
Пошлет за то, что, по пути в соборы,

В часовни он заходит? Скорбь тая,
В неполной святости он ждет опоры
Стремленья к пресвятому. Так и я.

2.III.05 — 11. XII. 11.

Это — последнее по времени и наиболее затаенное обращение поэта к любимой героине. Лишь немногие друзья Недоброво знали, что этот сонет обращен к Lise Хохлаковой. (На это есть указание в списке Белецкого). Интересно, что в полностью до сих пор не опубликованной повести «Против тоски о добром старом времени» А.И. Белецкий, описывая петербургские соблазны своего alter ego, пересказывает сонет Недоброво, правда, не называя имени Поэта: «Прелестные бесы, обступив его, шептали зазывно в уши, засматривали в глаза, вылезали из купленных днем открыток, оправляя обнаженной рукой перед зеркалом волосы, танцовали Саломеины танцы семи покрывал, в легчайшем дезабилье садились к нему за стол, шалили на его кровати, убеждая жить, не советуясь ежеминутно со своей совестью, не обременяя случайным балластом памяти. У молодого человека, конечно, имелась Она, мечтам о которой он хотел бы остаться верен: но «не согрешишь — не покаешься, не покаешься — не спасешься», а что может быть хуже, как уже будучи спасенным, вдруг вспомнить неумолимую правду первой половины этого изречения? И грех ли, отправляясь пилигримом ко Гробу Господню, заходить по дороге во все часовенки и часовни, ища, как сказал поэт, опоры истинно-святому стремленью в неполной святости? Оставим на ответственности поэта сравнение его любви с гробом, хотя бы и Господним: но, рассуждая независимо от него, разве не является еще вопросом возможность служения Афродите небесной без принесения положенной жертвы Афродите земной?» (цит. по копии, снятой с подлинника, с разрешения П.А.Белецкого).

«Странно. Сижу я с девушкой чистой, здоровой...». Печ. впервые по автографу в дневнике поэта (ИРЛИ. Ф. 201. № 39).

«Какие красивые, важные лица...». Печ. впервые по автографу (ИРЛИ. Ф. 201. № 30. Л. 33). В списке

Белецкого даты нет, но есть пояснительная приписка: «Выставка портретов».

«Историко-художественная выставка русских портретов», устроенная С.П. Дягилевым, открылась в марте 1905 г. в Таврическом дворце при содействии великого князя Николая Михайловича, добившегося высочайшего покровительства выставке и ставшего председателем ее Комитета. Выставка устраивалась «в пользу вдов и сирот павших в бою воинов»; по ее материалам великий князь осуществил пятитомное издание «Русские портреты XVIII-XIX столетий» (СПб., 1905-1909).

Герцогский сонет («Я, грозный герцог, всем — и сюзерену — страшен...»). Впервые — Русская мысль. 1913. № 4. С. 176, в цикле «Девять стихотворений», № II, под названием «Сонет». Печ. по автографу в АНВН (РГАЛИ. Ф. 1811. № 1. Л. 85).

«Мир жадно зряч, но сам не видим...». Печ. впервые по автографу в АНВН (РГАЛИ. Ф. 1811. № 1. Л.34). Более ранняя редакция (с пометкой «набросок» и датой «26.IV.1905») — в ТАИБ.

На островах. Впервые — в ст. Е. Орловой «Юдифь или Олоферн?» — Вопросы литературы. 1999. № 6. С. 313. Печ. по автографу в АНВН (РГАЛИ. Ф. 1811. № 1. Л. 88). В автографе год указан в зачеркнутой датировке: «05 — 23.VI.05».

«Мне больно, почему не знаю сам...». Печ. впервые по автографу в АНВН (РГАЛИ. Ф. 1811. № 1. Л. 84). Вероятно, адресовано Л.А. Ольхиной, будущей жене Недоброво.

«Плывет тоска, растет, немая...». Впервые — Аничков Мост. 1992. № 1 (53). Январь. С. 4, публикация Михаила Кралина), с ошибкой в первой строке — «река» вместо «тоска», по автографу из АБВА. Кстати, Г.П. Струве, разбирая почерк Недоброво в альбоме, подаренном Анрепу, сделал ту же ошибку при перепечатке стихов на машинке. Печ. по автографу в АНВН (РГАЛИ. Ф. 1811. № 1. Л. 16). Приводим другую редакцию по автографу (ИРЛИ. Ф. 201. № 78. Л. 30):

> Плывет тоска, растет, немая,
> И дорастает до границы слов.
> Да, я ничтожен... Дух, лишен основ,
> Поник. А мысль блестит, карая,

Плетет изысканный и точный приговор.
Что? Я любуюсь им? — уж дальним, самовольным
И вспыхнул мир; я становлюсь довольным,
Как не бывал до этих пор.

3.IX.05 — 22.VI.11. 2.VIII.12

«В спускающейся амфитеатром аудитории...». Печ. впервые по автографу в АНВН (РГАЛИ. Ф. 1811. № 1. 60). В 1903-1906 годах Н.В.Недоброво был студентом историко-филологического факультета Санкт-Петербургского университета.

«Люди, гуляющие по улицам, набережным и паркам...». Печ. впервые по автографу в АНВН (РГАЛИ. Ф. 1811. № 1. Л. 59).

«Недалеко от моей квартиры, на углу...». Печ. впервые по списку Белецкого в ТАИБ.

«Молодиться никогда не рано...». Впервые — в ст. Е. Орловой «Николай Недоброво: судьба и поэзия» — Вопросы литературы. 1998. № 1. С. 149. Печ. по автографу в АНВН (РГАЛИ. Ф. 1811. № 1. Л. 42). По мнению Е.И. Орловой, стихотворение написано «ко дню рождения Л.А. Ольхиной — будущей жены поэта; в нем проявилась характерная для Недоброво (даже в отношении близких людей) доля язвительной иронии» («Николай Недоброво: судьба и поэзия», с. 149).

«Когда любовью сердце так забьется...». Впервые — Знамя. 1997. № 2. С. 160 (публикация Е.Орловой). Печ. по автографу в АНВН (РГАЛИ. Ф. 1811. № 1. Л. 91).

«Ты мой враг, и час пробил к борьбе...». Впервые — Знамя. 1997. № 2. С. 139 (публикация Е. Орловой). Печ. по автографу в АНВН (РГАЛИ. Ф. 1811. № 1. Л. 74). В более ранней редакции (автограф в АБВА) 1, 5 и 9-я строка — «Ты мой враг, и я с тобой в борьбе». 16.XI.1914 Недоброво внес изменения в эти строки, и они стали звучать: «Ты мой враг, и час пробил к борьбе».

Рондо («Я вас люблю в готическом наряде...»). Впервые — Знамя. 1997. № 2. С.159 (публикация Е. Орловой). Печ. по автографу в АНВН (РГАЛИ. Ф. 1811. № 1. Л. 86).

13 декабря 1906 года («Вы каждый день рождаетесь тогда...»). Печ. впервые по автографу в АНВН (РГАЛИ. Ф. 1811. № 1. Л. 89). *И эта связь весны с заветным днем, / Когда забилось в мире сердце ваше.* Имеется в виду 13 декабря — день рождения Л.А.Ольхиной, будущей жены поэта.

Цу-Сима («*Плавный накат раскачавшихся волн...*»). Печ. впервые по автографу в АНВН (РГАЛИ. Ф. 1811. № 1. Л.45). 12 февраля 1907 года Недоброво записал в дневнике: «Сегодня я написал стихи о Цусиме и первые фразы рассказа «Душа в маске» — заглавие это я только что придумал» (ИРЛИ. Ф. 201. № 41. Л. 10). Недоброво был человеком, остро и болезненно реагирующим на общественно-политические события, хотя они редко находили прямое отражение в его поэзии. Характерна запись в дневнике 2 марта 1903 года: «Общественные мотивы в поэзии — абсурд. Поэзия занимается жизнью души, общественные симпатии — дело ума. Особенно их нельзя выразить в лирике, которая одной ногой стоит в области сенсуальных искусств. Если общественные симпатии влияют на склад души, тогда они будут отражаться, но уже в пресуществленном виде, так что без глубокого изучения личности поэта и его убеждений их не заметишь». (ИРЛИ. Ф. 201. № 37. Л. 104 об.). Но поражение российского флота в бою под Цусимой произвело слишком глубокое впечатление на современников этого события, чтобы оно не отразилось в стихах (ср. отзвук Цусимы в стихах Ахматовой: «И облака сквозили / Кровавой цусимской пеной...»).

«Я ведаю, как видеть Бога!..». Впервые — Северные записки. 1913. № 3. С. 53. Печ. по автографу в АНВН (РГАЛИ. Ф. 1811. № 1. Л. 106). Приводим другую редакцию стихотворения по автографу в АБВА (не датирован):

«Я знаю, как увидеть Бога
И как из камней делать хлебы».
Они бегут... их много... много...
Чтоб утолил я их потребы.
«Я знаю, как увидеть Бога!..»
Они взмолились: «Ради Неба,
Все камни горного отрога
Ты переделай в груды хлеба».
Они едят... едят и просят...
Прошла голодная тревога...
И тихо по толпе разносят:
«А Бога... он не видит Бога».

«Я так тоскою был разрушен...». Печ. впервые по АНВН (РГАЛИ. Ф. 1811. № 1. Л.87).

«*Звезды падают в черное море...*». Печ. впервые по автографу в АНВН (РГАЛИ. Ф. 1811. № 1. Л. 90). Другой автограф (в АБВА) не датирован.

Поэт («Я стою высоко над землей...»). Печ. впервые по автографу в АНВН (ГРАЛИ. Ф. 1811. № 1. Л. 92).

Ранняя редакция с пометкой «черновой набросок» и датой «1907. Судак» — в ТАИБ.

«*Такого дня не видано давно...*». Впервые — под названием «24 января 1908 г.» — Русская мысль. 1913. № 4. С. 177, в подборке «Девять стихотворений», под № V. Печ. по автографу в АНВН (РГАЛИ. Ф. 1811. № 1. Л. 82).

Полуденная дремота. Впервые — Северные записки. 1914. № 4. С. 107. Печ. по автографу в АНВН (РГАЛИ. Ф. 1811. № 1. Л. 110).

Швальбах («Я, с потускнелой и усталой кровью...»). Печ. впервые по автографу в АНВН (РГАЛИ. Ф. 1811. № 1. Л. 27). В ТАИБ рукой Белецкого записан вариант того же сонета:

> Erstlich musst Du um morgen frü,
> Anstatt einer suppen oder brü,
> Trinken des Brumens olso Kalt,
> Ein solches glass voll, das behalt,
> Den andern morgen trink ein par
> etc.

> С гравюры XVII ст., изображающей
> Швальбах в 1630 году.

С изнемогающей и бледной кровью,
Размаяв блеск ее по городам,
Я здесь припал к целительным водам,
Чтоб возвратиться к юному здоровью.

Без роздыха под вспашкой по годам,
Иссякло поле... Да возникнет новью,
Напитано железом — и сыновью
Тебе, целитель Феб, любовь воздам.

Благ до конца пребудь, мой покровитель,
Затем, что здесь, священных вод властитель,
Всей жажды сердца я не утолю.

Я для того взываю к исцеленью,
Чтоб мочь отдаться высшему стремленью,
Мне Иппокрены выпить дай, молю!

2.VIII.1911

Швальбах — курорт в Германии, куда Недоброво с женой неоднократно выезжали на лечение в начале 1910-х годов.

Иппокрена — в греческой мифологии источник вдохновения, возникший от удара копыта крылатого коня Пегаса на горе муз Геликоне (отсюда букв. «лошадиный источник»).

Ломбардский сонет («*Повсюду сокрушая оборону...*»). Печ. впервые по автографу в АНВН (РГАЛИ. Ф. 1811. № 1. Л. 96).

Скалигеры (делла Скала) (Scaligeri, della Scala) — итальянский род, к которому принадлежали синьоры Вероны с 60-х гг. XIII в. до 1387 (когда Верона была захвачена правителями Милана *Висконти*).

Тегернзе («*Здесь Тютчев был; предания глухи...*»). Впервые — в ст. Е. Орловой «Николай Недоброво: поэзия и судьба» — Вопросы литературы. 1998. № 2. С. 154. Печ. по автографу в АНВН (РГАЛИ. Ф. 1811. № 1. Л. 77).

Тегернзе (Тегернзее)—курорт в Германии, где Недоброво часто бывал, выезжая за границу на лечение. Стихотворение Ф.И. Тютчева «Я лютеран люблю богослуженье» (1834) действительно написано в Тегернзе (в автографе РГАЛИ дате предшествует помета: «Тегернзе» (Тютчев Ф.И. Полн. собр.стихотворений. (Библиотека поэта). Л., 1957. С. 346).

Сонет («*О кровь из сердца, сжатого тобой...*»). Впервые — Северные записки. 1914. № 4. С. 106). Печ. по автографу в АНВН (РГАЛИ. Ф. 1811. № 1. Л. 107).

Сон благодарности. Печ. впервые по автографу в АНВН (РГАЛИ. Ф. 1811. № 1. Л. 78).

Ольга Алексеевна *Химона* — жена художника Н.П. Химона (1865-1920) — один из ближайших друзей Недоброво, адресат нескольких его стихотворений.

Тянулось кружево твое. В письме Л.Я.Гуревич от 28.III.1914 Недоброво упоминает «Триолеты о кружевах», которые он хотел бы печатать не в «Русской мысли», а в задуманном А.П. Остроумовой журнале «Прелеста». (Шестые Тыняновские чтения, с. 108). Возможно, имеется в виду стихотворение «Сон благодарности». Ахматова в разговоре с П.Н. Лукницким вспоминала, что «Недоброво собирал коллекцию кружев» (Лукницкий П.Н. Acumiana. Встречи с Анной Ахматовой. Paris, 1991. Т. 1. С. 181).

Послание на Принцевы острова («*Два месяца почти прошло...*»). Печ. впервые по автографу в АНВН (РГАЛИ. Ф. 1811. № 1. Л. 19-20). Было послано Б.В. Анрепу в письме от 25.IX.1912 под названием «Послание О.А.Химона на Принцевы Острова». Недоброво писал: «Милый! Я получил Твое письмо и сразу пришел к себе в комнату, чтобы переписать и отправить Тебе всё, что я написал в последнее время; я в последние дни в таком подъеме, в каком давно еще не случалось бывать и Твое письмо докатилось до меня звучащим эхом многих немых к Тебе обращений, потому что, когда я пишу, я к Тебе обращаюсь особенно настойчиво. Если твердым искусом мне удалось приучить свой голос верно звучать хотя бы и в пустоте, то только потому, что первая его речь была выверена Тобою и Твои заветы вечно памятны и глубоко непогрешимы» (К истории русской литературы 1910-х годов: Письма Н.В. Недоброво к Б.В.Анрепу / Публикация Г.П.Струве // Slavica Hierosolymitana. Vol. V/VI (Jerusalem, 1981).

Принцевы острова — группа островов в Турции, на северо-востоке Мраморного моря, близ Стамбула.

Велисарий (ок. 504-565) — византийский полководец императора Юстиниана I. Одержал победы над иранцами, вандалами в Сев. Африке, отвоевал у остготов Юж. и Ср. Италию.

Невидимый Софии крест — имеется в виду храм св. Софии, (Айя-София) в Стамбуле (Константинополе).

Верхом изъездим всю округу — в письме Б.В.Анрепу от 2.VI.1913 Недоброво пишет: «Ольга Алексеевна (Химона. — *М.К.*), моя верховая дама, которая очень обращает внимание на одежду своего кавалера», а в письме от 29.X.1913 сообщает: «О.А. — несчастлива и мила (она живет в Павловске, я езжу к ней и мы много гуляем по парку; муж ея очень болен»).

Вальс. Впервые — Знамя. 1997. № 2. С. 160 (публикация Е. Орловой). Печ. по автографу в АНВН (РГАЛИ. Ф. 1811. № 1. Л. 102). Другая, более ранняя редакция — в АБВА и ТАИБ — без даты:

Вальс, волнуясь, поет... Мы плывем, а кругом,
завертевшись, теряются люди и зала.

Только ты здесь со мной, ты одна не пропала...
вижу только тебя с чуть склоненным лицом.
Всё смешалось, исчезло... Лишь мы остаемся.
Мы вдвоем и одни! Мы вдвоем и одни
в беспредельности света и звуков несемся
и вкруг нас, нас лаская, несутся огни...
Мы сливаемся вместе в согласных движеньях,
и сливаются с нами томящие звуки,
и, сплетясь до забвения всякой разлуки,
излучаются души в немых наслажденьях.
И лицо твое — вот — повернулось ко мне,
и глаза потонули в глазах с упоеньем,
и без сил уносимые в теплой волне,
мы одни... мы одно... мы одно с этим пеньем...

Страшное сердце. Впервые — Русская мысль. 1914.
№ 11. С. 89-90. Печ. по автографу в АНВН (РГАЛИ. Ф.
1811. № 1. Л. 10). Написано в Бобровке.

Послание по случаю поднесения сочинений Тютчева.
Впервые — Русская мысль. 1913. № 4. С. 176-177, в
подборке «Девять стихотворений», под № III. Печ. по
автографу в АНВН (РГАЛИ. Ф. 1811. № 1. Л. 8). В
письме к Б.В.Анрепу от 25.IX.1912 Недоброво писал:
«Вышло новое издание стихотворений Тютчева. По этому
поводу написано следующее «Послание О.А.Химона по
случаю поднесения ей стихотворений Тютчева» (В него
вошло переделанное и сокращенное старое мое стихотворение «К Тютчеву»)» (цит. по ксерокопии из архива Г.П.
Струве в Гуверовском институте).

Вячеславу Иванову. На «Rosarium». Впервые — Русская мысль. 1913. № 4. С. 179, в подборке «Девять
стихотворений», под № VIII. Печ. по автографу в АНВН
(РГАЛИ. Ф. 1811. № 1. Л. 114). С поэтом Вячеславом
Ивановым (1866-1949) Недоброво связывала не только
дружба, но и литературное сотрудничество. 13.XI.1912
Недоброво писал из Санкт-Петербурга Б.В.Анрепу: «Да,
об Иванове: он написал мне ответные дистихи; как стихи,
они хуже моих, но мне очень дорого упоминание в них о
тебе, хоть и косое. Вот они:

По сердцу мне и по мысли моей ты ответствуешь, добрый,
      Речи неправой того, кто б, в укоризну певцу,
Сорванных роз пожалел, позавидовав жатве богатой:
      Много прекраснейших есть окрест волшебных садов,

Издали виденных мной. Обетованных кущ соглядатай,
    Сильным кошницы я нес — юную мощь разбудить...
Ты ж и твой ласковый друг с глядящими в душу глазами,
    Мните ль, ревнивцы, одни быть господами земель —
Той, чье мне каменье ты самоцветное на руку сыпал, —
    Той, чьи в теплицах его странные дышат цветы?
Вольных набегов добычу — что прячете? Сильным не стыдно
    Алчных на гибель взманить нетерпеливую рать»

(цит. по ксерокопии автографа из архива Г.П.Струве в Гуверовском институте) «*...твой ласковый друг с глядящими в душу глазами...*» имеется в виду Б.В.Анреп, который читал в «Обществе поэтов» свою поэму «Физа», получившую одобрение Вяч. Иванова.

Стихи, вырезанные на померанцевом дереве (Из Парни). Печ. впервые по автографу в АНВН (РГАЛИ. Ф. 1811. № 1. Л. 94). *Парни* Эварист (1753-1814) — французский поэт, любимец лицеиста Пушкина. Не исключено, что он привлек внимание Недоброво именно в этом качестве, как персонаж стихотворения Анны Ахматовой «Смуглый отрок бродил по аллеям...». Сборник «Вечер», в котором было напечатано это стихотворение, появился в марте 1912 года, а перевод из Парни был выполнен Недоброво 16 сентября 1912 года.

«Люблю отделывать стихи прошедших лет...». Впервые — Русская мысль. 1913. № 4. С. 179-180, в подборке «Девять стихотворений», под № IX. Печ. по автографу в АНВН (РГАЛИ. Ф. 1811. № 1. Л. 9). Первое упоминание об этом стихотворении — в письме Недоброво Б.В.Анрепу от 25.IX.1912: «В последнее время я делал исправления во многих старых стихотворениях. Этим вызвана следующая элегия. Она, кажется, не готова еще». Далее в письме следует текст элегии, имеющий некоторые разночтения с окончательной редакцией:

5-я строка: Ожившим в полноте почувствовать в себе.

7-я строка: Скользнувший и едва замеченный в ту пору...

В этой элегии Недоброво выразил самую суть своего творческого метода, состоящего в систематическом возвращении к старым стихам, постоянной их отделке (с обязательным указанием точной даты, когда сделана та или иная поправка). Осень 1912-го года стала для него своего рода «болдинской», когда он не только написал рекордное для него количество новых стихов, но и довел до совершенства множество старых.

Аполлинийские дистихи. Впервые — Русская мысль. 1914. № 11. С. 89). Печ. по автографу в АНВН (РГАЛИ. Ф. 1811. № 1. Л. 104). «Как видишь, разнообразные изречения, но все об одном», — писал Недоброво Б.В.Анрепу об этих стихах (Письмо от 25.IX.1912) — цит. по копии из архива Г.П.Струве в Гуверовском институте.

Ю.Н.Верховскому («Видений и стихов кавказских...»). Впервые — Русская мысль. 1915. № 6. С.29-30, под названием «Юрию Никандровичу Верховскому». Печ. по автографу в АНВН (РГАЛИ. Ф. 1811. № 1. Л. 4). *Верховский* Юрий Никандрович (1878-1956), поэт, переводчик, историк литературы. Интересы Верховского были сосредоточены на литературе «Пушкинской плеяды», что и обыгрывает в своем «напутственном слове» Недоброво. В 1909-1915 годах Верховский преподавал на Высших женских курсах в Тифлисе.

И будь Дедалом для «Икара». Игра слов: «Икар» — наименование литературно-художественного кружка в Тифлисе (прим. Н.В.Недоброво).

«Любовь нежна... А духом меч...». Впервые — Северные записки. 1913. № 3. С. 51); републикация — в кн.: Там шепчутся белые ночи мои. Избр. стихи поэтов серебряного века. Сост., вст. ст. и прим. М. Кралина. Л.: Детская литература, 1991. С. 160. Печ. по автографу в АНВН (РГАЛИ. Ф. 1811. № 1. Л. 105). Хотя, переписывая эту элегию для Анрепа в письме от 25.IX.1912, Недоброво назвал ее «по-видимому, далеко не готовой», в дальнейшем он не изменил в ней ни слова.

Е.М.М. («Во взгляде ваших длинных глаз, то веском...». Впервые — Северные записки. 1913. № 3. С. 52. Печ. по автографу в АНВН (РГАЛИ. Ф. 1811. № 1. Л. 7). В ТАИБ — под названием «Сонет», без посвящения, с датой «1913». В АБВА автограф без посвящения и без даты. В текстах разночтений нет. По поводу этого стихотворения существует уже целая литература. Г.П.Струве, сопоставляя текст стихотворения с письмом Недоброво Б.В.Анрепу от 27 апреля 1914 г., где он пишет, что «внешность ее (Ахматовой. — *М.К.*) настолько интересна, что с нее стоит сделать и леонардовский рисунок», пришел к выводу, что «стихотворение написано об Ахматовой и должно относиться ко второй половине 1913 или началу 1914 года». Такой вывод он сделал на основании анализа автографа стихотворения в АБВА (подробнее об этом в ст.: Струве Г.П. К проблеме атрибуции стихотворных посвящений // Ricerche Slavistiche. Vol. XVII-XIX. P. 507-514). Однако, обнаружив публикацию стихотворения с названием-посвящением Е.М.М., Струве отказался от своей гипотезы в пользу адресованности его Ахматовой. (Струве Г.П. Ахматова и Н.В.Недоброво // Анна Ахматова. Сочинения. Paris: YMCA-Press, 1983. Т. 3. С. 412-413). И.Г.Кравцова и Г.В.Обатнин в статье «Материалы Н.В.Недоброво в Пушкинском Доме» полагают, что название «Е.М.М.» дает основание предполагать, что стихотворение посвящено Елизавете Петровне Магденко — близкому другу Недоброво еще со времен Харькова. По мнению исследователей, стихотворение «опубликовано в «Северных записках» (1913, № 3) либо с очевидной опечаткой в первой букве отчества (начальные буквы имени образуют заглавие стихотворения), либо из сознательного стремления зашифровать адресата посвящения — то и другое в равной степени вероятно». — Шестые Тыняновские чтения… С. 100). Однако в АНВН «очевидная опечатка» не исправлена, хотя Недоброво, записывая это стихотворение в свою последнюю рабочую тетрадь уже после его публикации, должен был это сделать. Шифровать адресата посвящения в собственном альбоме тоже не было особой надобности (тем более, что одно из стихотворений в том же альбоме носит название «К Е.П.Магденко» (Л. 55). Мне кажется, загадка «Е.М.М.» пока не раскрыта. Интересно, однако, что в альбоме Анрепа и в списке Белецкого — самых осведомленных и доверенных читателей Недоброво, — посвящение отсутствует вовсе. И, возможно, прав был Г.П.Струве, когда писал: «Отсутствие посвящения в анреповском альбоме указывает на возможность того, что ко времени записи этого стихотворения в альбом Недоброво мысленно перепосвятил его Ахматовой» (Указ. соч., с. 413). Важно, в конце концов, не то, посвятил или перепосвятил Недоброво этот сонет Ахматовой, а то, что она принимала его на свой счет (по словам близкого знакомого Ахматовой, В.С. Муравьева, у них была на эту тему беседа с А.А.). Как «зеркальный сонет», так и этот нашли отклик в позднем стихотворении Ахматовой «Все, кого и не звали, в Италии…»:

Я осталась в моем зазеркалии,
Где ни Рима, ни Падуи нет.

Под святыми и вечными фресками
Не пройду я знакомым путем
И не буду с леонардесками
Переглядываться тайком.

(см. об этом: Анна Ахматова. Соч.: В 2 т. М.: Правда, 1990. Т. 2. С. 414)

Газелла («В брызгах радужных сияний грань алмаза разглядеть ли?»). Печ. впервые по автографу в АНВН (РГАЛИ. Ф. 1811. № 1. Л. 116). В автографе — посвящение «Тат<ьяне> Мод<естовне> Дев<ель>», зачеркнутое автором. В АБВА другая редакция этой газеллы, без посвящения. Приводим этот текст:

В брызгах радужных сияний грань алмаза как разглядеть?
Цвет блеснувшего призывом нежным глаза как разглядеть?

Стать проворной кобылицы, скачущей, взметая ноги,
В чистом поле у подножья гор Кавказа, как разглядеть?

В опереньи легкой птицы, проносящейся у башни,
Жар рубина ль, изумруда ли, топаза, как разглядеть?

Тело смуглой баядерки, дерзко гнущееся в пляске,
Всё быстрее, всё смелее раз от раза, как разглядеть?

Склад души у девы жадной до влюбленных наших взглядов,
У которой — всё увертка, всё проказа, как разглядеть?

А намеренья поэта, у которого для девы
В наставленьях, в песнях, в сказках нет отказа,

                                        как разглядеть?

Г.П.Струве, имея в распоряжении только эту редакцию, сделал предположение, что стихотворение «не об Ахматовой, но могло быть написано для нее. Строка о деве «жадной до влюбленных взглядов» напоминает кое-что в статье Недоброво об Ахматовой» (Струве Г. Ахматова и Н.В.Недоброво // Анна Ахматова. Сочинения. Т. 3. С. 413-414). Это предположение кажется нам небезосновательным, но нуждается в дополнительных аргументах.

Ахматовой («С тобой в разлуке от твоих стихов...»). Впервые — Альманах Муз. 1916. Пг.: Фелана. С. 118, без названия и без даты. По этой публикации перепечатывалось много раз; главным образом, в антоло-

гиях стихов, посвященных Ахматовой. (О, Муза Плача...
Стихотворения, посвященные Анне Ахматовой / Сост.,
подготовка текстов И.Н. и М.Н. Баженовых. М.: Педаго-
гика, 1991. С. 33-34; «В ста зеркалах». Образ Анны
Ахматовой в русской поэзии / Сост. И.Лосиевский //
Лосиевский И. Анна Всея Руси. Харьков: Око, 1996. С.
261; Русская поэзия «серебряного века», 1890-1917: Антология. М.: Наука, 1993. С. 474-475, с ошибкой в 18-й
строке (публикация О.А.Клинга); «Там шепчутся белые
ночи мои»: Избр. стихи поэтов серебряного века. Л.:
Детская литература, 1991. С.161 (публикация М.Крали-
на); Об Анне Ахматовой. Стихи, эссе, воспоминания,
письма / Сост. М.М.Кралина. Л.: Лениздат, 1990. С. 69
и многие другие. Все эти республикации имеют одну
существенную ошибку: в них 1916 год указывается как
дата написания стихотворения, в то время, как этим
годом отмечена его публикация в «Альманахе Муз», между
тем, в самом «Альманахе» стихотворение не датировано.
Это не помешало, однако, исследователям, основываясь
на заведомо неверной дате, строить далеко идущие умо-
заключения. Сам Недоброво не говорил, по-видимому, с
друзьями об этом стихотворении: характерно, что его нет
в альбоме, подаренном Б.В.Анрепу, а в ТАИБ А.И.Белец-
кий вписал посвящение А. Ахматовой со знаком вопроса.
И только в последней своей тетради Н.В.Недоброво рас-
крывает все карты: стихотворение обретает название «Ахматовой»; в августе 1916 года поправляются 2-я и 3-я
строки и под стихотворением ставится точная дата его
создания. Всё это позволяет и даже вынуждает нас печатать это знаменитое стихотворение в новой, непривычной
для читателя редакции, по автографу в АНВН (РГАЛИ.
Ф. 1811. № 1. Л. 6), выполняя последнюю волю поэта.
Ахматовой был известен вариант 19-й строки: «Ты встре-
пенись, пойми, чем я томим», она по памяти вписала его
в свою папку «В ста зеркалах» (РНБ. Ф. 1073).

Когда Ахматова и Недоброво встречались в последний
раз в Бахчисарае в августе 1916 года, они, вероятно,
касались в беседах и этого стихотворения. В «Альманахе
Муз» первые четыре строки печатались так:

С тобой в разлуке от твоих стихов
Я не могу душою оторваться.
Как мочь? В них пеньем не твоих ли слов
С тобой в разлуке можно упиваться?

Возникает предположение, что правка была сделана по
просьбе Ахматовой; возможно, ей показалось, что трое-
кратное повторение слова «душа» в одном стихотворении
— излишество. Что касается вопросительного предложения «Как мочь?», то оно могло показаться не столько даже
неблагозвучным, сколько слишком напоминающим четверостишие их общего царскосельского приятеля, графа
В.А. Комаровского:

> Гляжу: на острове посередине пруда
> Седые гарпии слетелись отовсюду
> И машут крыльями. Уйти, покуда мочь?
> . . . .
> И тяготит меня сиреневая ночь.

Вероятно, выполняя просьбу Ахматовой, Недоброво
поставил под стихотворением дату его написания — 11 —
24 декабря 1913 года. Этим сразу снимался вопрос, му-
чивший многих исследователей: стихотворение написано
еще до выхода в свет «Четок» (март 1914), а в 1913 году
Ахматова как будто еще действительно не посвящала
стихов Недоброво. Но даже и после того, как она посвятила ему немало стихов в течение 1914-1916 годов, при
последнем их свидании Недоброво остался тверд и не
изменил в своем стихотворении последнюю и, видимо,
самую важную для него строку «Ты, для меня не спевшая
ни звука». Это связано с его общим взглядом на стихи:
посвященные кому-то одному, попадая в печать, они, тем
самым, делаются общим достоянием, а тот, кому они были
адресованы, теряет на них право собственности (см. об
этом более подробно в нашей статье «Анна Ахматова и
Николай Недоброво» — Кралин М. Победившее смерть
слово. Томск: Водолей, 2000. С. 41-42).

13 декабря 1913 года («День рожденья твоего...»).
Печ. впервые по АНВН (РГАЛИ. Ф. 1811. № 1. Л. 117).
Написано ко дню рождения жены поэта, Любови Алек-
сандровны Недоброво.

Заяц. Впервые — Альманах Муз. 1916. Пг.: Фелана.
С. 118. Републикации: «Там шепчутся белые ночи мои»:
Избранные стихи поэтов серебряного века. Л:. Детская
литература. С. 159-160 (публикация М.Кралина); Поэзия
серебряного века: Антология / Сост., статья и примечания
М.М.Кралина. С. 130. Печ. по автографу в АНВН
(РГАЛИ. Ф. 1811. № 1. Л. 103). В письме от 15 января
1914 года Недоброво писал своей молодой приятельнице

Вере Алексеевне *Знаменской* (1892-1968): «...быстро пробежало время, так быстро во всяком случае, что я за ним не угнался и за месяц почти ничего не успел сделать: не написал ни одной поэмы, ни одной идиллии, ни одного стихотворения, ни одного трактата, ни даже Устава общества поэтов. Зато много верст выходил на лыжах, но неужели только как выносливого лыжника и стоит помянуть меня на этом свете. Я, впрочем, все-таки не жалуюсь на судьбу — на воздухе хорошо, я двигаюсь, а значит и набираю здоровья, которое мне очень и очень нужно, потому что, правда, куда годится человек, ежели он малокровен и вял? Ни то, ни другое, конечно, не порок, но как было бы просто жить, если бы только пороки делали людей негодными. Снежные поля, деревья в снегу, следы лыж по снегу — вот то, что видят мои глаза, если их закрыть. Первые дни, что мы тут жили, были очаровательны: стояли сильные морозы без ветров и деревья так густо покрылись инеем, что, ходя по парку, и не думал видеть перед собой парк, но дно морское, покрытое высочайшими деревьями белых кораллов. Особенно сильна была такая иллюзия ночью.

Зимняя природа мне очень мила — она не дает залениться или завянуть. Надо всё двигаться, чтобы сохранить жизнь. Когда это безвыходная необходимость — для лесного ли зайца, для бездомного ли вовсе человека, это может быть и изнурительно, но для комнатного животного нет более оздоровляющей, чем зима за городом, среды...» (Шестые тыняновские чтения... С. 118-119). 12 августа 1965 года В.А.Знаменская показала это письмо А.А.Ахматовой (вместе со стихотворением «Заяц»), и «А.А. нашла (как считала и я), что это письмо интересно в связи с этим стихотворением — как показатель творческого процесса». (Струве Г. Ахматова и Н.В.Недоброво // Анна Ахматова. Сочинения. Т. 3. С. 400).

«Не напрасно вашу грудь и плечи...». Впервые — в статье Р.Д.Тименчика и А.В.Лаврова «Материалы А.А. Ахматовой в рукописном отделе Пушкинского Дома» — Ежегодник рукописного отдела Пушкинского Дома на 1974 год. Л.: Наука, 1976. С. 63.; повтор в кн.: Анна Ахматова. Поэма без героя. М.: Издательство МПИ, 1989. С. 249 (публикация Р.Д.Тименчика). Шуточный мадригал — реплика на стихотворение Ахматовой «Настоящую нежность не спутаешь...», которое Недоброво разбирает в своей статье «Анна Ахматова». Печ. по автографу, запи-

санному на полях черновика статьи Недоброво «Анна Ахматова» (ИРЛИ. Ф. 201. № 1).

«При жизни Вы разлучены с душой...». Впервые — в кн.: Черных В. «Летопись жизни и творчества Анны Ахматовой». Часть 1. 1889-1917. М.: Эдиториал УРСС, 1996. С. 68 по автографу (РГАЛИ. Ф. 13. Оп. 1. Ед. хр. 195). Печ. по этому изданию. Дарственная надпись Н.В. Недоброво — Анне Ахматовой на оттиске его повести (В.А.Черных почему-то называет это произведение «статьей») «Душа в маске» (Русская мысль. 1914. Кн. 1).

При жизни Вы разлучены с душой... — возможно, Недоброво имеет в виду стихотворение Ахматовой «Как соломинкой пьешь мою душу...» (1911), где есть строки «Не печально, / Что души моей нет на свете». Под «сказкой» Недоброво, скорее всего, подразумевает свою «Сказку о птице» (1914), с. 124 наст. изд., написанную им для Ахматовой.

«Странную едкую радость доставило мне, что Верховский...». Впервые — в статье Н.И. Крайневой «Рукописи Н.В.Недоброво и материалы о нем в отделе рукописей ГПБ им. М.Е. Салтыкова-Щедрина» — Шестые тыняновские чтения. Рига; Москва, 1992. С.118. Комментарий публикатора: «Единственный автограф Недоброво — стихотворение, обращенное к Ахматовой; оно написано на конверте, в который, вероятно, была вложена книга стихотворений Ю.Верховского. Эта бандероль была послана Ю.Верховским из Тифлиса в феврале 1914 г. в Петербург Недоброво; на конверте имеется запись Верховского: «с просьбой доставить Анне Андреевне Ахматовой». Текст стихотворения Недоброво полустерт и трудночитаем, приводим его в таком виде, как нам удалось его восстановить и прочитать». Прочтение Н.И. Крайневой кажется нам не совсем убедительным: вряд ли Недоброво мог употребить такое неблагозвучное слово, как «куча» применительно к стихам. «Книга» тоже не подходит — в это время в Тифлисе книг у Верховского не выходило. Текст печ. по автографу (РНБ. Ф. 1073. Ед. хр. 187. Л. 1), прочитанному мной совместно с сотрудницей ОР РНБ Н.В. Роговой, за что выражаю ей мою глубокую благодарность. Согласно нашему прочтению, сделанному в 1987 году, когда текст был в несколько лучшей сохранности, Ю.Н.Верховский прислал в бандероли не книгу, а «кипу» стихов, то есть пачку стихов на отдельных листках. После выхода в свет «Записных книжек» Ахма-

товой мы получили неожиданное подтверждение правильности нашего прочтения. В 1965 году Ахматова сделала попытку разобрать полустертый текст стихотворения Недоброво, но не сумела довести эту работу до конца. Приводим текстологическое прочтение, сделанное Ахматовой:

«(Недоброво 11.2.16)
(А.)
Странную едкую радость доставило мне,
Что Верховский
Мне сегодня прислал кипу стихов для тебя
Смесь дву... чувств потем ки»

(Записные книжки Анны Ахматовой (1958-1966). Москва; Torino, 1996. С. 583). Дата «1916» — результат неверного прочтения Ахматовой текста Недоброво или же — публикаторами Записных книжек текста самой Ахматовой. В 1916 году Ю.Н.Верховский уже уехал из Тифлиса и жил в Москве.

«Законодательным скучая вздором...». Впервые — Ленинградский рабочий. 1979. 30 июня, в статье М.Кралина «Сонет «незабвенного друга». Повтор: Анна Ахматова. Поэма без героя. М.: Издательство МПИ, 1989. С. 273 (публикация Р.Д.Тименчика). Печ. по автографу (ИРЛИ. Ф. 201. № 78. Л. 37). Сонет записан зеркальным письмом на отдельном листке и описывает изображенную тут же монограмму, сплетающую утроенное «А». Над сонетом помета: «В подкомиссии по улучшению местных финансов. При рассмотрении законопроекта об улучшении земских и городских финансов». Сонет написан ко дню именин Анны Ахматовой. Хотя она нигде не упоминает об этом сонете, но, возможно, именно в связи с поднесением именинного сонета связана запись Ахматовой в ее предсмертном дневнике: «16 февраля. (Сретенская Анна). Среда.

Вспоминала этот день в 10-ых годах. Н.В.Н<едоброво>». (Записные книжки Анны Ахматовой. С. 711).

Недоброво глубоко интересовался искусством итальянского Возрождения и, в частности, творчеством Леонардо да Винчи (см. также сонет «Во взгляде ваших длинных глаз...»). Во время почти ежегодных заграничных путешествий Недоброво с женой не упускали случая осмотреть музей, пинакотеку или галерею того города, в котором они останавливались. 14/27.VII.1911 года Недоброво писал Б.В.Анрепу: «В Милане я пробыл $2^1/_2$ дня — нестерпимо. Обошел 4 пинакотеки, но почти ничего не увидел от жары. Только вещи Леонардо и особенно Codex Atlanticus — громадный том его рукописей и рисунков...» Возможно, именно Недоброво не только в совершенстве освоил приемы леонардовского «зеркального письма», но и сумел заинтересовать ими Анну Ахматову, у которой эти приемы виртуозно разработаны в «Поэме без героя» («Я зеркальным письмом пишу...»). О связи «зеркального сонета» с темой зеркал у Ахматовой см. также: Олег Федотов. Зеркало и поэт. Н.В.Недоброво как зеркало поэтического будущего Ахматовой // Литературная учеба. 1997. № 1. С. 88-100.

На пути. Впервые — Знамя. 1997. № 2. С. 158-159 (публикация Е. Орловой). Печ. по автографу в АНВН (РГАЛИ. Ф. 1811. № 1. Л. 95).

Балерине (*«Мощь мышц у тела тяжесть отняла...»*). Печ. впервые по автографу в АНВН (РГАЛИ. Ф. 1811. № 1. Л. 18). Возможно, предназначалось для коллективного сборника «Тамаре Платоновне Карсавиной — «Бродячая собака», 26 марта 1914». СПб., 1914, но напечатано в книге не было. Книга была посвящена знаменитой балерине Т.П.Карсавиной (1885-1978) ко дню ее рождения.

«Господень день. Ликуя, солнце пышет...». Впервые — под названием «Светлое воскресение четырнадцатого года» — «Невский Альманах. Жертвам войны — писатели и художники». Пг., 1915. С. 47. Републикации: Анна Ахматова. Поэма без героя. М.: Изд. МПИ, 1989. С. 248 (публикация Р.Д.Тименчика); Поэзия серебряного века: Антология. СПб.: Лениздат, 1996. С. 131 (публикация М. Кралина, по списку А.И.Белецкого в ТАИБ). Печ. по автографу в АНВН (РГАЛИ. Ф. 1811. № 1. Л. 5). *И сердцем той, кто без того свободна, / Так радостно свободу подтвердить.* Имеется в виду Анна Ахматова и ее «Стихи о Петербурге», только что увидевшие свет в сборнике «Четки» (март 1914 г.):

> Мне не надо ожиданий
> У постылого окна
> И томительных свиданий —
> Вся любовь утолена.
> Ты свободен, я свободна,
> Завтра лучше, чем вчера...

«Не ярок, но невыразимо светел...». Печ. впервые по автографу в АНВН (РГАЛИ. Ф. 1811. № 1. Л. 76). 29 марта 1918 года Недоброво в последний раз прикоснулся к своей тетради, исправив 13-ю строку, которая прежде звучала так: «И небо — белое. И воздух бодрый».

Сказка о птице. Печ. впервые по автографу в АНВН (РГАЛИ. Ф. 1811. №1. Л. 1). По-видимому, «Сказка» писалась Н.В.Недоброво специально для Анны Ахматовой (См. четверостишие «При жизни Вы разлучены с душой...»). Неизвестно, была ли «Сказка» закончена, возможно, беловой автограф в последнем альбоме поэта был восстановлен им по памяти, чем объясняется фрагментарность публикуемого текста. «Сказка» соотносится со стихотворением Ахматовой «Был он ревнивым, тревожным и нежным...» («А чтобы она не запела о прежнем, / Он белую птицу мою убил») и дает основание считать, что и это стихотворение относится к Н.В. Недоброво. Интересно, что это стихотворение впервые напечатано в том же «Невском альманахе» (Пг., 1915. С. 11), что и стихотворение Недоброво «Светлое воскресение четырнадцатого года». Образ души-птицы восходит к Библии: «На Господа уповаю; как же вы говорите душе моей: "улетай на гору вашу, как птица?"» (Псалтирь, 10, 1).

СТИХОТВОРЕНИЯ НЕИЗВЕСТНЫХ ГОДОВ

«Холодный ум не верит в привиденья...». Печ. впервые по списку Белецкого в ТАИБ. Этим стихотворением в ТАИБ открывается раздел, озаглавленный составителем «Из ранних стихотворений», большинство из которых не датированы.

«Я — целый мир. Всё то, что вижу я и знаю...». Печ. впервые по списку Белецкого в ТАИБ.

Капелла («На небе, огненной зарей опаленном...»). Печ. впервые по списку Белецкого в ТАИБ.

«Омертвелые части души!». Печ. впервые по списку Белецкого в ТАИБ.

«Черные волны вливались в меня...». Печ. впервые по списку Белецкого в ТАИБ.

«Завет, с которым мы расстались...». Печ. впервые по списку Белецкого в ТАИБ.

К М.Н. Лисовской («Я опускаюсь — жизнь ушла...»). Печ. впервые по списку Белецкого в ТАИБ, где имеет

порядковый номер «CL». О М.Н.Лисовской см. прим. на
с. 294-295.

«С каждым мерным дыханьем твоим...». Печ. впервые по списку Белецкого в ТАИБ, где имеет порядковый
номер «CLI».

<Начало поэмы> (*«Как франт прошедших поколений...»*). Печ. впервые по автографу (ИРЛИ. Ф. 201. №
26. Л. 71 а, 72, 72 об., 76 об., 77). Фрагменты поэмы
сохранились во 2-й тетради произведений Недоброво,
включающей рукописи, относящиеся к 1901 году. Название дано составителем.

Как видно из сохранившихся набросков поэмы, Н.В.
Недоброво очень рано, не достигнув и двадцатилетия,
ощущал свою «особенную» роль в литературном движении
своего века. Противопоставляя себя основной массе лите-
раторов, которых он иронически именует «сверхчеловече-
ским племенем», юный Недоброво оставляет за собой
право на союз с Пушкиным, поэтом, который воплощал
для него не только «чудную простоту» и «величавую
красоту», но, что самое важное, «чувство меры» во всем,
что касалось художественного творчества. С юношеским
максимализмом Недоброво осуждает *«искусства»*, которые, в поисках новых ощущений, перегнали даже *«фило-
софа погибнувшего века»*, то есть Ф. Ницше с его
позицией «по ту сторону добра и зла». Сближая позиции
ницшеанства и «декадентства», Недоброво не случайно
упоминает *«Бальмонта с его кликой»*. Хотя позднее
Недоброво по-разному оценивал поэзию Бальмонта, творчество ранних русских символистов и прежде всего В.Брю-
сова, осталось ему чуждым, если не сказать, враждебным.
Хотя во второй половине своей литературной деятельности Недоброво сблизился с кругом среднего поколения
символистов и, прежде всего, с Вяч. Ивановым, он, тем
не менее, всю жизнь ощущал и отстаивал свое право на
«одиночество» и «неопушкинизм». В этом праве к концу
жизни Недоброво не только утвердился, но и обрел круг
литературных союзников в созданном им «Обществе поэтов», и среди таких близких ему по взглядам поэтов, как
Анна Ахматова, Ю. Верховский, М. Струве и др. Избран-
ной для себя столь рано поэтической и жизненной позиции Недоброво не изменил до конца жизни.

К Дине (*«Скажи, скажи мне, милый друг...»*). Печ.
впервые по списку Белецкого в ТАИБ, где имеет порядковый номер «CXLV». О Дине — см. прим. на с. 286-287.

«Я ласкаю тебя сладострастно...». Печ. впервые по списку Белецкого в ТАИБ.

«Иногда моей мысли, бьющейся в оковах прошлого...». Печ. впервые по списку Белецкого в ТАИБ, где имеет порядковый номер «CLXII».

К Дине («Ты не позволишь, чтоб мужчина...»). Печ. впервые по списку Белецого в ТАИБ.

К ней же («Ты далека. Я не могу...»). Печ. впервые по списку Белецкого в ТАИБ.

«В глубокую, звездную, темную ночь...». Печ. впервые по автографу в АБВА.

«Луна дрожа плывет меж облаками...». Печ. впервые по автографу в АБВА.

«Помню я рокот прибрежной волны...». Печ. впервые по автографу в АБВА.

«Не любя декадентского стиля...». Печ. впервые по автографу в АБВА.

Триолеты о любви. Впервые — Русская мысль. 1913. № 4. С. 178-179, в подборке «Девять стихотворений», под № VII.

Повтор: в заметке Г.П.Струве «К кончине Ю.П. фон Анреп» — Новое русское слово. 1973. 18 марта, по автографу из АБВА.

Печ. по автографу в АНВН (РГАЛИ. Ф. 1811. № 1. Л. 101). Юния Павловна *фон Анреп* (урожденная Хитрово) (1880-1973) — жена Б.В.Анрепа, адресат нескольких стихотворений Недоброво и Ахматовой. В некрологе, напечатанном в «Новом русском слове» от 14 февраля 1973, приводятся малоизвестные сведения о покойной, которые мы перепечатываем здесь с некоторыми сокращениями: «В Филадельфии скончалась Ю.П. фон Анреп, дочь тайного советника императорской России П.С.Хитрово, одного из сподвижников графа С.Ю.Витте в деле железнодорожного строительства в России и председателя Московско-Ярославской Архангельской жел. дороги. В честь ее одна из станций Великого Сибирского пути была названа Юнино.

Юния Павловна окончила гимназию Стоюниной в Петербурге, а после Первой мировой войны, уже будучи эмигранткой, курс английского языка и литературы в Лондонском у-те. В Варшаве 15 лет преподавала английский язык в колледже, открытом американцами. <...> Во время Первой мировой войны она была награждена Георгиевскими медалями 4-й и 3-й степени с бантом. Находясь в качестве сестры милосердия на передовых позициях во время тяжелых боев под Ригой, она без потерь вывела свой санитарный отряд, попавший под артиллерийский обстрел, когда уже даже не было пехотного прикрытия. Слова «За Храбрость» на серебряных медалях вполне соответствовали тому, что она сделала со своей обычной ясной улыбкой, надеясь, как она говорила, на волю Господа и вспоминая своего деда-генерала, участника Италийского похода Суворова».

«Твои следы в отцветшем саду свежи...». Впервые — Северные записки. 1916. № 11-12. С. 69-70. Печ. по этому изданию. Последняя прижизненная публикация стихов Недоброво.

Возможно, стихотворение обращено к Б.В.Анрепу, отношения с которым в это время осложнились. Но сам Б.В.Анреп нигде не упоминает об этом стихотворении — возможно, оно осталось ему неизвестным. Свой очерк о Н.В.Недоброво, написанный в конце жизни, Б.В.Анреп закончил так:

«В последний мой приезд в Петроград я с глубокой скорбью узнал, что Недоброво заболел туберкулезом и что он увезен в Крым. Я был в отчаянии и написал ему дикое письмо, из которого помню только одну фразу. Дикую, непростительную, «беззащитную», как сказал бы Вячеслав Иванов, который позже виделся с Н.В. в Крыму:

— Дорогой, не умирай, Ты и А.А. для меня вся Россия.

Ответа я не получил». — Ахматовский сборник 1. Париж, 1989. С. 178.

«Снова на профиль гляжу я твой крутолобый...». Впервые — Северные записки. 1916. № 11-12. С. 69-70. Печ. по этому изданию.

Это загадочное стихотворение, возможно, из давнего цикла стихов, мысленно обращенных к Lise Хохлаковой, но есть некоторые основания связывать его и с Анной Ахматовой. Возможно, оно было написано в Бахчисарае во время последнего свидания с ней в августе 1916 года и в нем отразились сложные отношения с Ахматовой. Интересно, что только в конце выясняется: стихотворение написано от лица героини; тогда «профиль крутолобый» — это профиль самого Недоброво.

«Я вспомню всё. Всех дней в одном, безмерном миге...». Впервые — Северные записки. 1916. № 11-12. С. 69-70. Печ. по этому изданию.

Последнее, прощальное стихотворение Недоброво написано тоже как бы от лица Ахматовой. Оно звучит одновременно как прощание и как напутствие уходящего «в царство тени» друга. Ср. в стих. Ахматовой «Творчество», написанном 40 лет спустя после смерти Недоброво, первая строка которого звучит как парафраз начала его стихотворения :

> Я помню всё в одно и то же время,
> Вселенную перед собой, как бремя
> Нетрудное в протянутой руке,
> Как дальний свет на дальнем маяке,
> Несу, а в недрах тайно зреет семя
> Грядущего...

14 ноября 1959

ЮДИФЬ

Впервые — Русская мысль. Прага; Берлин, 1923. Кн. VI-VIII. С. 8-61. Печатается по этому изданию.

Печатая «Юдифь» и статью Ю.Л.Сазоновой-Слонимской «Николай Владимирович Недоброво», редактор журнала П.Б.Струве сделал такое примечание: «Я с душевным удовлетворением помещаю «Юдифь», посмертное произведение Н.В.Недоброво, который был всегда желанным сотрудником Русской Мысли, и любовно написанный Ю.Л.Сазоновой-Слонимской его портрет. Личность Н.В.Недоброво даже для тех, кто не был с ним лично близок, была отмечена внутренней значительностью и глубиной».

Юдифь (Иудифь), в ветхозаветной апокрифической повести благочестивая вдова, спасающая свой город от нашествия ассирийцев. О соответствии содержания трагедии Недоброво и книги Юдифи см. содержательную статью Е.И.Орловой «Юдифь или Олоферн?» — Вопросы литературы. 1999. № 6. С. 299-319. Уже первое упоминание о замысле трагедии в дневнике Недоброво позволяет оценить нетрадиционность его подхода к выбранной теме: «Как-то раз в Симферополе я разговаривал с Любовью Александровной Ольхиной о том, что, выручая разных людей из тюрем и из войны и путешествуя для этого по разным генералам etc, она, в сущности, уподобляется Монне Ванне. Она сказала, что да, и что она могла бы быть и Юдифью. «В этом случае недурно было бы оказаться Олоферном», — подумал я, и мне в голову пришла идея прекрасной трагедии в стиле французского классицизма. <...> Вообще, я разрушу представление, что Олоферн что-то грубое и всклокоченное. Это будет самый изящнейший генерал-губернатор, какого только можно придумать. <...> Вся горечь трагедии будет заключаться в том, что, в то время как Юдифь будет думать, что она перехитрила Олоферна и великая героиня, публике будет ясно, что великий герой желания — Олоферн, и Юдифь — игрушка в его руках, его прихоть» (ИРЛИ. Ф. 201. №30. Л. 56 об. — 57).

Упоминания о «Юдифи» встречаются в дневниковых записях 1905 (№39. Л. 68 об.), 1907 годов (№ 41. Л. 9); трагедия вынашивается долго и становится своеобразным «семейным» произведением («наша трагедия» — № 39. Л. 85 об.) супругов Недоброво. Однако писать ее Недоброво начал 11 июля 1909 года в Гурзуфе, а закончил 9 сентября 1911 г. в Тегернзе. 7. X. 1912г. в Петербурге «Юдифь» была окончательно отделана и переписана в дневнике. (ИРЛИ. Ф. 201. № 41. Л. 70-98 об.).

И.Г.Кравцова и Г.В.Обатнин в статье «Материалы Н.В.Недоброво в Пушкинском доме» сообщают, что «в фонде Н.А.Котляревского (ИРЛИ. № 14195) находится также машинописная копия «Юдифи» с краткой заметкой о Недоброво, написанной Котляревским на титульном листе принадлежащего ему экземпляра трагедии: «Николай Владимирович Недоброво, молодой талантливый критик и поэт нового направления, умер в 1919 г. «Юдифь» — первое его крупное произведение. Недоброво много работал над творчеством Тютчева и Фета. Обладал хорошим знанием классических языков. Женат был на Любови Александровне Ольхиной — дочери поэта, одной из первых красавиц Петербурга. Замысел «Юдифи» выработан ими сообща. Н. Котляревский» (Шестые Тыняновские чтения... С. 100).

В 1913-1914 гг. Недоброво пытался поставить «Юдифь» на сцене МХАТа, но эти попытки успехом не увенчались.

ВРЕМЕБОРЕЦ (ФЕТ)

Впервые — Вестник Европы. 1910. № 4. С. 235-245. Печ. по этому изданию. В дневнике Недоброво еще в 1904 году зафиксирован замысел «небольшого реферата о Фете» (ИРЛИ. Ф. 201. № 38. Л. 40). Хотя статья Недоброво о Фете ни разу не перепечатывалась, тем не менее, Анна Ахматова держала ее в поле зрения и, по свидетельству А.Г.Наймана, однажды «подарила ему оттиск статьи» (Найман А. Рассказы о Анне Ахматовой. М.: Художественная литература, 1989. С. 36).

АННА АХМАТОВА

Впервые — Русская мысль. 1915. № 7. Разд. II. С. 50-68. Републикации: Анна Ахматова. Сочинения. Paris: YMCA-Press, 1983. Т.3. С. 473-496; Анна Ахматова. Поэма без героя. М.: Изд. МПИ, 1989. С. 250-272 (публикация Р.Д.Тименчика); Найман А. Рассказы о Анне Ахматовой. М.: Художественная литература, 1989. С. 237-258 (публикация А.Наймана); Об Анне Ахматовой. Лениздат, 1990. С. 49-68 (публикация М.Кралина). Печ. по первой журнальной публикации в «Русской мысли» с исправлением опечаток по черновой рукописи статьи (ИРЛИ. Ф. 201. № 1). Р.Д.Тименчик и А.В.Лавров в обзоре «Материалы А.А.Ахматовой в рукописном отделе Пушкинского Дома» отмечают, что «в черновике статьи есть опущенные при публикации места, интересные для нас как отголоски споров 1910-х годов, полемика с критическими рекомендациями, которые Ахматова получала в начале своего творческого пути: "Ахматова не берет формы лирического стихотворения для выражения нелирических по существу задач, как то, к сожалению, весьма распространено ныне. Может быть, и есть у нее и вовсе не лирические задачи: если есть, почти можно за нее поручиться, что выразит она их в пристойном роде: в поэме, в повести, в драме, в романе.

Пока боги хранят ее от холодных баллад, с мраморным рисунком, но ритмом и движением своим вызывающим в воображении одну неминучую картину: мраморного барельефа, везомого по мостовой на ломовой телеге, в хорошем случае в музей, а чаще в Speise-saale обильно сооружаемых ныне по Петербургу немецкими акционерными компаниями гостиниц"» (Ежегодник рукописного отдела Пушкинского Дома на 1974 год. Л.: Наука, 1976. С. 63).

15 марта 1914 года вышел из печати второй сборник стихов Анны Ахматовой «Четки». Выход своей статьи о творчестве поэта Недоброво, очевидно, связывал с этим

событием: «Четки» Ахматовой завтра или послезавтра появятся на книжном рынке, — пишет он редактору литературного отдела «Русской мысли» Л.Я.Гуревич. — Статья моя о ней вчерне уже написана и в средине будущей недели я Вам ее доставлю. В печатном виде она займет страниц, я думаю, двенадцать. Так что это, собственно, не рецензия на книгу, а статья о поэте, мне хотелось бы, чтобы она была напечатана не в отделе, а особо, как в феврале, кажется, была напечатана статья об гр. А.Н.Толстом. В мартовскую книжку моя статья, очевидно, уже не поспеет; однако, было бы хорошо, если бы она появилась поскорее». (Шестые Тыняновские чтения... С. 106). Однако статья была напечатана с более чем годовым опозданием. Причины задержки были разъяснены в сопроводительном редакционном примечании к статье: «Предлагаемая статья была сдана в редакцию в апреле 1914 г. (на самом деле — 20 марта — ИРЛИ. Ф. 264. № 42. Л. 60). Напечатание ее было задержано преимуществом, даваемым статьям, связанным с войною».

Судя по письмам Недоброво к Л.Я.Гуревич, он заботился о том, как примут статью читатели, внимательно относился к замечаниям отдельных членов редакции журнала: «Из всех слав Гераклита слава темноты казалась мне всегда наименее завидной, так что я с радостью готов идти навстречу всякому указанию, которое бы поспособствовало просветлению статьи об Ахматовой» (Шестые Тыняновские чтения... С. 109).

В процессе работы над статьей Недоброво, видимо, знакомил Ахматову с ее содержанием. На полях черновика статьи сохранилась помета Недоброво: «А.А. не нравится» (подробнее об этом в моей статье «Анна Ахматова и Николай Недоброво» — Кралин М. Победившее смерть слово. Томск: Водолей, 2000. С. 14). В статье Недоброво без кавычек цитирует одну фразу из рецензии Анны Ахматовой «О стихах Н. Львовой» (Русская мысль. 1914. № 1). У Ахматовой: «Но странно: такие сильные в жизни, такие чуткие ко всем любовным очарованиям женщины, когда начинают писать, знают только одну любовь, мучительную, болезненную, прозорливую и безнадежную». У Недоброво: «Такой прием может быть обязателен для поэтесс, женщин-поэтов: такие сильные в жизни, такие чуткие ко всем любовным очарованиям женщины, когда начинают писать, знают только одну любовь, мучительную, болезненно-прозорливую и безнадежную». Возможно, Анна Ахматова использовала в своей рецензии мысль, которую в беседах с ней высказывал Н.В.Недоброво, поэтому он и не счел нужным ее закавычивать. Во всяком случае, в статье немало мыслей, сохранивших следы дружеских бесед поэта и критика. Возможно, еще и поэтому Анна Ахматова так ценила эту статью. «Милой Вере — лучшее, что написано о молодой Ахматовой» — такую дарственную надпись сделала Ахматова В.А.Знаменской 21 ноября 1964 года (Анна Ахматова. Сочинения. Paris: YMCA-Press, 1983. Т. 3. С. 371). По-видимому, Анна Ахматова далеко не сразу оценила в полной мере статью Недоброво. Первый развернутый отзыв об этой статье записан Л.К.Чуковской со слов Ахматовой 24 мая 1940 года, незадолго до начала работы над «Поэмой без героя»:

«Потрясающая статья, — перебила меня Анна Андреевна, — пророческая... Я читала ночью и жалела, что мне не с кем поделиться своим восхищением. Как он мог угадать жесткость и твердость впереди? Откуда он знал? Это чудо. Ведь в то время принято было считать, что все эти стишки — так себе, сентименты, слезливость, каприз. <...> Но Недоброво понял мой путь, мое будущее, угадал и предсказал его потому, что хорошо знал меня» (Чуковская Л. Записки об Анне Ахматовой. М.: Согласие, 1997. Т. 1. С. 124-125). Последний раз Ахматова перечитывала статью в 1964 году, во время работы над трагедией «Энума Элиш» («Пролог»). И вновь в ее записях сквозит удивление и восхищение перед пророческим даром ее друга: «13-ое <сентября 1964> Прочла (почти не перечла) статью Н.В.Н<едоброво> в «Русской мысли» 1915. В ней оказалось нечто для меня потрясающее (стр. 61). Ведь это же «Пролог». Статью я, конечно, совершенно забыла. Я думала, что она хорошая, но совсем другая. Еще не знаю, что мне обо всем этом думать. Я — потрясена.

14-ое. Он (Н.В.Н<едоброво> пишет об авторе Requiem'а, Триптиха, «Полночных стихов», а у него в руках только «Четки» и «У самого моря». Вот что называется настоящей критикой.

Синявский поступил наоборот. Имея все эти вещи, он пишет (1964), как будто у него перед глазами только «Четки» (и ждановская пресса)» (Записные книжки Анны Ахматовой (1958-1966). Москва: Torino, 1996. С. 489).

Алфавитный указатель произведений
Н.В.Недоброво

СОДЕРЖАНИЕ